現代ネット政治＝文化論

AI、オルタナ右翼、ミソジニー、ゲーム、陰謀論、アイデンティティ

藤田直哉

作品社

現代ネット政治＝文化論＊目次

「悟りを開いて人間社会は諦めて解脱しちゃうんじゃなくて、悪や愚かさや欲望と不可分の世界の中で、自分もその一部として生きながら、そのジャンルを使いなんとか良くしようとしているところがイイ（と自分が感じる）んだろうな」
「状況は悲惨で陰惨かもしれず、無力感や悲観に捉われもするが、それでも目を逸らさず、ごまかさず、自分にできる能力を最大限に生かしながら、少しでも世界を良くするように前向きに行動する、というような人が偉大だし、好きだな」

——著者のX（旧・Twitter）二〇二四年五月一四日より

はじめに

新しいフロンティアが拓かれた!

一九九五年、インターネット元年、ネットに触れて、そう思った。

そして、飛び込んだ。

既存のメディアや権力から自由なサイバースペースには、新しい可能性があり、新しい文化を生み出せると思ったし、既存の世界を変えられると思った。

二〇〇二年には神山健治監督『攻殻機動隊STAND ALONE COMPLEX』が放送された。

インターネットという、個人が発信できるメディアを用いて、匿名の人々の集まりが、社会悪を告発し、世界を変えていく「正義」の物語に熱狂した。ネットで社会を変えられる、政治的な影響力を持つことが出来るという確信は強くなり、オンライン内外での様々な政治活動に参加していった。

世界でも、ガイ・フォークスのお面を被ったアノニマスなどの「ハクティヴィスト」と呼ばれる集団が、ネットの内外で政治的なアクションをしていった。この世界的なうねりによって、世界は変わっていく、良くなっていく、直接民主主義的なユートピアが実現する、希望に満ちた未来に向かっていくように思われた。

自分は、ある巨大な歴史の分岐点で、未来を作るために戦っているのだと、本気で思っていた。

――それが、世界を悪くしていたかもしれないという、絶望的な認識を受け入れざるを得なくなったのは、二〇一五年ごろだろうか。


自分は間違っていたのかもしれない、この半生は過ちだったのかもしれない、という思いが、現実のネット社会を見ていると、どうしても湧いてしまう。深刻な憂鬱と罪悪感に襲われ、足元が崩れてなくなっていくような気持ちがする。

現在、ネットは匿名性を利用したヘイトスピーチや誹謗中傷、嫌がらせに利用され、フェイクや陰謀論に塗れている。

直接民主主義的なユートピアが訪れるどころか、民主主義には本質的な脆弱性があるのではないかという危機を訴えるような声が多く聞かれるようになった。

人々は愚かで、理性的な思考や判断が出来ないため、民衆に自己決定など任せられるわけがない、だから権威主義や独裁やＡＩによる管理が良いという意見すら聞かれるようになった。

ＳＮＳの感情を煽る性質に促されるように炎上やリンチに人々は駆りたてられ、それが巨悪を倒すこともあれば、無垢なものに過大な暴力を振るう邪悪な行為になることもあった。

そのようなネットを利用したポピュリズムを、右も左も利用し、対立と分断は激化し、思慮深い合理的な意思決定が困難になっている。

ネットは世界を変えたかもしれない。しかし、それは理想として夢見た方向とは明らかに異なっている。

暗澹たる気分、陰鬱な思いにどうしても囚われざるを得ない。

どうしてそうなったのだろうか。

初期のネットの「夢」「思想」に、そもそも問題が内在していたのか。それとも、商業化の結果の堕落なのだろうか。あるいは、既存の権力や政治が「フロンティア」を利用するべく手を伸ばしてきたからなのだろうか。

本書を貫く問題意識は、かつてサイバーアナーキズムに熱狂し、「革命」をしようとしてきた自分自身の失敗、間違いの検討である。様々な夢と希望が反転し、イデオロギー的な布置も逆転してしまっているこの捩じれの現状を、どうにか理解する必要がある。おそらくそれは、ぼく個人だけの問題ではないはずだ。

たとえば、ネットの初期にあった、サイバースペースの独立や、政府や管理から「自由」であろうとするリバタリアニズムやサイバーアナーキズムの夢。それは、本論で確認するように、ロシアからの影響工作に利用されてしまっている。

軍事の領域でも、物理的な戦闘と並行し、情報や世論を使った「世論戦」「認知戦」「ナラティヴ戦」が、オンライン上で猛威を振るっている。これらは、どっちが正しくて、どっちが悪くて、どっちが勝っているのかなどにおいて、勝手に嘘を吹聴し、人々の認識や世論を動かそうとする戦略である。それはジョージ・オーウェルが一九三六年から一九三七年のスペイン内戦において体験したことだった。

既存の権力や秩序から自由であり、人類の様々な問題の手垢がついていないフロンティアだったはずのサイバースペースは、今や、古くから続く政治・権力争い・謀略・戦争の世界に巻き込まれている。

この新しくも古い状況の中で、人々の心は動揺し、その揺れ動きは、様々な文化や行動として現れてこざるをえない。

本書は、インターネットが大きく変えている現在の政治状況を、文化との連続性の観点から考えるものである。

大きく注目する文化は、初期のネットカルチャーと連続性を持っていたサブカルチャーとオタクカルチャーである。アメリカの場合においてはヒッピー文化がシリコンバレー精神と連続しているし、日本においてはコンピュータにいち早く関心を示し初期のネット文化を牽引したのは「オタク」と呼ばれる人々だった。

現在起こっている政治や社会の現象を理解するには、初期のインターネットやオタクカルチャーの歴史を知っておく必要がある。そこで涵養されたマインドや価値観が、今にまで影響しているように思われるからだ。

筆者は、一九八三年、ファミコンと同じ年に生まれ、その発展とともに育ち、一九九五年(小学校高学年)には自室にインターネットに接続されたパソコンがあった。

父親はパソコン通信もやっていた。だから、ぼくもそばで2ちゃんねる(現・5ちゃんねる)、mixi、Twitter(現・X)、LINEなどの発展を具《つぶさ》に見てきた。いわゆるニューメディアに習熟し、自らもオタクである。そのような経験——サイバー・フィールドワーク——を経てきた人間として、現代の状況を分析し、認識や情報を共有することには意味があるのではないかと考えた。

アメリカ大統領選、アメリカ合衆国議会議事堂襲撃事件、山上徹也による安倍元首相暗殺事件、ロシアとウクライナの戦争や影響工作、オンライン上のミソジニーや嫌がらせなどの深刻な現象を、本書は論じている。技術やメディア自体が人間を変えていくということ、そして、ネットやサブカルチャーで醸成された文化そのものが人々の考えや行動に影響を与え政治的現実に帰結しているということ、この二つの観点を抜きにしてこれらの事象を理解してしまうと、そこにはある欠落がどうしても生じてしまう。そのことにより、もっと大きな、本質的で構造的な変化を取り逃すことになるのではないかとの危惧から、本書は作られている。

第一部「ネット時代の政治＝文化」では、主に日本国内に視線を向け、ネットにおいて文化と政治が絡み合って引き起こされている事件などについて、分析していく。

Ⅰ「ゼロ年代　未完のプロジェクト」では、就職氷河期世代、ロスジェネ世代を論じている。特に注目し分析しているのは、人生が「詰み」になり、通り魔事件などを起こしてしまった者たちである。彼らが同時代において共有していたゼロ年代以降のオタク文化・ネットカルチャーの「脱社会的」な感性が政治参加を忌避させ、それがどのような帰結に至ったのかが、本論の中心となる。

本論は中盤で、安倍晋三元首相を銃撃し殺害した山上徹也のツイートを、かなり多めに引用し、彼に体現されている同世代の思想を分析する。山上を中心に論じたのは、この論考の掲載された『現代思想』の特集が、山上徹也の起こした安倍元首相暗殺事件の衝撃を底に響かせた就職氷河期特集だったからだ。山上のツイートを分析し、彼が典型的な「2ちゃんねる」的感性の「ネトウヨ」であり、二〇一〇年代以降の「アイデンティティ・ポリティクス」の時代の中で自分が救済されず、見捨てられた者であるという絶望感を高めていったことを確認する。

本稿は『現代思想』二〇二二年一二月号「特集＝就職氷河期世代／ロスジェネの現在」に掲載されたものをベースに、主に中盤以降、大規模に加筆修正している。元の原稿は、事件に衝撃を受け、動揺し混乱した痕跡があまりにも残っていた。その感情の揺れを残しつつ、整理した。

筆者は、同じ氷河期世代であり、ゼロ年代を生きた者として、なんとか彼らや、彼らと似た境遇の者たちを救いたいし、救われるべきだと思っており、そのための提案もしている。が、多くの者が救われるような解決は困難であるという無力感に、どうしても囚われる。

Ⅱ「ミソジニーとサブカルチャーのインターネット文化史」では、現代日本のネット社会におけるミソジニーの起源を文化史的に素描する。フェミニストや、性被害などの声を挙げた女性たちが、オンラインでたくさんの誹謗中傷に遭い、仕事先にまで殺害予告が来るほどの嫌がらせを受けるのは何故なのか。「弱者男性」論とは一体何なのか。それを、「2ちゃんねる」や、それに影響を与えた八〇年代九〇年代のサブカルチャーなどの歴史を踏まえて論じる。

「弱者男性」を定義するのは容易ではない。が、基本的には、福祉や同情の対象となりやすい「弱者」性を持たないが、しかし、社会や恋愛における男性のヒエラルキーの中で劣位に置かれやすい存在を可視化させるためにネットで生まれた言葉であるのはたしかだ。であるから当然、同情され福祉の対象となる「女性」との比較が言葉のニュアンスとして存在し、ミソジニーと複合しやすい。「弱者男性」となってしまう背景に、障害や精神疾患や虐待経験などがある場合もあるが、ネットなどでのスラングとしての使い方としては「モテない」「イケてない」「活躍していない」という認識（他者によるものであれ、自認であれ）に基づいて曖昧に使われている言葉であり、福祉などの対象となる「弱者」とは必ずしも合致しない。本稿は、岩波書店の『世界』二〇二三年六月号「特集――現代日本のSNS空間」に掲載されたものをベースに、最低限の加筆修正を行っている。

Ⅲ「オタク文化とナショナル・アイデンティティ」は、ネット上で「差別主義者」「ネトウヨ」呼ばわりされることもあれば、自分たちを「迫害の被害者」とも提示する「オタク」という集団のアイデンティティを、概念史・言説史的に辿り、検討するものである。特に、それが「日本」というアイデンティティとの関係においてどのように変化したのかが、本論の強調したい点である。本稿は、二〇二一年三月に開催されたソウル大学日本研究所国際学術シンポジウム「2000年代以降日本オタク文化の争点と展望――クール・ジャパン20年を顧みる」での発表を元に、「SNU日本研究所叢書」に収録され韓国で出版されたものの日本語版である。韓国での発表ということや、他の発表者の論点を意識し、クール・ジャパンとナショナル・アイデンティティの問題にクローズアップした内容となっている他、大日本帝国における文化政策・占領政策をも意識している。結論部分などに部分的な加筆をしている。

第二部「作られる環境」では、政治と文化の分析を世界的な視野に広げる。主にアメリカの陰謀論や、ロシアにおける積極工作などが扱われる。

もちろん、世界は繋がりあっており、様々な政治手法やイデオロギーが国を超えて影響しあう。アメリカのQアノンらを生み出したのは、匿名掲示板文化を輸出した日本ではないかと言われることもある。「リベラル」「保守」などのネットで目立つ対立軸は、アメリカ政治の構図が日本に輸入されたものではないかとも思われる。

Ⅳ「不幸な未来もゲームは作れるのか?」は、Qアノンらによるアメリカ議会襲撃事件につながっていった、インターネットにおける「ゲーム的な政治」の状況を、ゲームというメディアとの比較から論じたものである。中心になっているのは、Qアノンの前身とも言える「ゲーマーゲート」事件である。Qアノンたちの手法について、『Qアノンの正体』というドキュメンタリーを撮ったカレン・ホーバックは「双方向性ゲーム」(『オシント新時代――ルポ・情報戦争』毎日新聞出版、二〇一頁)と、札幌市立大学教授の武邑光裕は「代替現実ゲーム」と表現している。彼らは匿名掲示板やSNSなどを舞台に、リアルタイムのRPGのように政治的な発言や情報収集や推理を行い、それに基づいて行動をしているのだ。二〇二四年現在の日本における、元ゲーム会社に所属していた暇空茜の運動手法もまたゲーム的な政治である。

従来の新聞や論壇誌などの活字ベースの言説空間と、スピーディーな相互作用のあるインターネットとでは、違う質の言論活動が行われ、それは当然民主主義の質にも影響している。本書に収録されている時評以外の文章の中で本稿が一番早くに書かれたものであり、二〇一八年に刊行された限界研編、竹本竜都・宮本道人編著『プレイヤーはどこへ行くのか』(南雲堂)に収録されたものをベースに、簡単な手直しをしている。なお、この「ゲームの美学と政治」という問題意識は、後に『ゲームが教える世界の論点』(集英社)でのゲーム評論に繋がっていった。現在の知見を踏まえて、日本の事例を追加するなどの若干の加筆を行った。

V「積極工作と陰謀論政治」は、ロシアやアメリカなどが行っている様々な工作や情報操作と、陰謀論を用いた政治について、現代日本のネットやサブカルチャーとの関連を意識しながら考察するものである。本稿は『じんぶん堂』のWEBサイトに二〇二二年五月に掲載された「世界の裏で暗躍する『工作活動』の実態――ロシア・アメリカ情報戦争の100年」をベースにしているが、元の原稿がジョンズ・ホプキンス大学教授のトマス・リッド『アクティブ・メジャーズ――情報戦争の百年秘史』(松浦俊輔訳、作品社)だけを対象としていたのに対して、保坂三四郎『諜報国家ロシア――ソ連KGBからプーチンのFSB体制まで』(中央公論新社)、ジョナサン・ゴットシャル『ストーリーが世界を滅ぼす――物語があなたの脳を操作する』(月谷真紀訳、東洋経済新報社)、ジョゼフ・E・ユージンスキ『陰謀論入門――誰が、なぜ信じるのか?』(北村京子訳、作品社)についても加筆し、四分の三を書き下ろしている。本の引用と紹介が多いのは、元が書評原稿だったという理由に拠る。

ロシアがアメリカの大統領選に介入したことは明らかになっており、イギリスのブレグジットに介入しヨーロッパの極右勢力を支援している以上、おそらくは日本への介入も起きているだろう。ロシアが掲げる様々な思想と類似する日本の政治グループが存在しているのは偶然なのか、積極工作の結果なのか、それとも……。本書を書いている時点での筆者の思索の限界と、積み残しの課題はこの論に集約されている。

補論「ポスト・トゥルスと、脱マスメディア時代のポップカルチャー」は、第一部で扱った内容を、より広範なトピックや視野の中で論じたものである。元が口頭発表であるから表現が平易であり、場合によってはこの原稿を先に読んだ方が本書の内容は理解をしやすいかもしれない。本稿は、横浜国立大学の室井尚さんが研究代表をなさっていた科研費研究「脱マスメディア時代のポップカルチャー美学に関する基盤研究」での二〇二二年一月の発表をベースに、報告書『ポスト・コロナのポップカルチャー』に掲載されたものである。

一九八〇年代から、現在のインターネット社会の問題を既に予見していたようにしか思えないヴィジョナリー的な著作を著されていた美学者の室井尚さんとは、もっとたくさん議論をしたかった。しかし残念ながら、室井さんは二〇二三年三月に癌で亡くなってしまわれた。室井さんが司会をなさっている部分、ご発言されている部分は、ご遺族と研究会メンバーの許可を得て、最低限の手直しをした上で収録させていただいた。一般的には「ポスト・トゥルース」と表記するところ、「ポスト・トゥルス」と書いてあるのは、室井先生のこだわりである。報告書ではこの後に、大澤真幸さんや研究会メンバーを交えたディスカッションが掲載されているので、興味をお持ちの方は、オンラインで公開されているものをお読みいただきたい。内容は、若干の加筆修正を行っている。

第三部「ネット時評」では、共同通信と朝日新聞に月に一回連載させていただいてきた時評を掲載する。共同通信の「ネット万華鏡」は、共同通信社初のネット時評だったはずである。二〇一四年一月から、二〇一五年二月まで、十四回連載している。見出しは、配信の際に通信社が付けたものであり、日時は配信日である。ただし、諸事情で、最終回だけ、見出しと日時が配信時のものではない。本書に収録されている中で、一番若い頃に書いた文章である。

この連載は、「論壇時評」などと同じように、ネットで起こっていることにも目を配り、マスメディアで紹介しなくてはいけないという考えに、担当記者が共鳴してくださって実現したものである。掲載紙の数も多く、反響も大きかった。まだ若いぼくを、初めてのネット時評に抜擢してくださり、丁寧に対応してくださった担当記者には、深く感謝している。

朝日新聞の「ネット方面見聞録」は、二〇一九年四月から月に一度夕刊で連載し、現在も続いている。いくつかの記事は、ありがたいことに、慶應義塾大学理工学部などの入試で使っていただけて、とても嬉しく思っている。

主な題材としては、ネットで起こっていることを反映して、フェミニズムなどが関わる文化戦争に関連するものと、ウクライナやパレスチナでの戦争の状況に反応したもの、ネット・ポピュリズムと政治のつながりを扱ったものが多い。奇しくも連載開始直後から新型コロナウイルスのパンデミックが始まったので、「緊急事態宣言」下で人々が接触を避けるためにネットなどを駆使してどのような試みをしていたのかの記録にもなっている。

連載の狙いとして、当初は、ネットで起こっていることを無視してはいけない、それは政治的な現象にも影響している、ということを、新聞読者（上の世代）に伝え、現状に対する理解を促すという使命感があった。今風に言えば、メディア・世代の「分断」を埋め、つなぐ役割を果たそうとしていた。

だが、連載が続くにつれて、ネットで起こっているリアルタイムの事象に対する批判や批評という、介入的な要素も強くなっていった。

その都度その都度の現象に出会い、解釈に悩み、結論に苦しみながら書いてきたものなので、あるところでの主張と、本書の他のところでの主張が食い違っている部分もある。それは、さらに調べて考えていくに連れて、ぼくが考えを変えた箇所でもある。だから、時評で肯定的に紹介していた現象を、後にもう少し批判的かつ多面的に言及していることも少なくない。今の自分が読み返すと、「若いな」「青いな」「考えが足りないな」と思って恥ずかしい部分も多いのだが、現在の考えに合わせてそれらを書き直すことはせず、細部の表記などを書籍向けに改めるに留めた。

新聞に掲載する時評という性質上、具体的な事例を丁寧に紹介しているので、第一部での議論の背景や問題意識の起源も分かりやすくなるだろうとも思う。第一部では、個別の事例の説明に紙幅を割けなかったので、ネットでの様々な事象に明るくない方は、この時評から先に読んだ方が本書全体を理解しやすくなるだろう。

本書の装画は、アーティストの藤嶋咲子が、SNSとメタバース上で展開した「バーチャルデモ」の画像を使わせていただいた。本書の内容と彼女の作品には響き合う部分が多いだろう。

就職氷河期・ロスジェネ世代の問題を語ることから始めたのは、初期のネットに触れた者たちには、その世代の人間が多く、彼らの経験や価値観が現代日本のネット文化にも大きな影響を及ぼしているからだ。そして、「弱者男性」や「オタク」について論じている以上、論じている自分自身の立場をはっきりさせておく必要があるだろう。

既に少し触れたが、筆者は一九八三年に生まれた、就職氷河期世代である。幼少期からファミコンやアニメ・マンガなどに親しんで育った、文化的にも気質的にも「オタク」だと言っていい人間である。一九九五年には『新世紀エヴァンゲリオン』にハマり、インターネットが家に導入され自室にパソコンがあったので、インターネット元年からのネットの世界の発展に興奮し、没入し、様々な思想の影響を受け、様々な行動をとってきた。

一時期、高校を中退し、一年ぐらい引きこもってネットばかりやっていた。そのあと、なんとか大学に行ったはいいが、就職もせず、フリーターになり、ネットカフェ難民が「ドヤ」に使っているような歌舞伎町の漫画喫茶で店員をしながらブラブラしていた。

そのときの年収は一五〇万円ぐらい。ネズミが出るボロいアパートに住み、未来には希望を持っていなかった。非正規雇用という身分に理不尽さを覚え、資本主義や国家を憎悪し、社会に怒りと疑問を感じ、ロスジェネ運動やフリーターズフリー運動に共感し、デモなどにも参加していた。「革命」という言葉への憧憬が強く、どうせなら、世界が壊れて、ひっくり返ってしまうことを期待していた。

筆者が初めて正規の職に就いたのは、三五歳を過ぎてからで、非正規雇用の三〇代独身男性がどのような目に遭うのかは、身を持って深く体感している。もちろん、モテないし、バカにされるし、世の中の同世代が送っているような暮らしや、得ている幸福からは遠く疎外されている。三〇も過ぎてから、貯金も何もかも底を付き、クレジットカードでキャッシングをし、人から生活費を借りるような「屈辱」も味わっている。

だから、「弱者男性」や、通り魔殺人を起こすような者たちのことが、他人事とは思えない。自分も一歩間違えれば、同じようになっていた可能性が高い。いやなっていただろう。今も、自分の半分ぐらいは、彼らと同じなのではないかと思っている。

自分は、運よく賞に応募した原稿を評価してもらってモノカキとしてデビュー出来て、なんとか大学院にも入れてもらい、奨学金や学費免除などに助けられてなんとか博士号を取れて、拾ってくれる大学があった。

今は大学教員という、社会的にはそれなりに敬意を払ってもらえる立場にいるし、まぁまぁの収入があり、結婚して子供を育てたり出来るものの、ちょっとボタンが掛け違っていたら、今頃自爆テロなんかしかねないぐらいに思い詰めざるを得ない状態になっていたに違いない。というか、いつでもまたそうなりうる、という恐怖心を持ちながら生きている。

金がなく、社会的地位のない三〇歳を過ぎた男性への社会の冷たさというのは恐るべきものであり、当然異性などに相手にされる機会にも乏しい。ほんの少しの差、運や偶然次第で、ネットで女性に対する憎悪や呪詛を書き連ねる人間になっていた可能性がある。

多分、自分が今、四〇歳で、毎日非正規雇用の辛い仕事をしていて、友達も恋人もおらず、年収一五〇万円ぐらいで、孤独な暮らしをして、何をしても何を書いても評価されなかったら、社会や国を恨んで、差別主義者の団体に入り、陰謀論を信じ、心身の不調の末に、拡大自殺としての通り魔殺人に至っていたのかもしれない。

二〇一九年五月二八日に、川崎市の登戸で通り魔事件が起きた。通勤で登戸駅で乗り換えたのはそのほんの三〇分前だった。事件を知り、帰宅の途中で現場に立ち寄り、報道陣で溢れかえっているアスファルトの上に飛び散っている生々しい血痕を見た。狙われたのは、素敵な制服に身を包んだ、富裕層の多い私立小学校の小学生たちであった。——犯人と自分の間にある境界の壁は、意外と薄く、いくつかの分岐点の違いでしかないのではないか、という感覚が身を襲った。「リア充爆発しろ!」などとネットに書き込んで戯れているのと、本当に殺害するに至ってしまうまでの距離は、案外短いのではないか。

家でゾンビ映画ばかり観て、金持ちや成功者やイケメンを呪詛し、アポカリプスで終わってしまったあとの世界を夢見ていた自分には、確実に、彼らと似た性質がある。

批評家や大学教員をやっていると誤解されがちだが、決して実家が太いわけでも文化資本に恵まれたわけでもない。祖父母は北海道に移住した第一世代で、野草を採って食べ、父親が生まれ育ったのは文字通りの「掘っ立て小屋」だった。親戚は夕張でメロンを作り、タンクローリーの運転手をしている。だから、地域格差や階層の問題も痛感する。衰退していく地域や産業の苦境も分かる。絶望を覚えてしまうような環境に生まれ育ってしまう者のことも、よく分かる。

たまたま自分は勉強の成績がよく、進路があったから道が開けただけで、しかしその成績のよさだって、脳の作りがそうなっていたことは偶然であろうと思われる。もしそうでなければ、「外国人だ」というだけの理由で小学生の少年を路上でリンチしていた地元の同級生と一緒につるみ、その価値観に染まって行動し、オンラインで排外主義的な発言を繰り返していた可能性もある。

そう、だから、「オタク」も、「弱者男性」も、「陰謀論者」も、「負け組」も、決して他人事だと思って言っているのではない。まったく違う特権的な立場から対象化して論じているというよりは、自分自身にもその側面はあると思い、自己批判も込めて、書いている。

だから、耳の痛いことを言っていると感じることもあるかもしれない。でも、反発しないでほしい。気持ちは、よく分かっているから。

第一部　ネット時代の政治＝文化

I　ゼロ年代　未完のプロジェクト

1　ゼロ年代批評とロスジェネ論壇の分裂

ある時代の犠牲と、その分裂

二〇一三年、最初の単著『虚構内存在――筒井康隆と〈新しい《生》の次元〉』（作品社）の中で、私はこう書いた。

「この一〇年の言説で、若年者に対して強い影響を持った言説を二種類挙げるとしたら、情報環境やオタクコンテンツを扱う『ゼロ年代批評』と、雨宮処凜、大澤信亮、杉田俊介、湯浅誠らに代表される『ロスジェネ的言説』であったと言っても良いだろう」「この二種類の言説は（……）交わらないまま、対照的なものとして発せられ、そして受容されていた」。そして、今こそ、この二つを「『ひとしく時代の犠牲と眺め得るような、沈着にして成熟した眼』（平野謙）で見通す新たな図式を作ることでゼロ年代を葬り去り、新たな時代に向けて新しい世界認識を提出しなければならない」（三頁、五頁）と。

それがある意味で、筆者のモノカキとしての宣言であった。つまり、一九九五年以降の、インターネットやサブカルチャーの普及の結果としてのオタク的感性の増大と、新自由主義社会における非正規雇用を中心とする様々な問題の両面構えで、時代それ自体と対峙しコミットしていくこと。そのために、様々な芸術、文化、娯楽を論じるのみならず、社会運動に参加したり、国会前のデモに参加したり、ネットで実践したりもしてきた。

では、二〇一〇年代も終わり、激動の二〇二〇年代も半ばを迎えつつある今、この「オタク的」なものと「ロスジェネ的」なものの分裂という課題をどう振り返るべきだろうか。本論は、山上徹也容疑者による安倍元首相暗殺事件を経た上で、この二〇年近くを振り返るものである。言うまでもなく、客観的かつ絶対的なものではなく、あくまで筆者の視点による、一パースペクティヴに過ぎない。

「はじめに」で書いたが、筆者は、一九八三年生まれで、狭義の「ロスジェネ」(一九七〇‐一九八二年生まれ)からは少し外れるが、就職をせず、フリーターになり、その後大学院に行き、三五歳近くまで定職にも就かなかった。一九八〇年生まれの山上徹也の三つ下、秋葉原通り魔事件の加藤智大の一つ下であり、思春期にはほぼ同世代の酒鬼薔薇聖斗やネオむぎ茶が猟奇的な事件を起こし「キレる一七歳」などと社会に名指されていた。頻発する通り魔事件の犯人の気持ちも分からないではない、と率直に思っている、同世代の一人である。

本田透は、恋愛資本主義を粉砕し、革命を起こし、オタクが「嫁(二次元キャラクター)」と生きる新しいライフスタイルを提案していた。労働、他者、恋愛を拒否しようとした――すなわち「現実」を拒絶しようとした脱社会的なオタクたちや、引きこもりだって、情報化社会以降の社会における新しい生き方を創造しようとしていた側面がある。それは、ある種の「革命」であった。

一九九五年以降の、情報化社会、オタク文化の主流化、高度成長の終わりという未知の状況における、新しいライフスタイルの実験が、ゼロ年代では行われていたのだ。ある種の革命であり、ロマン主義的な情熱により人々は駆動されていた。

筆者は、それを「ゼロ年代　未完のプロジェクト」と呼んでいる。そして、現在、「詰み」になってしまい、通り魔や犯罪者になってしまった者たちは、「ゼロ年代　未完のプロジェクト」のその後を示しているように思われてならない。

本論は、ゼロ年代以降の政治と文化を、その時々に注目された現象・事件・著作などを参照しながら、総体として点検し、私たちがこれからどのような文化と政治のあり方に移行しなくてはいけないのかを考えるものである。

ゼロ年代批評とロスジェネ論壇の分裂

ゼロ年代の言説は、分裂していた。

オタクやネットを扱う「ゼロ年代批評」と、格差や労働の問題を扱う「格差論壇」「ロスジェネ論壇」に。

前者は、社会や政治の問題を忌避する傾向があった。二〇〇四年に流行語になった「萌え」という言葉が象徴する、社会や世界の問題を無視して多幸感に浸れる疑似的なユートピアを描くフィクションに耽溺する者たちが多数支持した。一方、この社会や生の深刻な問題に直面し、なんとかしようとする者たちが後者であり、その間に、感性・認識・ライフスタイルの次元での深刻な分断があったと言ってもいい。

前者は後者を「冷笑」することが多かった。当時、圧倒的に影響力があったのは前者だった。今から振り返れば、正しかったのは後者であったと思われるかもしれない。

二〇〇一年に小泉内閣が誕生し、経済財政政策担当大臣に竹中平蔵が就任した。「構造改革」がキャッチフレーズになり、新自由主義路線に大きく舵が切られた。二〇〇四年には山田昌弘『希望格差社会』が刊行され、格差の再生産などに警鐘が鳴らされ、二〇〇五年には本田由紀『多元化する「能力」と日本社会――ハイパー・メリトクラシー化のなかで』が刊行されメリトクラシー（能力主義）の問題が指摘される。

これらを問題視する者に対して、2ちゃんねるなどでの多くの論調は、主張を真面目に受け取らず、「自己責任」「ブサヨ」「反日」などと叩くのが大多数だった。生活保護やニートや童貞や無職を叩いて嘲笑し、「自己責任」とする論調も強かった。二〇〇四年イラク日本人人質事件では「自己責任」の大合唱であったことは今でも良く覚えている。

現在とは異なり、二〇〇〇年代前半では、ニートやフリーターは、「自己責任」であり「心の闇」の問題として心理化される傾向があった。不況と、日経連の「新時代の日本的経営」による提言で正規と非正規に労働者を分断したことなどによって、ニートやフリーターが増大していることは、政策的にも統計的にも明らかであるにもかかわらず、当人たちの内面に責任を帰し、社会全体が彼らを犠牲にしながらその利益を得たのだ。そしてその「自己責任」という認識を当人たちに内面化させるという卑劣なことまで行われた。ある意味で、虐待と洗脳に近い。だからなのか、2ちゃんねるなどでは、「無職」「童貞」「ニート」などの煽りや自嘲も多かった。ただ、当時はまだ悲壮感がなく、ユーモアもあった。

二〇二〇年代初頭のツイッター（現・X）では、これら「格差の再生産」の議論は「親ガチャ」や「地方出身者や階層の低い者は教育などの機会も少ない」などという恨み言として定番になっている。つまり、ピエール・ブルデューの言っていた「文化資本・社会関係資本」の格差が再生産されるという考え方が、広範に普及したと言える。能力主義や自己責任論、竹中平蔵なども頻繁に批判の対象となり、二〇年近く遅れて、当時「ブサヨ」と揶揄された人たちの主張が大衆化した状況になっていると思われる。当時から「肉屋を擁護する豚」と言う揶揄は存在していたが、まさにそれが真実であったことが、今となってははっきりと分かる。

一〇年、いや、二〇年前に、多くの人々がこの認識を持ち、社会改革のために立ち上がっていれば、今の状況は存在していなかったかもしれない。中には、人生に取り戻せない影響を受けた者たちもたくさんいるだろう。しかし、その変革を起こせなかった原因の一つは、冒頭に挙げた、政治や社会を忌避する文化とロスジェネ的な社会運動との「分裂」に拠るのではないか。

では、この分裂はなぜ生じたのだろうか。それを分析するには、「文化」の問題に踏み込まなくてはならない。

ゼロ年代における、オタク的感性の前景化

オタク文化は、八〇年代にその基礎の部分が形成された。一九八〇年代は、未曽有の好景気であり、一九七〇年代における連合赤軍事件、一九七二年のテルアビブ空港乱射事件、一九七四年の三菱重工爆破事件などを経験し、政治への忌避が高まっていた時代であり、「シラケ世代」が台頭した後である。政治経済的な「平和と繁栄」を前提とし、七〇年代への反発から、貧困や冷戦などの深刻な問題から目を逸らす多幸感的な文化として一九八〇年代のオタク文化は形成されていった（一九七七年には第一次ハローキティブームが訪れ、「かわいい」文化も同時代に形成されている）。

東浩紀が言うように、ゼロ年代に一挙に大衆化したオタク文化（秋葉原ブームが訪れたのは二〇〇三年）は、八〇年代の文化の反復という側面がある。ただし、八〇年代は、実際に好景気であり社会は相対的に平和だったが、ゼロ年代には長期不況と停滞が進行して社会で深刻な問題が生じていたという違いがある。

つまり、ゼロ年代のオタク文化は、八〇年代的な感性・認識の文化を引き継ぐことで、現実で進行している事態から目を逸らし、「平和と豊かさ」ゆえに外部を意識しなくてよかった多幸感的な八〇年代の気

分を仮想的に維持するものとして機能していた。

例えば、新海誠の『ほしのこえ』(二〇〇二)に代表される「セカイ系」というジャンルや、美少女ゲームがゼロ年代には流行したが、その主人公の男性は、「熱血で行動的で戦い勝利する」という意味での「男らしさ」はなく、無力でうじうじしていて行動できない者であることが多い。そこに自己投影している観客に、一九九五年以降の、過酷な労働環境の中で打ちのめされた主体の姿が見えないだろうか。

主人公たちは、病弱だったり心理的欠損のある美少女たちを救おうとして、時にうまく行かないという物語の類型が好まれた。「科学技術立国」として日本が車や家電を世界に売り、「ジャパン・アズ・ナンバーワン」などと言われていた八〇年代には「ロボット」「メカ」が大衆文化で描かれ、それらが観客の自尊心を高めていたと推測されるが、一九九五年以降、「科学技術立国」「GDP世界第二位」というアイデンティティを失って以降のオタク文化で主流化するのが、少女マンガやサンリオなどの「かわいい」文化を男性文化に輸入した「萌え」文化である。これは、弱いロリータ少女を支配したがる家父長的な欲望を疑似的に満足させようとしていると批評されることもあり、それも否定できないのだが、読者・観客の投影のメカニズムはもう少し複雑であり、それだけとも言えない。当時、永山薫や伊藤剛らが議論していたことだが、男性の読者や観客であっても、無力な美少女の側に自己投影と感情移入する傾向もあったのだ。

その場合、そこで行われていたのは、間接的な自己救済の試みであり、中心となっている感情は自己憐憫であると理解できるだろう。

この時期のオタクは、「脱社会的な存在」(宮台真司)と評されていた。社会そのものに異議申し立てをし、反抗する「反社会的な存在」とは異なり、端的に社会の存在が脱落しているのである。この概念を援用すると、ゼロ年代の「分裂」が何だったのかも理解しやすい。社会の問題に直面し、社会を変えようと声を挙げ、主体的に運動するのは「反社会的な存在」であり、社会や世界に問題があることから目を背けてキャラクターやコンテンツに耽溺し社会にコミットしない主体でい続けたい「脱社会的な存在」にとっては、ユートピア的な至福の錯覚を乱し、自身のあり方を否定するノイズのように感じられたのだろう。

その傾向は、二〇一〇年代の「政治の季節」を経てなお残っているが、二〇一〇年代に大きな変化も起こっている。コンテンツに耽溺し現実や社会から離脱するという芸術観が批判され、コンテンツの内容が現実や社会と強く影響していることを前提とする価値観が主流化してきたのだ。いわゆる「ポリコレ」論や、フェミニズム批評がそれに該当する。ポリコレやフェミニズムと、オタクたちの抗争は、「脱社会的」であろうとする者たちと、それを批判する者たちの文化的な闘争であると理解されよう。

ゼロ年代末頃から、筆者は杉田俊介、笠井潔らと、コンテンツ批評と政治批評を結びつける「ポリティカル・フィクション批評」を提唱し行ってきたが、一〇年以上前には少数派であった議論と実践が、これほど主流化していることに、驚いている。ゼロ年代には、ほとんどそのような批評は目立っていなかった。

すでに述べたが、ゼロ年代には、現実における政治や社会のみならず、恋愛や他者との繋がりを拒否し、二次元キャラクターとのコミュニケーションや性愛に閉じこもり、労働を拒否する（「働いたら負けだと思っている」、ネット用語としての「ニート」）傾向があった。このような「脱社会性」の極まりとして、「引きこもり」がある。現在の、「KKO」（キモくて金のないオッサン）や「弱者男性」などの問題は、当時の引きこもりや、非正規雇用などの経済的な弱者がそのまま高齢化して起こった問題であるという側面がある。

格差や社会関係資本の再生産という認識を獲得せざるを得ない状態になってはいるが、それが単なる泣き言、恨み言、被害者意識の怨嗟ばかりになり、「社会革命」に向かわないという傾向がある。その理由は、このような「脱社会的」な主体を形成する文化の影響が残存しているからであろう。脱社会的な存在が、しかし、一人で生きていくことを可能とする経済的・社会的・家庭的な環境の条件を失ったがゆえに、必然的に「ロスジェネ論壇」的な意識を獲得し、ハイブリッドな存在になったのだとも言える。

ゼロ年代のオタクと、ロスジェネとが「ひとしく時代の犠牲」であるとは、このような意味である。どちらも、一九九五年以降の、新自由主義、非正規化、経済の停滞などの問題を背景にした適応の一形態であったのだと理解することが可能なのだ。「脱社会」的な可能性を探るか（逃走）、「反社会」的な抗争を行うか（闘争）ということが、その大きな差である。

他の適応の形態としては、競争や淘汰のロジックを内面化し「勝ち組」になろうとする者や、部落や在日などを差別して自尊心を取り戻そうとする者たち（いわゆるネトウヨ）がいた。これらが複雑に複合していたのがゼロ年代であり、現在のネットでの議論や政治的対立の原型がこの時期に形成されているのである。

オタク的な感性（逃走）とロスジェネ的感性（闘争）の変遷

二つの文化（感性・認識のあり方）の軌跡を、主要な出来事を見ながら簡単に確認していこう。

一九九五年に日経連が「新時代の日本的経営」を提言し、以後、正社員と非正規の「分断」が酷くなっていった。競争は過酷になり、自分が生き残るためには誰かを犠牲にしても良いというサバイバル的な社会観が流行し、ビジネス書では「弱肉強食」を正当化する進化論の援用が溢れるようになった。

同じ年に、ウィンドウズ95が発売、インターネットも普及していく。そして、『新世紀エヴァンゲリオン』の大ヒットで、アニメブーム、オタクブームが訪れる。オタク文化とIT文化が、当事者の重なりなどにより、近しいものとして混ざり合っていく傾向が見られていく。

一九九九年には高見広春『バトル・ロワイアル』が刊行され、二〇〇〇年には深作欣二監督で映画化、国会でも問題視され、規制をめぐり議論となった。本作は、宇野常寛により、新自由主義における互いに殺し合わなければ生きていけない、椅子やパイを奪い合うリアリティの寓話であると評された（『ゼロ年代の想像力』）。以後、バトル・ロワイアルの類型もまた、セカイ系と並行して大衆文化の中で流行していく。

そして二〇〇三年には前述の秋葉原ブームがあり、オタクが大衆化し隆盛した。二〇〇四年に山田昌弘『希望格差社会』、玄田有史・曲沼美恵の共著『ニート』が刊行、フリーター全般労働組合が結成。二〇〇五年には本田由紀『多元化する「能力」と日本社会――ハイパー・メリトクラシー化のなかで』で「能力主義批判」。これは後にマイケル・サンデルが『実力も運のうち』（二〇二一）で行った言説と似ており、サンデルの考えでは、アメリカ社会の分裂（リベラル・エスタブリッシュと、ラストベルトなどでの労働者たち）は「能力主義」から生まれる。同様の怨嗟や憎悪は、「勝ち組」「負け組」がはっきりしてきた現代日本でも見られる。同年に、松本哉「素人の乱」一号店が開店、杉田俊介『フリーターにとって「自由」とは何か』が刊行。ゾンビたちが自己組織化し、知性を持って支配者に立ち向かう、ジョージ・A・ロメロ『ランド・オブ・ザ・デッド』が公開された。

冒頭でも述べたが、重要な作品として採り上げたいのが、本田透『電波男』である。ここには、オタク的なものと、社会批判的なものをつなぐ想像力が確かにあった。これは、モテない男は恋愛から降りてしまい、二次元の嫁と楽しく過ごせとアジテーションする一冊である。オタクの男性が女性に選ばれないことを恨む辺りは、現代の弱者男性論壇の論調のパターンの先駆者に見えるが、「恋愛資本主義」を批判し「世界に革命を起こそうとしている」（一〇頁）と宣言するような左翼性もあり、この時代の言説空間の状況が窺い知れる。ゼロ年代の言説が、ひょっとすると向かわせていたかもしれない「革命」と、それによる新しい世界の可能性が少しだけ見えてくる。

二〇〇六年に第一次安倍内閣が誕生。同じ年、NHKスペシャル『ワーキングプア――働いても働いても豊かになれない』放送、阿部真大『搾取される若者たち――バイク便ライダーは見た！』刊行。同じ年、インターネットで匿名のハクティヴィズム集団「アノニマス」が結成される。いわゆるオタク系の文化に親しい人々がネットで政治行動をする流れが起こっていたのだ。

アノニマスが注目されるのは、その組織形態である。旧来の党や労組などと異なり、イシューごとに瞬発的に集まり散じる社会運動は、ネット時代であり、個人主義・自由主義的な価値観を持っている人々に適した運動の形態だった。フリーターなどの非正規雇用者たちがなかなか組織化されず力を持たないという課題が当時からあったが、ここにはそれを超える可能性があるようにも見えた。彼らが神山健治監督のアニメ『攻殻機動隊STAND ALONE COMPLEX』や『マトリックス』のウォシャウスキー兄弟（現・姉妹）が関わった『Vフォー・ヴェンデッタ』などのサブカルチャーをロールモデルに動いているところにも注目される（『V』の義賊、ガイ・フォークスの仮面は、全世界の民主化運動で使われた）。この流れを左派・リベラルは獲得できず、この運動形態はオルタナ右翼やQアノンに吸収されていってしまう。

二〇〇七年には赤木智弘「『丸山眞男』をひっぱたきたい――31歳、フリーター。希望は、戦争。」が『論座』で発表され、話題に。雨宮処凛『生きさせろ！――難民化する若者たち』が刊行、『フリーターズフリー』創刊、反貧困ネットワークが設立される。

二〇〇八年六月に秋葉原通り魔事件が起こる。大澤信亮らが参加する『ロスジェネ』が創刊。そして、「オタク」と「ロスジェネ」に象徴される分裂は、国政レベルで顕在化していく。

国政レベルでの分裂――麻生内閣と民主党政権

二〇〇八年九月、麻生内閣が誕生する。麻生太郎元首相は、当時の2ちゃんねるなどで「ローゼン閣下」と呼ばれて大変人気があった。二〇〇八年一〇月二六日には総理大臣に就任後初の演説を秋葉原で行ったぐらいであり、オタクたちを支持者にしようという戦略があったことは疑い得ない。

前年に刊行された『とてつもない日本』では「ニートも、捨てたもんじゃない」「若者のソフトパワー」

などの言葉があり、「価値観外交」を展開するためのソフトパワーとしてのオタク文化に期待しオタクを包摂しようとする意図が見える。と同時に、「『格差感』に騙されてないか」という章があることから分かる通り、格差論壇的な議論には否定的だった。

筆者の体感として、オタクが体制に擦り寄り、「経済を回している」「日本を守っている」などの自意識を強くし、「オタク文化」と「日本」を同一視していきナショナリズムを強めていく傾向が増大したのが、この頃である。

それまでは、本田透の議論で分かる通り、オタクは、むしろ社会の外れ者であり、脱落者であり、主流の価値観に抗う傾向があり、どちらかと言えば左翼的で進歩的な傾向があった（保守的な日本主義者は、そもそもアニメやゲームなどは、伝統的な日本文化を破壊するものと受け取っていたのだから）。その感覚は、大ヒットした作品の主人公が、暴走族や不良である、という内容面にも反映している。

だが、それがこの時期に、大きくひっくり返る。「脱社会」が、社会をすっ飛ばして「国家」と結びつく傾向が出てきたのだ。それには、岡田斗司夫や森川嘉一郎の言説なども大きく影響したと思われる。外れ者であり、バカにされる趣味を持っていた自分たちが、日本経済を回し、日本を守る存在である、と思えば、自尊心や自己肯定感も高まるだろう。そして、それに乗る者がネット上などで多かったので、「オタク＝ネトウヨ」という図式が出来てしまい、「レイシストをしばき隊」やC.R.A.C.（対レイシスト行動集団）の攻撃の対象になってしまうという不幸も起こる（オタク＝ネトウヨ、というのは事実ではない。左翼もいっぱいいる）。

二〇〇八年九月、リーマンショックが起こり、年末には湯浅誠を村長とする「年越し派遣村」が開かれた。翌二〇〇九年八月の総選挙では、政権交代が起こり、いわゆる「民主党政権」が誕生する。当時の民主党のキャッチコピーは「国民の生活が第一。」である。その政権では湯浅誠が内閣府参与になった。

つまり、「格差」問題を軽視しオタクを擁護する自民党に対し、「格差」をこそ深刻な問題だと考える政党という対立図式が政治的に形成された。そして、筆者の理解では、このような政治的な対立の図式に引きずられる形で、両者を「ひとしく時代の犠牲と眺め得るような、沈着にして成熟した眼」による、より適切な事態の理解と解決への道が見失われていったように思う。

二〇一〇年には同じく民主党政権の菅直人内閣が始まる。若い世代が上野千鶴子の特権性を批判する『フェミニズムはだれのもの?——フリーターズフリー対談集』(今では同じことを、自らを反リベラルと認識している者が多くネットで言っている)、後藤和智『若者論を疑え』刊行。

そして、二〇一一年三月一一日。東日本大震災が起こり、福島第一原子力発電所の事故が起こる。それは、政治や文化やネットの状況を大きく変えてしまう断層であった。東北で甚大な被害が起こり、原子力発電所がメルトダウンしてしまう「国難」において、就職氷河期世代や、ロスジェネ世代の痛みや苦しみという問題は相対的に小さな問題となる。そして「脱社会性」を特徴とし、「ひきこもり」的なライフスタイルで、「世界の終わり」などを夢見ていたオタクたちの生き方も、その持続可能性が疑われるようになってくる(竹熊健太郎らの議論)。

この大きな断絶の後、二〇一二年の一二月に第二次安倍内閣が誕生する。

東日本大震災による切断

東日本大震災以前と以後で何が変わったのか。

震災後に大きく失われたのは、「ダメさ」「ゆるさ」「ユーモア」である。ゼロ年代に存在感があった社会運動として、「だめ連」や「素人の乱」などがあった。「だめ連」は、一九九二年に神長恒一、ぺぺ長谷川によって結成された。早稲田にあるあかねという酒場を溜まり場にしていて、ゆるくて本当にダメな感じだった。それは、能力主義や競争社会とは異なる生き方を自分たちで生み出そうとするチャレンジであった。「素人の乱」の松本哉の行っていた運動も、路上で酒を吞む、大学で鍋をする、などのゆるいものであり、政治を変えるというよりは、貧しくても楽しく生きられる環境やライフスタイルを創造しようとする傾向があった。

二〇一〇年代は、それよりは生真面目な傾向のあるSNSによるアクティヴィズムが、国会前デモなどのリアル空間での活動と同期しながら活性化した。ゼロ年代的な、「オタク＝ネット」と「ロスジェネ論壇」という二項対立が崩れ、「脱社会性」と「反社会性」の相克が別種の捻りを加えつつ、具体的・制度的な制度改良という「向社会的」な活動に収束していった時期である。

それは二〇一〇年代後半には、フェミニズムとオルタナ右翼的な陰謀論に収束していき、「就職氷河期」という世代的な問題や、資本主義それ自体、国の責任などは放置された。

また順を追って、特徴的な出来事や議論を見ていこう。

二〇一一年には、古市憲寿の『絶望の国の幸福な若者たち』という、絶望の国だが若者は幸福であるという、「若者を救済しなくてもいいのだ」と上の世代を慰撫し責任を免除して気持ちよくさせる言説が影響力を持った。

二〇一三年にはC.R.A.C.が結成され、社会運動におけるイシューの中心は「反差別」になっていく。同年、「ブラック企業」が新語・流行語大賞を受賞。二〇一四年には、格差を問題視したピケティ『21世紀の資本』が刊行され、ベストセラーになる。二〇一五年頃からKKO（キモくて金のないオッサン）論、弱者男性論が活発化していく。SEALDs（自由と民主主義のための学生緊急行動）も結成。二〇一六年には障害者を大量に殺戮する相模原連続殺傷事件が起こった。

二〇一七年に、フェイクニュースを駆使し、弱者男性や負け組の怨嗟を利用したドナルド・トランプが大統領に就任する。彼を支持したのは、ラストベルトなどで「見捨てられた」思いをしている白人男性が多いと言われている。「リベラル・エスタブリッシュメント」としてヒラリーを敵視し、白人至上主義、反リベラル、反LGBTを謳った。このトランプをロシアが支援する情報工作が行われていたことも明らかになっている。

二〇一九年には川崎市登戸通り魔事件、京都アニメーション放火殺人事件が起こる。ようやく政府は「就職氷河期世代支援に関する行動計画」に取り掛かるが、あまりに遅すぎるし、予算も少なすぎて、焼け石に水、単なる言い訳に過ぎないと多くの者がみなした。二〇二〇年にはサンデル『実力も運のうち能力主義は正義か?』が話題となり、二〇二一年には、『シン・エヴァンゲリオン劇場版:||』に救われなかった中年男性が事件を起こし、京王線刺殺事件でジョーカーに扮した通り魔のような自殺殺人が頻発する。

そして、二〇二二年、山上徹也による、安倍元首相暗殺事件が起こった。

2　二〇一〇年代が置き去りにしたもの――山上徹也が陥ったエアポケット

「弱者男性」論の隆盛

二〇一〇年代を総じて評するならば、人種差別、民族差別、女性差別などの問題は解決に向かい、素晴らしい成果を挙げ進歩した時代だったと言える。筆者は、様々な差別や抑圧を大変憎み、「有害な男性性」の有害さに大変怒りを感じているので、この「進歩」を基本的に歓迎している。

だが、アイデンティティ問題が前景化した結果、氷河期問題、格差、階級差などの問題が相対的に放置されることになってしまい、そのことが別種の問題を引き起こしている点についても、無視してはいけないのだろうと思われる。

フェミニズムが力を持った背景には、SNSが短文や画像中心であり、世論が「共感」で動くようになっていったという技術的な側面がある。そしてもうひとつ、産業構造の転換がある。ラストベルトなどにおける自動車産業などの重化学工業から、ITや接客、介護などの情報やコミュニケーションを重視する産業へと移行すると、女性の経済力が上がり、発言力や地位も増していく傾向が出る。相対的に、工場などで働いていた男性や、その価値観（男らしさ）などの地位は低下していく。「弱者男性」論者とフェミニズムの対決の背景にはこのような産業構造の転換があり、それが「都市／地方」の格差とも重なって来る（都市の方が、新しい産業の仕事が多いからである）。

女性たちやLGBTが社会的な承認を得て地位を向上させていく中で、男性たちの地位が低下していくように感じられる。価値観、「男らしさ」、生き方の基盤である産業構造が変わったことに適応できない男性たちが没落していき、「弱者男性」論と呼ばれる論陣に繋がっていく。

その議論は多様なのだが、簡単にまとめると、女性やLGBTなどには支援があるが「弱い」男性である自分たちは見過ごされている、ということが中心的な論点である。

それは、「男性」であるだけで「加害者」「特権階級」と即座にみなすような本質主義的なアイデンティティ・ポリティクスへの批判であり、「共感」を中心にした世の中において、アテンション・エコノミーで劣る中年男性はどう救われればいいのかという問題提起だった。その中には正当な部分がある。

そこから、女性は収入を増やしたのだから、上昇婚の傾向を改めろ、という議論が出て来る。これは当然だと思う。上昇婚の傾向があるからこそ、男性があぶれて、恋愛や結婚を出来なくなっていることは統計上確かなのだから、上昇婚の価値観と文化も「アップデート」するべきというのは当然の議論だろう。

しかし、その場合、かつては経済的に弱い立場だった女性たちが、経済的に有利な立場である男性に、媚びたり、奉仕したり、横暴に耐えたりしていたことも忘れてはならない。「弱者男性」たちも、それを要求するなら、いわば花嫁修業をするべきであるし、金銭的理由でDVに耐え、風俗などで働いていた女性たちと同じ境遇になることもまた受け容れるべきなのだろう。

「弱者男性」論は、「男性」の中で見過ごされてきた「弱者」の問題を提起する意義のある側面と、ミソジニストや家父長制主義者が女性を攻撃する側面とが重なりながらネットで展開していたので、その腑分けを慎重に行う必要があるだろう。本当に客観的に「弱者」である場合と、客観的には「強者」であるという属性の加害性や特権性を否定するために敢えて「被害者」を装うという現代的な差別主義者である場合とが、入り混じっているのが、この議論の厄介なところである。

たとえば、産業構造の変化で不利になる者として、対人関係が苦手な脳の特性や障害の持ち主たちがおり、筆者の観察では「弱者男性」論客のそれなりの数が、そのような障害をカミングアウトしている。また、非正規雇用であるがゆえにお金がなく、結婚できないという絶望を語る者もいる。経済状況と結婚に相関があるのは、統計的な事実である。それは、非正規化という政策の問題だろう。それら、様々な原因の違いが一緒くたになりながら、「弱者」性を主観的に感じている男性たちが「弱者男性」と自己定義しているのである。

だが、総じて、これらの議論は、産業構造やメディア環境、そして価値観の変化に対する反応、もしくは、その変化についていけないことへの苦境の吐露と理解するべきだろう。

彼らにとっては、リベラルや、フェミニズムは、キラキラした特権的な「勝ち組」の世界の出来事であり、その世界には自分たちの居場所がない、あるいは、蓋をされ、なかったことにされていて、声も無視されている、という感覚があるのだ。

共感と同情と支援から見捨てられた者たち

二〇二二年に、安倍元首相暗殺事件を起こした山上徹也は、まさにそのような感覚を持った人間であった。そのような「見捨てられた」男性がどのような状態であるのか、極限例ではあるが、一つのサンプルとして参照しよう。

一九八〇年生まれの彼は、裕福な家庭に生まれ、伯父が弁護士であるような中流階級だったが、母親が統一教会（現・世界平和統一家庭連合）に入信し、父親と兄は自殺している。宗教二世として過酷な人生を歩み、大学には進学せず、その後自衛隊に入隊。それを辞めた後、非正規雇用を転々とし、事件を起こしたときは無職だったと言われる。母親との親密な関係はほとんどないようであり、友人などにも恵まれない孤独な境遇だったようである。

彼は、元々、家庭を崩壊させた統一教会に強い怒りを覚えていた。そして、安倍元首相を殺害すると決心したきっかけは、安倍元首相が統一教会と密接な関係を持ち、統一教会の式典などに登壇し挨拶をしていたからだ。安倍元首相の祖父・岸信介から続く、統一教会と安倍、そして自民党には密接な関係があった。だから、家庭を崩壊させるようなことをしている統一教会を問題化せず、放置し、救済もさせず、メディアなどでも扱えないように圧力をかけ、自分たちを「見えない存在」にし「見捨てた」、そのような恨みが山上徹也にはあったのだと推測される。

彼のツイッター（現・X）での呟きを参照してみよう。アカウント名は「silent hill 333@333_hill」で、ハンドルネームの「silent hill」とは、コナミ発売のホラーゲームであり、『SILENT HILL 3』はカルト集団に親を殺された主人公が教団に復讐するという内容である。

安倍元首相を殺害した犯人であるから、極左的な思想を持っているのではないかと、反射的に多くの者が思った。しかし、彼の思想はその反対に、反韓、反リベラル、反フェミニズム、自民党支持という、いわゆる「ネトウヨの典型」であった。山上が好意的にリツイートしているのは保守・右派論客であり、左派・リベラルの論客をリツイートする場合には、揶揄のコメントが引用や前後に書かれていることが多い。

山上徹也のつぶやき——典型的な「ネトウヨ」

山上のツイートには、特徴がある。最初は、典型的な「ネトウヨ」「2ちゃんねらー」的な態度である。自民党を擁護し（特に石破茂を支持している）、野党や報道を上から目線で批判する冷笑的な態度が目立つ。そして、こだわりの強いトピックが、男女問題、韓国、軍事と、これまた2ちゃんねらー的なトピックである。SEALDsら、活動家への嘲笑も、「脱社会的」な傾向を持つこの世代にありがちな態度である。

だが、その思想や態度は徐々に変化していく。

「silent hill 333 @333_hill」から、彼の特徴的なツイートを、内容ごとに分類して引用する。

■安倍擁護

・誰に向かって言ってるのか知らないが、安倍談話は侵略も植民地支配も否認していない。「日本は一部だけどね」というニュアンスになっただけ。2020-08-15 12:46:23

・安倍首相がどうなろうが現状で自民党が下野する事はあり得ないから「現状回復」（笑）なぞ左翼の妄想以外の何者でもないが、他の事はいざ知らず、この御時世に国内事情だけで安保法制を否定するなど冗談では済まない。左翼は「最低でも県外」から本当に何も学ばない。ルーピーまっしぐら。2020-08-18 20:27:30

・安倍政権のやり方が常に正しかったとは全く思わないが、結果として正しかった事を評価できなければその正しさは失われる。安倍晋三という人間の政治手法を否定する為に結果まで否定する必要はない。2020-08-28 01:47:41

・こういう人達がいる限り安倍政権の評価は確固たるものになるし自民党政権は続く。思えば自分達の政治的意思はどこにも反映されないし、できる事と言えば罵倒しかない気の毒な人達。だが、自分の政治信条は自分しか変えられないのだから行き着く所を見届けるしかない。2020-08-31 11:38:56

■野党・左翼揶揄

・日本共産党は自分達のお仲間を勝手に投影して緊急事態条項で自民を散々罵って来た事はひと言ぐらい謝った方がいいと思うぞ。2020-07-29 23:13:28

・そうそう、過ちには永遠に向き合い真摯に謝罪と反省を述べ続ける事が大事。暴力革命路線も内ゲバ殺人も。勇気を出せ。2020-08-15 13:02:34

・もう左翼の非人間性を隠す余裕もないのかね w 2020-08-22 18:29:42

・この学習能力の無さでは、次に政権交代があれば集団的自衛権で「最低でも県外」の二の舞を演じる。そもそも立憲主義を掲げて憲法違反と謳うのだからそれ以外に選択肢もない。その時尖閣は衝突事件では済まないだろう。アベガーとは比べ物にならない自由と民主主義の終わりの始まり。2020-06-30 13:11:25

・だったらとっとと人民解放軍と酒酌み交わして香港人民を救ってやればいい（´Д｀）2020-07-01 15:17:44

■「日本サゲ」批判

・もし大坂〔なおみ〕や八村〔塁〕が右翼っぽいことを言ったとしたらどうなるか。「日本をサゲる事にしか関心がないクズ」が大量発生すること間違いなし。くだらねえ（笑）2020-06-29 04:51:16

・純粋な日本人でも「日本」も「日本人」もサゲたくて堪らん奴は腐る程いるのに「お母さんが日本人なのにあり得ない」は反論になってない。2020-06-29 05:21:06

・「日本サゲ」と取られる政治的不利益に頭が回らない〔或いはそれが核心的利益なのか〕左翼を見るに、最近の山本太郎は余計なことを言わないだけ賢くなったと思う。2020-06-29 05:06:58

■反韓

・逆に言えば「韓国の言いなりにはならない」と言うこと。こと歴史問題で韓国が正攻法が通じる相手かは疑問もあるが、横車に押し負けない強さは石破にはあると思う。2020-07-02 03:37:28

・そりゃ韓国産高級車なんか乗ってたら恥ずかしいもんな。分かるわ。2020-08-25 15:19:09

・これが問題なのはチョゴリらしきものを着込んだ東洋人にしか見えない吊り目のどう見ても韓国人しか代表していない像を建てながら「日本に特化したものではない」と言い張る詐欺的手法とそれを恥じない面の皮の厚さ。2020-10-28 21:19:40

■反差別への揶揄

・加害者が糾弾されるのが差別なら、在特会の理屈は正当化されるよね。2020-08-25 01:27:42

・朝鮮学校の学生に理解も思いやりもない？キミらはナチのコスプレする人間を理解しようとしたのかね？ヒトラーの生い立ちに涙の1滴でも流してやったのかね？しないよね。2020-12-01 18:25:

48

■フェミニズム批判

・ミソだフェミだ喧しいが、個人的観測では女は時々驚くほど無礼な事を言う。男同士なら絶対言わない（言えばタダで済まないと分かる）程の否定を例え目上の人間だろうと自分に非が有ろうと、言う。2021-03-23 18:37:50

・オレは物言う女が気に食わないのではない。「女に対する侵害だから他の事は捨象する」みたいな風潮が著しくアンフェアだから言ってる。2021-04-01 20:56:59

・フェミニストvsミソジニストに勝者なんかいないよ。どっちも原理主義者だからね。双方クソ。2021-04-01 20:45:18

■非モテ・インセル

・インセル〔過激化する非モテ〕が狂気に走って希代の悪党になる映画が大ヒットとなれば女としては困るのは分かるが、ジョーカーはインセルでないのではなく憎む対象が女に止まらず社会全てというだけである。『インセルか否か』を過剰に重視する姿勢は正にアーサーを狂気に追いやった社会のエゴそのもの。2019-10-20 03:25:16

・あなたを虐めたくはないのでこれ以上は言いませんが、インセルも救われるべきなんですよ。無論あなたもですがね。2019-11-12 09:13:20

・ある意味、非モテやインセルにはガツンと来る映画。この救いの無さをハリウッドスターのトミー・リー・ジョーンズが撮るというのも凄いところ。2020-08-07 03:23:51

・穿った見方をすれば「加害者になれた」は「加害者にすらなれない弱い男は気付く機会もなく人を傷つけ続けるんだ（加害者のオレってスゲエ）」感でさすがＤＶやるだけあるなと感じなくもない。2020-09-30 14:20:08

■高齢者批判

・無制限に高齢者医療に国費を投入し続けるなら、医療の進歩に従って増え続ける寝たきり老人を生かす為に全ては存在するようになる。寝たきり老人による命の選別。2020-07-08 22:05:52
・パソナからだろう年金徴収の個宅訪問に年金受給者としか思えないジジイが来たので一瞬殴ろうかと思ったが、老人自ら己が為に年金を回収しに回り世間の風当たりに晒されるのはいい傾向なのかもしれない。五輪のように無給ボラなら尚いい。多分本当にぶん殴られるだろう。2021-07-04 18:40:31

■支援を受ける者への羨望

・正直に言うと震災の時すらそう思った。肉親を失い生活基盤を失い病むのは同じでもこれだけ報道され共有され多くを語らずとも理解され支援される可能性がある。何て恵まれているのだろう、そう思った。2021-02-28 20:35:30
・言っちゃ何だがオレの10代後半から20代初期なんかこれ以下だよ。社会問題として支援が呼び掛けられる様は羨ましいとすら思う。2021-02-28 20:29:13

典型的な、２ちゃんねらー的なトピック・語り方・思想内容の発言である。そして驚くことに、安倍元首相を擁護し、支持している発言が少なくない。参院選広島県選挙区で起こった河井夫妻選挙違反事件についても、選挙違反を擁護し、追求する側を揶揄しているほどである。

弱さへの共感、新冷戦における「虚構」の認識へ

それが、事件に至るまでに、徐々に変化していく。たとえば、以下のように。

■自身の苦境を語るもの

・ここが自由の国なら、オレはとうの昔に自分の頭を打ち抜くか乱射事件でも起こしてた人間だよ。ただし、撃つ相手は選ぶがな。2019-11-23 09:30:39

・残念ながら氷河期世代は心も氷河期。2021-02-28 21:01:37

・ネトウヨとお前らが嘲る中にオレがいる事を後悔するといい。2019-12-07 23:13:58

・ダム沿いの道で小鹿が柵から抜け出せず死んでいた。ほんの少しの手助けがあれば死なずに済んだのだろうか? 2021-01-18 06:14:48

そして、格差も批判するようになる。また、たとえば少し後に示すツイートで、「共産党」「左翼」とみなされた学術会議を、むしろ擁護する、それを批判する側がフェイクや欺瞞を用いていることへの認識を表している。

■格差批判

・恵まれた者、勝ち残った者、それがエゴに染まった時、己が義務を忘れた時、その富と名誉は必ず

失われる事になっていているんだよ。2022-01-26 20:26:03

・GAFAやらが巨大化する程、そこからの排除は個人に甚大な被害を及ぼす。法人税みたいに全世界的な規制が必要なんだろな。巨大化↓公共化からの抜け道はリーマンショックぐらいしか生まないんじゃないか。2022-06-16 22:26:48

■フェイクニュース批判

・もう学術会議を批判できりゃ中身なんかどうでもいいレベル、フェイクニュースと印象操作に積極的に乗るまで右派が劣化している。2020-10-18 02:06:52

・表現の自由の前提には言論の市場機能がフェイクニュースを駆逐するという受けて側の良識への期待がある。「正義は勝つ」というシンプルな信念、性善説に基づいていると言ってもいいが、現実はやはり悪貨が良貨を駆逐する。2020-11-13 20:58:58

ここで彼はフェイクニュースを理解し、「思想の自由市場」が機能しないこともあるのだと学ぶ。つまり、「表現の自由」原理主義の「表現の自由戦士」とは一線を画す、ということである。

そして彼は、様々なオンラインの記事を読み、「リベラル」を評価するようにもなる。

■リベラル擁護

・「徳」を歴史や権威によって広く承認された善とするなら（適当）、リベラルそのものが「徳」であるのは疑いようがない。問題は善と善との激突が起こり得ること。徳性や善の性質を突き詰めれば、行き着くのは「死」である。故にこの世の善や徳は全て不完全であり必然的に衝突する運命にある。

2020-11-21 19:06:37
・国内リベラルの担い手が共産系である限り日本に明日はない。地政学的に日米同盟がなければ中国の覇権に飲み込まれる日本の立ち位置からすれば、国際保守の2大政党が国内を保守・リベラルで割るしか真っ当な政党政治はない。2020-12-07 15:18:10

コロナ禍に至って、あれだけ「日本サゲ」を批判した彼も、日本を批判するに至る。

■日本批判
・あんだけ年越し派遣村だの震災だのでこのコロナ禍、それでも直らないこの根性。日本人はもうダメだこりゃ 2021-03-02 21:48:31
・この国の政府が人民の幸福の為に存在した事は有史以来一度もない。明治においては列強に劣らない強国になるため、戦後においてはより強者だったアメリカの制度に順応するため。より強い者に従うために作られた政府がより弱者である人民の為に働く事を自ら理解する事は無い。2021-07-05 19:28:04

反韓・反フェミニズムという典型的な「2ちゃんねる」的なトピックである従軍慰安婦に対しても、それが「捏造」であるとか、「嘘つき」などとする態度を改め、積極的に認め、その非人道性に対する共感をするように変わっていく。

■従軍慰安婦の非人道性への共感

・慰安所システムが基本的に国内遊郭の軍政地への移植である事は吉見義明も認める所。当時の遊郭が反人道的なら慰安所も当然そう。軍政下なら当然軍が関わる。徴兵によっていとも簡単にとてつもなく大量に自国民の命すら奪う軍が人権に配慮などする訳がない。2021-03-12 20:12:13

そして、自民党や安倍元首相への評価も変わっていく。

■自民党・安倍批判

・それなりに自民党支持だったが、なんかもう「ざまぁw」しか出て来ない。森喜朗の時代錯誤といい、本当に政権交代するかもな。2021-02-03 21:43:33

・冷戦を利用してのし上がったのが統一教会なのを考えれば、新冷戦を演出し虚構の経済を東京五輪で飾ろうとした安部《ママ》は未だに大会を開いては虚構の勝利を宣言する統一教会を彷彿とさせる。2021-02-28 21:25:47

・考えても見りゃ安倍のやった事なんか全部逆SEALDS《ママ》なんだよね。全てが強引な戦後保守の現代への当てはめ、焼き直し。真似して東京五輪まで招致してこのザマ。2021-02-28 21:13:06

・継続反復して若者の無知や未熟に付け込んで利用して喜んでるような奴は死ねばいいし死なねばならない。生かしとくべきではない。それぐらいは言っとく。2021-02-28 21:07:20

・安保闘争、後の大学紛争、今では考えられないような事を当時は右も左もやっていた。その中で右に利用価値があるというだけで岸が招き入れたのが統一教会。岸を信奉し新冷戦の枠組みを作った(言い過ぎか)安倍が無法のＤＮＡを受け継いでいても驚きはしない。2021-02-28 20:59:24

報道では、安倍元首相が狙われたのは、偶然登壇者が直前に変わったからであるとするものもあるが、この一連のツイートを見ると、既に「生かしとくべきではない」という発言があることから、殺意は以前よりあったものと思われる。

そして、そこには「新冷戦」における、イメージ戦略、「虚構」を利用する戦略についての認識が確実にある。おそらく、この前後で、彼は自分の思っていた安倍元首相や「日本」についての理解が、「虚構」だったと感じたのではないかと推測される。

■「虚構」批判

・世間を支配するのが虚の中で、安倍政権の虚実から実だけを取ったらこうなったのだろう。人間なんてこんなものだと最近ヒシヒシと感じる。世界を支配するのはデタラメ、表層しか見ない無関心とそれに基づいた感情、最後まで生き残るのは搾取上手と恥知らず。2021-12-08 22:25:33

・最近の不運と不調の原因が分かった気がする。当然のように信頼していた者の重大な裏切り。この1ヶ月、それに気付かず断崖に向けてひた走っていた。そういう事か。2021-04-24 18:13:32

・こういう裏切りは初めてではない。25年前、今に至る人生を歪ませた決定的な裏切りに学ぶなら、これは序の口だろう。オレも人を裏切らなかったとは言わない。だが全ての原因は25年前だと言わせてもらう。なぁ、統一教会よ。2021-04-24 18:20:09

そして、次の呟きをしてからほどなく、安倍元首相暗殺事件を起こす。

・考えてみりゃ世の中テロも戦争も詐欺も酷くなる一方かもしれない。信じたいものを信じる自由、信じるものの為に戦う自由。麻原的なものはいずれ復活すると思う。それがこのどうにもならない世界を精算するなら、間違ってはいないのかもしれない。人は究極的には自分が味わった事しか身に沁みないものだ。2022-06-23 20:58:52

アイデンティティ・ポリティクスのエアポケット

彼は、この時代のひとつの典型であり、同時に極限例でもあろう。2ちゃんねらー的な文化に馴染み、サブカルチャーの影響も大きく受け（ゲームのタイトルをハンドルネームにするぐらいだ）冷笑的に社会に対しているが、孤独で不遇であり、その境遇に対する支援や共感は社会に乏しく、存在が覆い隠されている。不遇である理由は様々だが「弱者男性」論に共感する者の中には、そのような者が一定数いるのだろう。山上は「cola @19nllla」という人物の、トッド・フィリップス監督の映画『ジョーカー』評に対することの呟きをRTしている。

・この評論は新しい着眼点でもなんでもない『ああ、また手垢まみれのアイデンティティ政治で／個人の悲劇や苦悩を属性で塗り潰すんだ…』という落胆しかなかった。所詮大メディアは資本家の走狗なので貧富の格差という命題から目を逸らさせるのにアイデンティティポリティクスは都合が良いから　2019-10-11 23:47:47

・個々人の悲劇や苦悩を『お前はマジョリティ（白人）だから苦しむ資格はない』と誰も寄り添わない社会（政治的正しさ）に対するアンチテーゼ的な意味合いもあるのにまた同じ周回遅れの主張で上書きしようとしてるのが情けない貴方達はマイノリティ以外は貧困も障害も悲劇にならないと加害して

るだけ　2019-10-11 23:17:23　〔改行は省略している〕

彼に、自分がアイデンティティ・ポリティクスのエアポケットに落ちたという意識、自分が支援や共感をされない状態に陥っているという「見捨てられ」感があったことは事実だと思う。そして「ダム沿いの道で小鹿が柵から抜け出せず死んでいた。ほんの少しの手助けがあれば死なずに済んだのだろうか？」というツイートからは、自分もそうであれば助かっていたはず、こうしなくても良かったはず、という思いも読み取れる。

ネットでの弱者男性論や、アメリカの状況を見ていると、これと似た状況にいる者は膨大な数に上ると思われる。非正規率、未婚率、性交経験率、ひきこもりの数の推定などから鑑みて、数十万から数百万人の単位で、日本にいてもおかしくはない。彼らを「自己責任」「負け組」などと批判し切り捨てても意味がなく、むしろ憎悪と絶望を高め、社会への報復を実行させやすくしてしまうだけではないか。

山上徹也は、杉田俊介の、『真の弱者は男性』『女性をあてがえ』…ネットで盛り上がる『弱者男性』論は差別的か？」という記事を読んでいる。そこで杉田はこのように書いている。「非正規的で『弱者』的な男性たちには、もしかしたら、男性特権に守られた覇権的な『男らしさ』とは別の価値観——たとえば成果主義や能力主義や優生思想や家父長制などとは別の価値観、オルタナティヴでラディカルな価値観——を見出すというチャンス＝機縁が与えられているかもしれないのだ（もちろんそうした著作や思想はすでに様々にあるが、それらを具体的に点検していくことは、別の場で行おうと思う）。／もはや、そういうことを信じていいのではないか。いや、『私たち』はそう信じよう。／誰からも愛されず、承認されず、金もなく、無知で無能な、そうした周縁的／非正規的な男性たちが、もしもそれでも幸福に正しく——誰かを恨んだり攻撃したりしようとする衝動に打ち克って——生きられるなら、それはそのままに革命的な実践そのものになりうるだろう。後続する男性たちの光となり、勇気となりうるだろう」

これを読んで、山上は「だがオレは拒否する」と言った。

・だがオレは拒否する。『誰かを恨むでも攻撃するでもなく』それが正しいのは誰も悪くない場合だ。明確な意思（99％悪意と見なしてよい）をもって私を弱者に追いやり、その上前で今もふんぞり返る奴がいる。私が神の前に立つなら、尚の事そいつを生かしてはおけない。2021-04-28 18:33

このような状態、あるいはその手前の人が、現代社会にはたくさん存在しているのだと思われる。「負け組」が、素直に「自己責任」を引き受け、「屈辱に耐えます」「滅びていきます」とはならないのが、自然な人間心理である。自己肯定感を得るために現実を歪め、陰謀論も信じ、時に過激な自殺拡大や自爆テロにも走るだろう。集団化すれば、暴力的な革命集団になる可能性もある。

では、どうしたら彼らは救われるのか、そして、憎悪や対立が、暴力的な手段によって社会を破壊しないようにできるだろうか？

SNSにおけるポピュリズム路線の副作用

繰り返すが、ひとつはアイデンティティ・ポリティクスの問題性を反省することである。

山上が示しているのは、フェミニズムやアイデンティティ政治への違和感である。たとえば「男性」であるだけでマジョリティや強者であると扱われることへの疑問が表出されている。

山上は、ネトウヨやインセルと罵倒される立場であることを自覚しており、日本人であるので、属性だけ見れば「マジョリティ男性」として強者扱いされる。だが、同時に、宗教二世であり、就職氷河期世代であり、非正規雇用に甘んじざるを得なくなったという過酷な境遇の「犠牲者」である。「弱者男性」「インセル」「ネトウヨ」などと叩かれている者の中にも、山上のような家庭の事情による者、就職氷河期の煽りを受けた者、障害を持っている者などがいるはずである。

だがアイデンティティ政治の磁場では、「日本人」「男性」だというだけで「強者」と決めつけられ、攻撃の対象となってしまう。そして、それに対する異議申し立てまでもが、差別主義者として扱われる言説空間があった。もちろん、彼らの女性差別、民族差別的な言動は批判されるべきである。しかし、「日本人」や「男性」などと、本質主義的にステレオタイプで一般化したこと自体が、実態に即していない、カテゴリ化の暴力を伴っていたことは事実だろう。

この議論の枠組みは、アメリカと同じである。アメリカでは「白人男性」が悪者にされるが、しかしその中には衰退する地方で貧困の元に生まれ育った者たちも少なくなく、「レッドネック」「ホワイト・トラッシュ」「負け犬」などと呼ばれることによる屈辱感に呻いている。彼らは、ポリコレやＬＧＢＴやリベラルなどに憎悪を抱き、トランプ支持者になり、陰謀論者になってしまいがちである。

では、どう解決すればいいのか。簡単なことである。彼らを助ければいいのである。

なんらかの形で、福祉や支援の対象にしていく。男性が「助けを求めにくい」性質があるのだったら、その性質を踏まえてプッシュ型にしてもいい。そして、人々が揶揄したり馬鹿にしたりしないようにすることだ。ヘイトスピーチが問題になるのに、なぜ「弱者男性」や「オタク」への叩きは問題にならないのかと彼らはよく言うが、それは単なるまぜっかえしだけでなく、本当に彼らは傷ついているのだ（「オタク」や「弱者男性」という集団・属性は、学術的・法的に鍛え上げられた概念ではないので、「差別」というフレームで扱う合意がない、というのがその理由なのだが）。であれば、社会や、インターネットや、学校などで、侮蔑したり揶揄する発言を減らし、尊厳を保ち、絶望に陥らせないようにしていくことは出来るはずだ。

過度な能力主義も改め、産業構造を変えるときにも一定の配慮が必要であろう。そして、変化に対応できるような教育を最初からしておくべきであろうし、リスキリングなどにも柔軟であるべきだろう。そして、多様な生き方を許す寛容な社会になるべきだ。

筆者などは、三五歳まで定職につかず、本を読んだりゴロゴロしたり何か書いたり大学院に行っていたような人間だったので覚えがあるのだが、「正社員」になって、ちゃんと女性と付き合って結婚していないと「まともな人間ではない」という圧力は強く、社会からの風当たりも、女性からの扱いも、大変心に堪えるものだった。国立の大学院に行って、「俺は文学や芸術に関わっているんだ、世間とは違う価値観で生きる覚悟を決めているんだ」と自分に言い聞かせていてもなおキツかったのだから、それがどれほど尊厳に堪えるのかはよく分かっている。

やはり、アイデンティティ・ポリティクスのプラス面の陰にある、本質主義という負の側面に目を向け、反省し、改善していくことが必要である。「男」と「女」で、そんな簡単に二項対立で分けることは出来ないのだ。論理的で科学に強く意志が強く金を稼ぐ女性もいるし、優しくて子供が好きで美しいものが好きな男性もいるのである。統計的な傾向の差はあり、それは政策として対処されるべきだが、現実の人間として、どちらが一方的に加害者で被害者だということは、おそらくはないのだ。山上の例が、その証拠である。

足りないのは、インターセクショナリティ(交差性)の観点であろう。人は、多様な属性の交差した状態で生きているのが、当たり前である。「日本人」「男性」であっても、貧困であったり、地方出身であったり、虐待の被害者であることもある。「少数民族」「女性」であっても、超富裕層で東京に住み健全な家庭である場合、一体、どっちに特権があるというのか。

人間の脳は、単純な二項対立の「物語」にハッキングされやすいという弱点がある。「自分たちが不遇なのはあいつらのせい」「あいつらを倒せばユートピアになる」という物語（虚構）に、人はいとも簡単に乗せられ、行動してしまうのだ。それは、男女、右左、保守革新の別はなく、そうである。

SNSを使い大衆を動員する戦略が有効になったことが、この傾向を著しくした。多くの大衆は、必ずしも高度な知的訓練を受けているわけではなく、複雑なことを考えるのが得意なわけではない。「男／女」というような単純な二項対立と分かりやすい物語は、多くの人が参加しやすく、動員の力を持つ。このような、ポピュリズム路線が、個々の人間の複雑さや多様性、インターセクショナリティを忘れさせてしまったところに生じたエアポケットが、様々な絶望や不満や過激化の温床になっているのではないだろうか。

絶望した者たちの、世界への挑戦

同様のエアポケットに落ち、見捨てられたと感じている者は、世界中にたくさんいるのではないかと思われる。

アメリカの例を見た場合、見捨てられたと感じている存在たちの絶望の受け皿になっているのは、左翼思想やリベラル思想ではなく、オルタナ右翼の思想や、陰謀論である。

アーサー・ジョーンズ監督のドキュメンタリー『フィールズ・グッド・マン』の中で、トランプ支持者に迫る場面がある。これは、トランプ陣営の選挙対策担当者に取材をした作品だが、トランプ陣営は「負け犬」たちを自分たちの陣営に巻き込むために様々なネット工作をしていたと明らかにしている。

あの選挙戦では、荒唐無稽なデマやフェイクニュース、陰謀論までもが飛び交った。映画の中でのトランプ支持者たちは、孤独で孤立し、ひょっとすると何か障害を抱えていてもおかしくないように見える人物たちに見えた。

トランプ支持者やQアノン、オルタナ右翼やその思想的基盤であるニック・ランドの「暗黒啓蒙」や

「加速主義」などの思想の底にあるものは、世界が支配されそこに閉じ込められているという感覚と、それをひっくり返すために世界がぶっ壊れてほしい、リセットされてほしい、という願望である。その思いの持ち主は、かつてであればマルクス主義などに流れていってもおかしくはなかった。既存のルールや秩序を「不公平」だと感じ、それをぶち壊すことで自分たちの劣位を覆す「ワンチャン」「一発逆転」を狙うという心理は、よく分かるだろう。もはやどうしても追いつけない差が生じ、勝ち目がなければ、そのような戦略に出るしかないのだ。

プーチンがトランプを選挙で支援していたとアメリカ政府は認定しているが、プーチンも同じく西洋のグローバリゼーションの「不公平」なルールによって自分たちが「敗者」にされていることに抗っているつもりのようである（グローバルサウスには、それに賛同する論調が多い）。資本主義にも、新自由主義にも、リベラルな秩序にも、問題はある。格差は拡大し続け、それを逆転することも出来ず、豊かな国の教育を受けたエリートたちだけが「配慮」や「多様性」などを享受出来ているように見え、「見捨てられた者」たちは存在すら認識されず、声も届かない。そこで絶望した者たちは、世界をぶっ壊し、ひっくり返す方向に心が傾くだろう。実際、全世界の「負け組」や「疎外されている者」「見捨てられている者」らに呼びかけ組織化したり、あるいは自己組織化して全世界的な脅威になっているのが現状なのだろう。アメリカでは、ここ数年、毎日のように銃乱射事件が起こっている。

現在の左翼、リベラルは、この絶望、ラディカルなまでの現世否定と、空想的なユートピアへの願望に対応できていないという、弱点がある。世界の平和と安定のためには、これに対応する必要がある。

左翼やリベラルがやらなければいけないことは、「絶望」に対処し、世界を悪くするのではないような希望のシナリオを提示し、支持を得ることである。格差社会、能力主義のみならず、親ガチャ、遺伝子ガチャ、世代ガチャなどの敗者の全てを救うような、希望と、ユートピア的なビジョンが必要なのである。

では、それは具体的に、どのようなものなのか？

3 「絶望」に追い詰められた者たちが救われる方法はあるのか

エヴァンゲリオンとアイドルに裏切られた絶望

ここで、山上徹也とはまた別の、ひとつの極限例を提示する。それは、ひとつの極限であるが、同じような事件を起こす寸前にまで至っている者が少なくないだろうと思われるという点で、典型例でもあり、サブカルチャーによって最後の一線を保っている者がたくさんいるという証拠である。

二〇二一年の三月に、徳島のライブハウスで、アイドルと観客をまとめて焼き殺そうとし、殺人未遂や現住建造物等放火で懲役一一年を言い渡された、岡田茂という人物がいる。彼を見ると、オタク、弱者男性、格差社会とが重なり合った、「時代の犠牲」の姿が浮かび上がってくる。

二〇二二年六月に放送された『ＮＨＫスペシャル　なぜ一線を越えるのか　無差別巻き込み事件の深層』によると、彼はとても孤独だった。仕事をしても、「あまり職場には必要ない」という雰囲気があったと、ドキュメンタリーの中で同僚が語っている。秋葉原連続殺傷事件の加藤容疑者を見て、岡田容疑者は「社会とあんまりうまく行っていない人たちが結構いて。それで安心した。適当でもいいんやなって」と感じた。彼は、リーマンショックでの派遣切りを見て「簡単に切り捨てられる」「どれだけ頑張っても同じ」だと感じたという。ひきこもりがちで、会話する相手の母親も施設に入ってしまい、父親の年金で暮らしている状況だった。家でインターネットをして過ごし、「取り残された感」を覚え、「みんな幸せそう」に見え、「頼むから世界が終わってくれないだろうか」と考えるようになった。

事件を起こすきっかけのひとつに、彼は庵野秀明総監督のアニメ、『シン・エヴァンゲリオン劇場版𝄇』を見たことを挙げている。

彼は「対人関係に悩み孤独に苦しみ続けてきた主人公」に自己投影して観ていたが、完結編で主人公が「成長を遂げるという内容に絶望」する。『シン・エヴァンゲリオン劇場版𝄇』の結末では実写が使われ、主人公が女性と一緒に現実に踏み出していく「リア充」的な内容であったのだ。そして、彼は言う。「主人公が外に開かれた世界に出ていくのと、どこにも行けなかった自分が、なんか納得できないというか「映画を見て区切りがついてしまった」。

そして彼は、京都アニメーション放火事件を参考に、アイドルのライブ会場にガソリンを撒き、火を放ち、大量殺人を行おうとした。

世の中とうまくいかない、仕事も出来ない、恋人も出来ない、友達もいない、そのような彼の「最後の一線」を保っていたのが、アニメとアイドルであった。アイドルも、『エヴァンゲリオン』も、彼に「つながり」の感覚を与えてくれる、疑似的な友人や家族のような存在であっただろう。それが「裏切った」ことが、犯行のきっかけになっている。

そこまで追い詰められている人たちがいるのだ。

特に、『新世紀エヴァンゲリオン』が大きなきっかけになったということは示唆的なように思う。一九九五年、不況に入り始めた時代に、男らしく戦う＝ロボットに乗って戦うことを拒否し、内に籠もる主人公を描いたこの作品は、多くの共感を呼んだ。筆者もその一人で、『シン・エヴァンゲリオン論』（河出書房新社）という本を書いてしまったほどである。多分、岡田容疑者と似た性質を持っており、対人関係への苦手さも抱えている。高校を辞めた直後は、ひきこもって、ネットばかりしていた。

『エヴァンゲリオン』以降、不況下を生きるための文化としてオタク文化が形成され、ある種逃避を肯定してきた部分がある。それが、今に至って、手のひら返しをしたように感じ、「もう逃避することはできない」という認識が彼を追い詰めたのだろう。

自分も、孤独で貧しい、年収一五〇万円ぐらいの人生が続いていたら、彼のようになった可能性が高いのではないか。人生に絶望し、もう終わらせたいと思い、「社会」全体に復讐するような暴発に駆られたのではないか？

逃げ場のない現実が、押し寄せてきた。その絶望の痛ましさは、想像するに余りある。しかし、そうならないように、幻想を維持し続ければよかったのだろうか？　それは可能なのだろうか？　ある程度の年齢に至り、サブカルチャーの魔力が利かなくなり、身体は故障し、心身の病や死の可能性が物理的に避けられないと分かってしまったときに、サブカルチャーやネットは救いになるのだろうか？

ならない。という実感がある。そして、同様のことを、同世代のオタクたちは、はてな匿名ダイアリーやエッセイ漫画などで書いている。逃げても逃げても、老いと死、孤独と絶望は、身体の内側から食い破って来る。その、恐怖。

こうなると分かってしまった今、最初からサブカルチャーに耽溺するなと教えるべきではないか？

しかし、サブカルチャーが救っているものもある。

どうすればいいのか。

ここで考えたいのは、文化の両義性である。それは、彼の生をギリギリのところで支えたかもしれない。しかし、ジャニーズのファンなども同様であるが、ひょっとするとそれに耽溺することこそが、彼をその地点まで追い込んでしまったのかもしれない。これからの文化がどうあるべきかを考えるにあたって、このことはしっかりと考えておく必要がある。

サブカルチャーの両義性

サブカルチャーには、両義性がある。それは現実を生きることを支援し、励まし、生きる糧になり、一線を越えるのを防いでくれる装置である。現実の社会では、うまくいくこともいかないこともあり、勝ち組がいれば負け組もおり、敗北感や屈辱などは当然発生する。それらを仮想的に跳ね返す装置が、生きるために必要になる者が出てしまうことは、どうしようもないことである。主流の価値観とは違う価値観を提示し、慰め、生きやすくさせる装置として、サブカルチャーが有効に機能する部分もある。しかし、一方で、そのような文化に若い頃からあまりに甘やかされすぎてしまうと、この世界で生きていくために必要な能力が身に付かなくなる可能性もある。

二〇一九年に京都アニメーションに放火し、三六名を殺害した青葉真司は、幼い頃に両親が離婚、虐待を行う父に引き取られ、その父がタクシー運転手の仕事で事故を起こし、自殺。その五年後に妹も自殺、さらに兄も自殺、天涯孤独となり、非正規雇用を転々とする。彼の心を救ったのは京都アニメーションの作品であり、小説作品を書いていたが、ネット掲示板に入りびたり、そこで編集者に褒められ女性監督に愛されているという幻想を抱くようになった。そして自分の人生を台無しにした「闇の勢力」に反撃をするという主観的な動機で、放火殺人を行った。

アニメ批評を行っているてらまっとは「【座談会】日常のゆくえ――京アニ事件から『ぼっち・ざ・ろっく!』まで」(『週末批評』)で、この事件に触れ、アニメがギリギリ人を救う機能についてこのように述べている。

「フィクションが手当てできる部分と、社会や政治が手当てすべき部分を区別することが大事だと思います。現実の諸制度がどうしても追いつかず、生きることに困難を抱えている人の苦しみをやわらげたり慰めたりするのが、わたしの考えるフィクションの大事な役割のひとつです。だから『鎮痛剤』という言い方をしているんですね。／けれども現状では、両者のバランスが崩れているように見える。本来なら制度が手当てすべきところを大衆向けフィクションやそれに類する娯楽が無理してカバーしており、しかもそれが『フィクションの力』とか『エンパワーメント』とかいった言い方で称賛されているようにさえ感じるのです。（……）ただ、先ほども言ったようにフィクションは究極的には人を救わないので、同時に現実の社会保障や福祉制度を拡充し、差別的な構造を撤廃していくべきなのであって、『この鎮痛剤めっちゃ効いて最高！』みたいな話だけじゃ駄目だと思うんですよ。アメリカのオピオイド危機を見るまでもなく、鎮痛剤って要は麻薬のことですから」

これは、よく分かる。あまり異性にモテない人間にとって、疑似恋愛を提供してくれるコンテンツは救いになるだろう。日本のキャラクター文化は、拠り所や心の安定を得にくい現代において、疑似的な「友人」「家族」を提供するものとして機能していると言われるが、それに救われる者がいるのも分かる。全ての者が、現実で理想通り救われることがないというのも、分かる。

しかし、そのような「麻薬」のもたらす幻想で誤魔化しきれないほど、現実の社会や状況の崩壊は著しくなってしまった。アルコール依存症を考えれば分かるが、気持ちがいいのは最初だけで、依存になってしまえば、心身の健康を損ない、社会的な義務を果たすこともできなくなり、様々な現実の否認などによって、友人や家族を失い、「底」にまで行き着いてしまう。調子を良くしてくれると主観では感じる酒こそが、調子を悪くしている原因なのである。適量ならいい気分にさせてくれて、景気づけにもなるのだが、あまりにそれに頼りすぎると、現実を否認し、より悪いことになっていきかねないのである。

今の日本文化も、そうなっていないだろうか。

最近のライトノベルやアニメなどで、「異世界転生」が流行っている。それは、現世を捨て、ゲームのような異世界に転生し、有能さを示し、異性にモテるという、仮想的な自尊心を提供するコンテンツである。この流行は、明らかにこの世界でうまく行かず、自己肯定感が失われているという実存の状態と関係しており、その状態に生きている者たちが膨大な数いることをうかがわせる。

『鬼滅の刃』などで有名になった「推し」現象も、いわば疑似的な恋愛や家族関係を、キャラクターや芸能人と形成したいという欲求の産物である。時にそれは「子育て」の代理である。「かわいい」文化の対象となるかわいいキャラクターは、赤ん坊と似た等身と丸みであり、私たち人間が生物として本能的にセッティングされている「赤ん坊や子供をかわいいと思い、庇護し育てたいと思う」感覚をハッキングしているのだが、「推し」文化もその延長線上にある。宇佐見りんの芥川賞を受賞した『推し、燃ゆ』が描いたように、「推し」にハマることで大変な現実をなんとか生きている者は少なくないはずだろう。『推し、燃ゆ』では、社会生活の崩壊と破滅が訪れたが。

その背景には、新自由主義などにより、会社や地域の共同体で安定の感覚が与えられなくなったこと、中間共同体や家族が機能不全に陥っていることなどがあるのかもしれない。非正規雇用の拡大や不況などで、家族を持てない者が増えたという背景もあるだろう。本田透が言った「恋愛資本主義」に対する革命としてバーチャルな「嫁」を持つというアイデアは、バーチャルな友達、家族、恋人などとして心理的に機能するものへと拡大し、実現しているのかもしれない。

それらオタクコンテンツは、新自由主義社会の中で生きるための心を支える機能を持っている、また、格差社会における敗北感、絶望感、孤独感を糊塗し、生命線を保つ機能を果たしている。

しかし、繰り返すが、そのような「脱社会的」なオタクコンテンツの機能によってこそ、社会革命や社会的課題への問題意識が削がれ、世の中の状況は改善せず、彼らの状況はより酷くなっているのかもしれない。現状としてはそれが悪循環に入り込んでいると思われるので、庵野秀明、新海誠、細田守、宮﨑駿らの近作のように「向社会的」な行動に人々を促すようにサブカルチャーが変化していることは、正しいと思われる。

それは良い方向の変化だ。しかし、そのことで救われるのは、これからの世代だろう。もはや手遅れになってしまった者たちは、救われることはなく、見捨てられたままである。では、彼らは、どうすれば救われるだろうか？　そして、社会への復讐として無差別殺人の実行、妄想的な自己肯定感を得るために陰謀論を信じ込んでより過激な思想にハマりこんでいくことを避けられるだろうか？

「宗教的な救い」の再評価

正直、筆者は、この難問に対して、お手上げに近い。何度考えても、どうすることもできそうにもない。社会保障や福祉や、つながりの回復、文化芸術の普及促進など、できることはたくさんある。それでも、どうしても救われない人、失われたものの取り返せなかった分は、どうやっても残るとしか思えないのだ。

少しでもできることは、やるべきである。今からでも、悲惨さや絶望を和らげることはできる。「見捨てられていない」「孤独ではない」「自分の人生は失敗ではない」という感覚があれば、この絶望はマシになるのではないか。国による支援、謝罪、包摂の姿勢を示すこと、生活の改善などを行うことは、まず必要である。地域やＮＰＯや文化芸術活動などが「つながり」「居場所」を作っていくことも大事であろう。

そして、ここまで考えたときに、どちらかと言えば左翼的な思想を持ってきた筆者は、宗教右派の主張にある合理性を理解してしまった。たとえば、家族を重視する思想。絆を大事にする思想。自分たちが「天皇の赤子」であるという物語、国家や民族などにより疑似家族・共同体の感覚を与え、歴史や伝統や世界や地域との「つながり」の感覚を与えようということも、確かにひとつの解決策なのかもしれない。

父親の抑圧、ＤＶ、第二次世界大戦前後などの経験に基づき、それに対する正当な批判と警戒はあってしかるべきであるが、それらの問題性を抜いて再帰的にそれらを用いるしかないと考える人たちの意図も、少しは理解できてしまったのだ（彼らは彼らで、宗教の生み出す陶酔の中毒になりすぎて現実を否認する依存症になっている気配がするのだが）。

この世には、いわゆる政治や福祉では救いきれない限界があると言わざるを得ないのかもしれない。それは福田恆存が「一匹と九十九匹と」で主題にし、その前に小林秀雄も問題にしてきた、文芸評論の伝統的な問題系である。政治には救いきれないが、それでもなおかつ救いが必要だとすると、宗教の力を借りざるを得ない局面もあるのかもしれない。

現世では駄目でも、徳を詰めば来世はよくなるかもしれない、という仏教の教義（物語）がなぜ必要になったのかも、深く理解出来るようになってきた。それは、「なぜ自分の人生は不幸なのか」を説明し、納得を生み、同時に投げやりになって自暴自棄な行動をしないように人をつなぎ止める機能を持っているだろう。

あるいは、インセル involuntary celibate ＝非自発的な禁欲主義者たちが、自発的な禁欲主義者になる道はないものか。出家して、禅僧になり、修行をして悟りを開くことで、救われることはないのだろうか。サブカルチャーでは救われない者を救うのは、宗教なのだろうか。あるいは、宗教の機能的等価物を、サブカルチャーも提供するようになっていくしかないのだろうか。最近のサブカルチャーには、その傾向も見受けられる。陰謀論やオンラインの運動も、部分的にそのように機能しているだろう。

ナショナリズムや、宗教的信念なども、薬として有用である領域を越えて、麻薬となり、正気を失わせてきた歴史がある。それらの歴史を踏まえた上で、可能な限り「害のない嘘」の処方のバランスを考えていくしかないのではないか――とても危険な、綱渡りであり、火遊びかもしれないが。

あいつらが悪い、あいつらを倒せばユートピアが訪れる、なども、絶望を緩和し希望を与えるための「物語」であり、その生み出す自己肯定感や陶酔が、依存症を生み、陰謀論や過激派につながる。

それらが問題だと思うのなら、繰り返すが、そんな絶望や屈辱に、人が追い込まれるような社会を、もうやめよう。それしかないではないか。

犠牲と切り捨てのシステム自体への復讐を

しかし、弱者男性たちは、恨まず、憎まず、穏やかに品位を保って生きていこうではないかという杉田俊介の呼びかけに、山上はこう答えている。「だがオレは拒否する。『誰かを恨むでも攻撃するでもなく』それが正しいのは誰も悪くない場合だ」と。

このことは、分かる。許すように、恨まないようにという呼びかけは、被害を受けた人間により負担を強い、責任がある者、加害者たちを免責してしまうことにも帰結しかねないからだ。その不当さ、不正さに対する憤りはよく分かる、殺したくなる気持ちも、よくよく理解する。ぼくがその立場だったら、同じように考えていただろうと思う。

権力の腐敗、不正、それらが巨大な悪であり、なんとかしなければならないことは確かである。司法や報道などにおける民主主義的な仕組みが適切に機能していれば、それによって問題が解決されることが望ましい。しかし、それが全体として腐敗した場合に、問題を解決しようと望む者は――犠牲となっている者たちの悲惨な状況をなんとかしたいと心から望む者には――どのような選択肢があるだろうか。条件次第では、テロや暴力を肯定してしまいたい気持ちになることは、十分に理解できる。そういう物語を、ぼくらはたくさん観てきているはずだ。

しかし、切り捨てられ、見捨てられた者たちが、さらに誰か弱いものを切り捨て、犠牲にしたり、その責任がある者たちへ暴力的に報復していくならば、地獄が無限に続くだけではないか、とも思われるのだ。本当に正確に、討つべき悪だけを適切に認識し、排除するような暴力やテロばかりが起こるということは、考えにくい。陰謀論や妄想、誤解なども複雑に絡み、無差別に憎悪と報復の応酬が続いて弱い者がより犠牲になってしまうことが、容易に予想できる。

ことは、ロスジェネや就職氷河期、弱者男性や山上徹也だけの問題に限らない、それは国内での見えやすい一つの兆候に過ぎないのだ。グローバルに世界を見れば、格差や貧困に起因するルサンチマンを煽り、世界的な秩序を揺るがそうとする動きがある。内戦、内乱を誘発し、戦争を起こそうとする動きもある。これを防ぐには、強者たちはノブレス・オブリージュの精神を持ち、弱者の境遇に共感し慈悲の心を持ち、富を適切に再配分しなければならない。そして、虐げられてきた者たちも、憎悪とルサンチマンを自制し、なんらかの方法で幸福にならなければならない。

山上徹也に、その動機や境遇に同情しつつ、運良く自分がその立場になっていないだけであるという「特権」の痛みを感じながらも、同じく就職氷河期の当事者として、ぼくはこう呟く。

「われわれは恨みに満ちた思いになり、憎悪には憎悪をもって報いたい誘惑にかられる。しかし、もしそれをしてしまえば、われわれの求めている新しい秩序は、あの古い秩序とほとんど変わらないものとなるだろう。われわれは力と謙遜のうちに、愛をもって憎しみに立ち向かわねばならないのだ」（マーティン・ルーサー・キング『汝の敵を愛せよ』蓮見博昭訳、新教出版社、七八頁）

Ⅱ　ミソジニーとサブカルチャーのインターネット文化史

日本のネット・SNSに、ミソジニーが蔓延している。そしてそれは、オタクカルチャーと親和性が強いように見られている。

たとえば、若い女性の自立を支援する団体である一般社団法人Colaboに対して、暇空茜《ひまそらあかね》と名乗る人物がネット内外で攻撃を仕掛け、「暇アノン」「表現の自由戦士」などと揶揄される多くのネットの人々がそれに同調し攻撃を仕掛けた。暇空茜はゲーマーであり、「表現の自由戦士」たちは、フェミニストたちによるポルノや萌え系イラストなどへの批判を「表現を焼かれる」と主張し、「表現の自由」を守ると主張している集団であり、アイデンティティとしてはオタクを自認していることが多い。彼らの活動は、とても「ゲーム的」に見える。

なぜこのような事態が起きているのだろうか。筆者は、戦後日本におけるSFやサブカルチャー研究を専門とするものであり、一九九五年前後からインターネットに触れて、ネットにおける言論を、高級なものも低俗なものもたくさん見てきた。本論では、そのような立場から、現状を理解する手掛かりを提示することができればと思っている。

1 「2ちゃんねる的な文化」という根拠地

二〇〇〇年代のインターネットは、猥雑な空間だった。

既存のメディアではない新しいメディアだったので、規制が少なく、規範や常識も形成されていなかった。そこにアクセスできるのはアーリーアダプター（初期採用者）たちであり、パソコンの操作に長けた者たちが多かった。二〇〇〇年代の文脈において、コンピュータを使いこなす能力が高いのは、いわゆる（当時の用語法における、科学や技術などの理系的な知識に長けている者という意味での）オタクたちであり、男性の方が多かった。

その「新天地」に行った人々の中には、カリフォルニアン・イデオロギーやハッカー思想、サイバー・リバタリアニズムの影響を受けた者も少なくなかった。新天地を求める者は、アメリカに渡ったピルグリム・ファーザーズしかり、元の土地で生きづらさを抱えている者たちが多い傾向がある。身体がなく、情報と文字と記号で出来た世界であり、既存の政府や大企業とは関係なく発信できる初期のインターネットで、これまでにない自由や解放感を覚えていた者も少なくないだろう。

ミソジニーや差別の文脈において特に重要なのは、一九九九年にひろゆきが開設した匿名掲示板2ちゃんねるである。それまでのパソコン通信などでは、ハンドルネームの使用が主で、「ネチズン」などと呼ばれる、ネットにおける市民的（理性的で熟考する）言論活動が出来ると期待する向きがあったが、現実に大きく利用されたのは2ちゃんねるの方だった。

2ちゃんねるは、在日差別、部落差別、陰謀論などが大量に書き込まれる「自由」で猥雑で乱暴な空間だった。初期の頃には、殺害予告や住所晒し、死体や殺人の動画や児童ポルノのリンクなども平然とあった。そこにはアングラの雰囲気があった。既存のマスメディアに代表される「建前」「公的」な言論に対して、「本音」「私的」な言論が大々的に流通する人類史上初の光景は、爽快感やショックの感覚を人々に与えた。マスメディアを「マスゴミ」と呼び、朝日新聞と毎日新聞は「嘘つき捏造紙」であり、ネットにこそ「真実」があるという、現在のネットで頻繁に見受けられる気分は、この時期に醸成されたと思しい。

匿名掲示板は、時間と費用をかけて裁判所を通じて開示請求などをしなければ誰が書いたかは分からず、一方的な誹謗中傷や攻撃、デマなどを行う者に有利な環境である。いい加減なことを言っても、参加者が水平的な存在なので、誰かが検証しそれをより真実性が高いものとして広めることも難しい。「誰が言ったかよりも、何を言ったか」という標語に代表される反肩書主義は、必然的に専門家などによる発言の権威性を失わせていき、正確さに欠ける情報の流通を促進する環境になる。

アメリカでは匿名掲示板がデマと陰謀論の温床になり、過激な犯罪者を生み出す状況になっているが、それが起きている4chanという掲示板は日本の2ちゃんねるとふたば☆ちゃんねるなどの匿名掲示板を模して作られている。ゲーマーゲート事件、ピザゲート事件、Qアノンなど、ミソジニーや反リベラルの陰謀論と死者も出すような過激な政治的行動の震源地が、このアメリカの匿名掲示板である。

その2ちゃんねる的な文化は、女性を排除する傾向のあるものだった。二〇〇〇年代の2ちゃんねるでは、女性は女性だと分かってしまうと嫌がらせを受けたり性的な興味を持たれるので、男性の言葉遣いで書き込むことが多かったようである。そこは男性的で、(その気質に合う者にとっては)気を遣わないで良いような言説空間だった。犯罪、名誉毀損、デマ、誹謗中傷、ヘイトスピーチ、ハラスメント、児童ポルノ、スナッフビデオなどまでがあり、警察や政府などの対応も鈍かった当時のその空間は、確かに今より「自由」であった。

「表現の自由戦士」などと揶揄される者たちを含む現代のネットにおけるミソジニーや文化戦争における、

守るべき根拠地はこのような場所であり、自由のイメージもこのようなものであるのだと推測される。それは、カトリックの弾圧に抗ったルネッサンスの人文主義者や、地動説を主張し迫害されたガリレオやコペルニクス、あるいは第二次世界大戦中の日本などのような公権力からの弾圧を想定した「表現の自由」とは異なっている。

2 フェミニズムやリベラルによる「侵略」という感覚

現代的な差別は、自らを被害者の立場におき、侵略し奪われるという迫害の感覚をベースにして行われることが多いと指摘されるが（たとえば、移民が福祉などの予算を奪っているという福祉ショービニズム、白人や男性が攻撃されているという主張など）、それも、ネットにおける2ちゃんねる的な文化を念頭に置くと理解しやすい。

インターネットの大衆化、スマートフォンの普及などにより、アーリーアダプターではない層が流入し、ネットもアングラとはみなされないようになり、浄化を求められるようになる。ネットの「先住民」たちが形成し馴染んできた地下文化は、日の当たるところに晒され、批判され、否定されるようになる。後から来た者たちが、自分たちの居場所や文化を破壊し、奪うように感じられることは、想像に難くない。実際、ネットにおけるミソジニー言説を振りまく者の中には、侵略に対する防衛の意識がよく見られる。たとえば、ポリコレやフェミニズムなどは、「文化帝国主義」による侵略であり、自分たちはそれを防衛しなければならない、という意識がある。

その「侵略」してくる存在が、欧米の価値観であると主張したり、共産主義勢力であると主張されたりするが（それは端的に矛盾している）おそらくそれは、ある文化が否定され、根拠地が奪われる、という感覚がまずあり、その構図のゆえに保守思想や国防思想などにもシンパシーを感じていき、誤った敵を想定する（だから、矛盾や不整合も気にならない）、という心理的な機序があるのではないかと推測される。

3 サブカルチャーとしてのネットカルチャー

かつて、ストリートが、学校や職場や家庭とも異なる「第三空間」として機能していた時期があったが、やがてインターネットがその代わりの場所となった。

「第三空間」に居場所を求める者は、学校や職場、社会などの「公的」な場の価値観、あるいは家庭の価値観などに馴染めない者である可能性が高い。サブカルチャーとは、サブ（副）であり、メイン（主）ではない文化という意味であり、そのような心性を持った者が初期のインターネットに居場所を求めやすい傾向はあった。よって、学校や規範や権威や社会における倫理に対する反発や嘲弄的な文化がインターネットに形成されやすかった。

サブカルチャーと2ちゃんねるには連続性があった。リストカットの晒しや死体写真のリンクなどは、九〇年代における鬼畜系のサブカルチャーの影響を感じさせる。村崎百郎や宅八郎のように、本当のゴミ漁りやストーキング行為を記事にしてそれを面白おかしく消費したり、現在であれば精神疾患であろうと思われる者を「電波系」などとエンターテインメント化していたのが九〇年代の「サブカル」である。死体写真や、実際にAV女優を騙し拷問し食糞させる映像作品が、「文化」的なものとして持て囃されていた時代の価値観が、2ちゃんねるなどのインターネットには流入し継続していったように思う。在日朝鮮人や部落への攻撃や、ヘイトスピーチなども、これら「モラルや法」を否定し欲望に従う快楽と関連しており、現実における反社会的な行為をエンターテインメント化する文化の延長線上にあるように感じられる。

八〇年代のサブカルチャーの影響も指摘される。北田暁大『嗤う日本の「ナショナリズム」』によれば、

2ちゃんねるには、八〇年代におけるフジテレビ的な笑いの感覚が続いているという。その感覚とは、言い換えるなら、楽観的で享楽的で、深刻なことや社会的・政治的なことは嫌う軽やかな感覚であり、「舞台と客席」の区別をなくす感覚である。

八〇年代には、秋元康やとんねるずが典型だが、アイドルの「楽屋」「素」を見世物にしたり、お笑いにおいて素人の人々がそのままで可笑しいところを笑いものにするような文化があった。それは、遠くは六〇年代における唐十郎が舞台と都市の区別をなくしたことや、大島渚が素人を役者に使った技法の援用であろう。そのような、生の人間そのもの、現実の事象をエンタメ的に消費する感性が、八〇年代から九〇年代にあったのである。バクシーシ山下や平野勝之らのAV監督が文化人として評価されていたのも、本当の拷問や食糞の強要を女性に行うことによるリアクションなどのリアリティを消費する文化が前提として存在していたからであろう。その極限のケースの一つが、バッキービジュアルプランニングの事件とAVであろう。

オタク文化もそうであるが、八〇年代の、未曽有の好景気と、フランシス・フクヤマが「歴史の終わり」と言ってしまうほどの政治的安定を前提とした「気分」の文化が形成されていた。東浩紀によれば、オタク文化は政治的葛藤や社会的問題から切り離されたユートピアにいるという感覚を齎すように作られている（『セカイからもっと近くに』）。九五年以降、現実の社会では経済的・政治的な問題が深刻化していたが、そこから目を背けるかのように、2ちゃんねるとオタク文化の中では、八〇年代的な気楽さの気分が温存されていた側面がある（現在のSNSでも、「冷笑系」と呼ばれる人々に、この気分が残っている）。

結論から言うが、現代的なネットのミソジニストたちが防衛しようとしているものは、そのような「男性的」で「自由」で「猥雑」な空間と、それに関連している、八〇年代、九〇年代的な感覚なのである。

4 八〇年代への回帰願望

アメリカにおけるミレニアル世代のオルタナ右翼の間で、「ヴェイパーウェイブ」と呼ばれる八〇年代風のテクノが流行っているという。木澤佐登志は、「ミレニアル世代を魅了する奇妙な音楽――『ヴェイパーウェイブ』とは何か」の中で、こう引用する。「オルタナ右翼の論客リチャード・スペンサーは（…）『オルタナ右翼は80年代への回顧に魅了されている、それというのも80年代こそは穏やかな日々、すなわち白人のアメリカの最期の日々だったからだ』と述べている」。

アメリカと日本という違いはあるが、八〇年代への回帰願望は共通している。アメリカのオルタナ右翼も、オタク的な趣味を持っている傾向があるが、彼らが郷愁の対象にするものが、八〇年代の日本のサブカルチャー、シティポップやレトロゲームなどであるということは、この問題を理解するヒントになる。つまり、そこにあるのは、政治的な問題、この現実世界の深刻な問題を無視して、高度消費社会・ポストモダン的な軽やかさと多幸感の中で、世界はより良くなっていくだろうと信じられていた時代への回帰願望である。

ナチス・ドイツにおいて、かつてあったと夢想される民族共同体への回帰願望が人々を政治的に駆動したように、現在では、八〇年代こそが、戻りたいレトロトピアとして郷愁の願望を駆りたて、保守・防衛そして回帰したい時代のイメージになっている。

それはナチス・ドイツのような有機的で土着的なものへの回帰願望ではなく、ポストモダン的でサブカルチャー的なものへの回帰願望である。リアルなもののシビアさではなく、バーチャルなものの多幸感への回帰願望である。いわゆるネット保守やネット右翼と、旧来の保守や右翼との違いはそこにある。

八〇年代的な、電子音楽や、アニメ、ゲーム、お笑い、ポルノなどのサブカルチャーこそが、文化的な故郷のイメージの源泉になっており、九〇年代の鬼畜系文化の後を継ぐような初期ネットのアングラ状態こそが求める「自由」のイメージを形成しているのだ。それら全ての背景にあるのは、自由で気楽で平和で楽観的な生き方に「戻りたい」という願望である。

5　過剰流動性と過酷な競争への疲弊

なぜ、そのような回帰願望が起こるのだろうか。

ジグムント・バウマンは『退行の時代を生きる』の中で、世界的に理想化された過去への回帰願望が生じていると分析している。回帰願望が生じるのは、現在が過剰に流動的で心理的な安定性を獲得しにくいことや、格差の拡大や競争の過酷さによって現代の生に疲弊し絶望している者が増えているからである。

そのような願望は政治的にも影響力を持っていると思われ、ドナルド・トランプ元大統領の「アメリカ・ファースト」や、安倍晋三元首相の「日本を、取り戻す。」などのキャッチコピーが訴求力を持ったことや、ロシアのプーチン大統領が抱いている新ユーラシア主義などと関連しているように感じる。

現在が辛くても、過去ではなく未来に希望を抱くことも出来るのだが、現在は未来に希望を抱きにくくなっている。敗戦による復興と高度成長の時期のような目標は抱きにくく、環境危機や少子高齢化など、明るい未来を楽観的に想像しにくくする要因も多い。

一例として「弱者男性」界隈の主張を検討してみよう。弱者男性とは、自身を弱者に位置づけ、女性やＬＧＢＴなどは様々な配慮を受けるなど優遇されていると主張する人々を指す。

弱者男性たちは、異性を獲得するための努力や競争を忌避する傾向がある。あるいは、社会の中で能力を発揮し地位や財産を獲得することをも忌避する。それらに疲れ、どうせやっても無駄である、という無力感を吐露する者が多い。そして、お見合いなどで多くの者が結婚できていた時代のように「女をあてがえ」と主張する。経済が新自由主義化するのと並行して、異性獲得や結婚も新自由主義的な競争と自己責任化したことに対して、女性の人権や意志を無視して「異性の再配分」を要求しているのである。

どうも彼らは競争に疲れているように見える。いわゆる「負け組」と分類されるような人々かもしれない。彼らは、八〇年代頃までの、「普通」の人々が「普通」に努力すれば中流の生活が出来て結婚し家庭を持つことが当たり前に出来ていたと想像される時代に戻りたいのである。逆に言えば、九五年以降の過酷な労働環境と、ＩＴ産業が主流化していく時代における格差の拡大の中で、絶望しているのだ。

特に、ミレニアル世代は、『ドラえもん』『クレヨンしんちゃん』『サザエさん』などで、冴えない男でもサラリーマンになって一軒家を持ち結婚し子どもを持つというアニメを当たり前に見て育った。世界はどんどん進歩し向上していくと思われた。しかし現実は多くの者が非正規雇用になり、結婚し家庭を持つことが遠い夢となっている。そのあり得た未来と、現実とのギャップが余りにも過酷なのだ。

絶望している者たちにとって、明るくポジティヴな未来のヴィジョンは、世界的なＩＴ企業の大富豪や、リベラル・エリートたちに独占されているように感じられる。その中で、女性たちは、フェミニズムの発展などにより、ポジティヴに未来に希望を持って進んでいこうとしているように見える。そこにはユートピア像がある。彼らにとって、ありえるはずだった未来は何かに奪われたと感じられ、未来に希望を持って進んでいけること自体が羨望と憎悪の対象となるのだ。

6　弱き者の疑似ユートピア

過剰流動性と競争に疲れた人々に対して心理的な拠り所を提供する機能を果たしてきたのが、オタク文化である。

一九九五年以降、「萌え」や「美少女」を代表とするキャラクター文化が隆盛したが、「萌え」とは、か弱い者への嗜好である。それ以前のオタク文化が、宇宙やメカなどを頻繁に扱っていたこと――宇宙は、拡大と成長の象徴であり、メカは、科学技術立国としてGDP世界第二位になった戦後日本の誇りと結びつく――と対比して考えるならば、一九九五年から始まる構造不況と続く就職難の過酷さの中で、自信を失った「弱い」者たちが見出した逃げ場として発展したのが一九九五年以後のオタク文化であると考えることができる。

バウマンは、退行の一種として「子宮への回帰」があると述べたが、オタク文化は、思うがままの欲求をなんでも叶えてくれる「母」に喩えられ自己言及されてきた（庵野秀明監督『新世紀エヴァンゲリオン』、小島秀夫監督『DEATH STRANDING』）。他者や外部や現実を拒絶し、自身の思う通りになる世界に留まりたいという願望は、まさに子宮に回帰したいという願いだろう。オタク文化は、そのような回帰願望に擬似的に応えるための文化的な装置として機能する。

そう考えると、アメリカの4chanなどの匿名掲示板における、八〇年代文化への愛着、日本アニメなどへの嗜好が、オルタナ右翼や白人至上主義、ミソジニー、トランプ支持などが結びつきを持っているように見える理由も理解できるのではないだろうか。

社会や政治や環境では問題が頻発しているのになお八〇年代的な気分で生きていたい、九〇年代的な露悪的で幼児的な振る舞いを許されていたい、ゼロ年代的に「社会」を拒絶したセカイ系的な閉じた世界の中で競争から降りたいという退行願望は、現実の問題に対する否認と相即している。

現実や社会が過酷だからこそ、自身を解離させ、現実とフィクションに分離させ、フィクションの世界に重心を置いて現実を忘却し心を安定させることこそが、現代における適応戦略になっているのだが、その心理状態においては、「現実」を思わせるものは、全て脅威であり、侵略してくるものであるかのように錯覚されてしまう。

本当に深刻な環境危機があり、差別や搾取の暴力などで苦しみ死んでいる者がいるという現実を知らせることだけで、それは「侵略」であり、自身の愛着を持つ文化の破壊であると感じやすくなってしまう。「現実」や「事実」そのものが、彼らの思う「平和で安定」したユートピアを脅かすものに思えてしまうのだ。そして、アイデンティティの危機を感じた主体は、自身を被害者の立場に置き、危機における正当な防衛であると主観的には思いながら加害や差別行為を行ってしまうのではないだろうか。

7　解決法

以上の認識の元に、解決方法を五つほど提案する。

一つ目は、社会的な解決法である。あまりにも格差が拡大し絶望状態で無力感を覚える人々を減らすように、政治・経済の仕組みを全世界的に変えることである。弱くても絶望や生存の危機を感じない社会に変えていくことである。これは遠大な目標ではあるが、昨今のＩＴ企業などが社会的責任を負おうとする流れや、倫理的消費などの運動の先にあり得ない未来ではない。

二つ目は、文化的な解決法である。サブカルチャーやネットカルチャーで醸成された文化それ自体を変えることである。最近のアニメやゲーム、ハリウッド映画などは、「反省と贖罪」モードになっており（『シン・エヴァンゲリオン劇場版:||』『RED DEAD REDEMPTION II』）、内在的な改善に取り組んでいる。新海誠監督『すずめの戸締まり』や宮崎駿監督『君たちはどう生きるか』など、アニメの中に生々しい現実を思わせるものを混ぜる作風も増えている。

三つ目は、「第三空間」を新しく作ることである。この世界や社会の秩序や規範に反発を覚える者はいつの時代もいる。その人々も、生きなければならない。居場所は必要である。かつてはサブカルチャーやインターネットは、少数派のものであり、アングラであった。陽の差さない隠れ場所になれたが、今ではメジャーな「メイン」カルチャーになった。それゆえに社会的責任も負う必要がどうしても出てくる。

であれば、また別の場所に、陽の差さない「第三空間」を作り、不謹慎だったり逸脱的なものをも許容する居場所を作れないだろうか。互助会や当事者の集まりなども、そのような場になれるかもしれない。

インターネットやサブカルチャーが倫理化されるのは基本的に良いことだが、あまりにもそのように闇や外部を執拗に消失させていけば、追い詰められ、壊滅させられるという不安や防衛の気持ちに駆られる者もいるだろう。そのような、ケに対するハレのような、日常の秩序や価値観とは異なる場も社会心理的に必要となるということを、私たちは改めて考えた方がいいのかもしれない。

四つ目に、失われる文化に対する追悼と喪である。世界は常に流動と変化に晒されているが、愛着を持ったそれを「保守したい」という気持ちはいつの時代でもどこでも生じる。それを解除するために、博物館や資料館に保存し、未来にも継承されることに慰めを見出してきた。サブカルチャーやネットカルチャーは、定義的に「くだらないもの」とされてきたので、保存や敬意を持った継承の運動が起こりにくいことが、心理的なこじれを生んでいる可能性がある。それに対し、適切な共感や承認と包摂、喪と追悼の儀式を行うのであれば、精神的に満足し浄化される可能性もある。

五つ目に、未来への希望である。私たちが、未来をポジティヴに思えなくなるような、ユートピアへの期待が持てないことそのものが、レトロトピア幻想と、新しく変化していくことに対する防衛的な攻撃を生んでしまうのだ。であれば、現実的に多くの人が実現可能だと思えるような、新しいユートピアのビジョンこそが必要である。

Ⅲ　オタク文化とナショナル・アイデンティティ

1　はじめに

日本のオタク文化におけるリアリティのあり方は、アイデンティティの不安定さと深い結びつきを持っている。おそらくそれは、金日林が「マンガ・アニメ共栄圏」（金日林「『マンガ・アニメ共栄圏』を問い直す」『グローバル日本研究クラスター報告書』第二集、大阪大学、二〇一九、二〇－二二頁）という言葉で提起した、日本のオタク文化の国際的な広がりが、かつての大日本帝国による「大東亜共栄圏」を思わせる文化侵略ではないか、という問題を考える上でも、重要なことだろうと思われる。

そして、何故現代の日本では、オタクたちと、ネトウヨと呼ばれる排外主義者との結びつきを多くの者が指摘するような事態になっているのか、「オタク」をアイデンティティ集団とする運動が「弱者男性」論などと重なりながらネット上で様々な言動を繰り返しているのかについて、歴史的経緯を辿りながら、仮説を提示し、検証していく。なお、「オタク」というカタカナ表記と、ひらがな表記の「おたく」を使い分ける議論があるが、ここでは同じものとして扱うことにする。

2　日本のオタク文化におけるリアリティのあり方

ポストモダンの前後でのリアリティの変化

オタク文化が、それ以前の文化と異なるリアリティを表現しており、愛好者たちもまたそれまでとは異なるリアリティを持っているのではないか。このような推測を、直感的に多くの人たちが抱いているだろう。何故なら、オタク文化の中心にある、マンガ・アニメ・ゲームなどに登場する人物は、現実の人間ではなくキャラクターであり、描かれている世界も現実ではなく虚構の世界である。その世界は、現実の猥雑さや生々しさ、汚れや不快さを排除させた、清潔で明瞭な理想的な空間であり、登場するキャラクターは、生身の人間の面倒くささや理解不能性などが除去された存在だ。

このような世界を求め、耽溺する人々がオタクと呼ばれる人たちであり、オタク文化が確立したのが一九八〇年代である。一九八〇年代と、一九七〇年代とで、大衆的にヒットした日本映画を比較してみれば、感性・リアリティに大きな変動が起きたことは容易に知ることができるだろう。

たとえば一九七三年に日本で公開され、興行成績の良かった作品は、『日本沈没』『戦争と人間　完結編』『山口組三代目』『仁義なき戦い』などである。特に深作欣二監督の『仁義なき戦い』は、戦後の闇市を描き、そこに蠢くヤクザたちの、不潔で淫猥だが、バイタリティや活力のある人間たちを描いた作品だった。生々しく暴力や政治が描かれ、後のアニメのような清潔でクリーンで非政治的・非社会性を中心とするオタクたちの感性とは異なる感覚が七〇年代の日本では大衆的であったことが推測される。

その前の、一九六〇年代には、今村昌平監督の映画のように、土俗的な世界や、娼婦のように身体で地べたを這う人々を描く作品も大変ヒットしていた。

それと、一九八〇年以降のオタク文化の感性とでは、身体、清潔さ、政治・社会などへの感覚において、大きな断絶があるのである。ここで「リアリティ」と呼んでいるのは、この、現実感、生命感、人間観の変化のことを指している。

この変化が生じた大きな理由の一つとして考えられるのはポストモダン化である。日本における八〇年代前後におけるポストモダン化とは、平和で豊かな社会、高度消費社会が到来し、広告や金融、ブランドなど非実体的な経済が、農業や工業などの物質的な生産よりも重要性を持つ社会に移行したことを指す。東浩紀が、『動物化するポストモダン』で、オタクとこのポストモダンを結び付けて論じたことは、オタク論において支配的な見解の一つになる。その中で論じられているのが一九八五年に発表された、石黒昇監督による『メガゾーン23』である。この作品は、繁栄する東京そのものが、宇宙船の中にある作り物で、東京で暮らす人々は「現実」「外部」に接していないニセモノの世界に生きているという設定になっている。冷戦状況におけるポストモダンに生きている当時の日本人への風刺である。その宇宙船の外では戦争が起こっている、しかしそのことを見ないで、若者たちはアイドル文化を楽しみ、平和と豊かさを享受しているのだ。

この批判は、朝鮮戦争やベトナム戦争などの戦争特需によって経済的な利益を得たにもかかわらず、そのような血みどろな現実を忘れている日本人に苛立った、当時の左翼たちの考え方と通じている部分があるだろう。

高度消費社会化したポストモダンの日本で生きる人々は、これまでのような土着的であったり、モーレツに焼け跡からの高度成長を目指してきた人々とは異なる環境に接するようになった。彼らは、それまでの人々とは違う生活スタイルや感覚や思想を持つようになる。リアリティのあり方が変わる、それに対応した文化の一つがオタク文化である。現実の生活感覚としても、本物の世界に生きていない、地に足がついていない、根源的な生命に接していないという飢餓感が存在していたはずで、その感覚こそが、メタフィクション的な自己言及と重なるようなアイデンティティの問いとして現れた。

八〇年代以降に生きた若者たちは、「新人類」などとも呼ばれたが、彼らはこれまでの「日本人」とは異なる存在であるがゆえに、容易にアイデンティティクライシスが引き起こされたのだと推測される。オタク文化は、アメリカ由来の文化であり、それは敗戦を契機に発展した文化である。であるから、伝統文化を評価する権威からは、伝統的な日本を破壊するものとみなされており、自己否定感も強くしただろうし、「自分たちは何者なのか」という悩みも生じたであろう。そして、メタフィクションの技法を使いながら、自分（たち）は何なのかとアイデンティティの問いがなされるのが、八〇年代から九〇年代にかけての日本のアニメーションやゲームの特徴である。ここで念頭に置いているのは、押井守監督『GHOST IN THE SHELL／攻殻機動隊』（一九九五）や、庵野秀明監督『新世紀エヴァンゲリオン』（一九九五）、高橋哲哉監督のゲーム『ゼノギアス』（一九九八）などである。

アイデンティティの（不）連続性――『銀河鉄道999』と宮﨑駿作品

東浩紀は『動物化するポストモダン』の中でこう論じている。オタク文化の起源は、「五〇年代から七〇年代にかけてアメリカから輸入されたサブカルチャーだったという事実」（『動物化するポストモダン』二〇頁）があり、その中に現れる民俗学などの日本的な意匠は「古き良き日本が滅びたあと、アメリカ産の材料でふたたび疑似的な日本を作り上げようとする複雑な欲望が潜んでいる」（同、二四頁）と。オタク文化を論じる際に、日本の伝統文化との連続性が強調されることがあるが、東はむしろ断絶をこそ強調する。

「そこにはじつは、日本の戦後処理の、アメリカからの文化的侵略の、近代とポストモダン化が与えた歪みの問題がすべて入っている」（同、三八頁）と。

だから、オタク文化における「ナショナル・アイデンティティ」は――言い換えれば、オタク文化における「日本」は――とてもこじれたものなのだ。加藤典洋の言い方を借りれば、様々な「ねじれ」を孕んでいる。

大衆文化は、大衆の願望を写し出す鏡でもある。戦後において、後にオタクと呼ばれる、新しい環境に生きる人々は、どのように戦後を心理的に理解し昇華しようとしたのか、その痕跡がオタク文化の作品に残っている。

ひとつのベクトルは、土着的で伝統的な「日本」を振り捨てようとする方向である。二〇〇〇年以前のアニメーションには、この傾向がとても強かった。そのことを典型的に示すのが、松本零士の、アニメブームを巻き起こした『銀河鉄道９９９』（一九七八‐一九八一）であろう。

スラっとした体形の西洋人を思わせる金髪女性のヒロイン・メーテルに導かれ、日本人体形の主人公・星野鉄郎が旅をする。鉄郎の目的は、「機械の身体」を手に入れることだ。それは、日本人が、西洋人の導きにより、その美しさに憧れながら、新しい工業的なアイデンティティを求めていくことの象徴と言えるかもしれない。最終的に、鉄郎は目的地で、「機械の身体」を手に入れることとは、ネジにされて、巨大な機械の部品になることだと気付いて拒絶するのだが、これは当時の日本社会に対する鋭い批評だと言える。

このような批評性のある作品は、本当のところそれほど多くはなく、多くのアニメ・マンガ・ゲームは、西洋的な顔や身体や装飾を臆面もなく用いていた。多くの者が指摘する通り、日本のアニメの登場人物は、日本人の顔の特徴を有していない。それは今では国籍不明の「アニメ顔」と呼ばれているが、元々の志向は明らかに西洋だった。ここに、オタク文化の、脱日本的な志向を見出すことができる。

アニメーション監督の押井守は「日本のアニメーションで日本人の顔を描いたアニメーションは、もうほとんどない」（押井守・伊藤和典・上野俊哉「映画とは実はアニメーションだった（徹底討議）」『ユリイカ』一九九六年八月号、青土社、七八頁）と指摘し、「日本人が日本人であることを露骨に嫌がっている」理由として、大正の頃から既に「日本人が日本人であることを嫌がっている傾向がある」（同八〇頁）と指摘している。

つまり、近代化し、脱亜入欧が叫ばれた頃に、アジア人ではなく西洋人であるという日本の自己意識が生まれたが、しかし目の前の現実はアジアであり、鏡の中にいる自分は日本人そのものである。このような自意識とアイデンティティのねじれがあるので、日本人たちは現実から目を逸らすための装置としてアニメを必要としたと考えている。

オタク文化には、近代化や、アメリカ化によって切断され、ねじれを抱えた日本のアイデンティティの問題が孕まれている。今までの土着的な日本を振り捨てて新しくなろうとするベクトルがそこで表現された一方で、その不連続性を糊塗し、失われていく古いアイデンティティに固着しそれを新しいメディアの中に生かし直そうとする方向性の表現も出てくる。その分かりやすい例が、日本において「国民作家」とも言いうる宮崎駿の作品群だろう。

『となりのトトロ』（一九八八）、『もののけ姫』（一九九七）や、ベルリン国際映画祭で金熊賞に輝いた『千と千尋の神隠し』（二〇〇一）が、日本列島で暮らしていた人々の自然との結びつきに由来する「八百万《やおよろず》の神」（あらゆるものに、神と呼ばれる神秘的な力が宿っているという考え、アニミズム）を表現していたことは言うまでもない。それは、ポン・ジュノ監督の『オクジャ』（二〇一七）などにも見られるような、かつてのように自然や動物と心を通わせていた素朴な時代の良さを訴えかけるフィルムである。

宮﨑は、企画で関わった『平成狸合戦ぽんぽこ』（一九九四）で、造成され団地が建てられていく多摩の里山におけるレジスタンスを描き、脚本を担当した『耳をすませば』(一九九五)では、その切り拓かれたニュータウンに暮らし、土や自然と切り離され、コンクリートの環境を自明に生きる若い世代を描いていた。

つまり、近代化、アメリカ化などの象徴としての「科学」「文明」と、土着的なアニミズムなどの伝統的な心性との対立と葛藤が、宮崎の作品の中心主題であったということだ。そして宮崎は、どちらかというと、科学や文明を否定する傾向が強い。

一九八四年に発表された宮崎駿の出世作『風の谷のナウシカ』は、科学文明が滅び、自然に満ちた環境が蘇ったあとの世界を舞台にしている。本作はファンタジーの意匠を使いながら、核兵器の恐怖、冷戦下における国際政治と、そこにおける生命への優しさが起こす奇跡を描くことで、アニミズム的な価値観を称揚しようとした映画だとみなすことができる。しかし、その原作であるマンガ版(一九八二‐一九九四)では、「自然」だと思っていたものが人工的なテクノロジーの産物であり、人間たちもまたテクノロジーの産物であり自然ではなかった、自然を取り戻すためには人間を全滅させなければいけないという展開が描かれる。結果、人間を生かすことを本作は選択するのだが、それはアメリカ化してしまった偽者の人間たち=日本人たちを肯定しようとする覚悟だと解釈できる。宮崎の作品は戦後日本を生きる人間にとってのアイデンティティの葛藤の寓話であると言えるだろう。

伝統的な価値観への希求は確かにある。失われた自然や神との関係を取り戻したいという願望は戦後日本にもあり続けた。しかし現実に人々が生きている社会は、ポストモダンになり、高度消費社会になった。そんな中で、人々は、人間が手で描いた人工物であるアニメを、電化製品であるテレビや、デジタル技術の産物であるDVDなどを通じて鑑賞し、「自然」や「信仰」との連続性を感じ、ナショナルアイデンティティを維持してきた側面がある。仮構された連続性によって——作り手たちは仮構であると嘆息混じりに自嘲的に表現しているにもかかわらず――自分たちが歴史や伝統から切断されていないのだという文化的なアイデンティティを糊塗する機能を、日本のオタク文化は担ってきたのだと推測される。

雑種的な混淆を肯定するために――『攻殻機動隊』

ポストモダン以降の日本は、既にそれ以前の日本ではない。現実の感覚も、生命の手応えも、それまでとは異なってしまった。これらの主題を自覚的に表現し、宮﨑のように「昔は良かった」と描きその現実から目を逸らすまやかしを提供するのではなく、この状態を直視させる鏡を視聴者に提供し、なおかつこのような戦後日本の状態を肯定しようとしたのが、押井守監督の『GHOST IN THE SHELL/攻殻機動隊』(一九九五)である(拙著『攻殻機動隊論』参照)。

押井守は一九五一年に東京の大田区に生まれ、戦後日本の変貌を目にしてきた。高校生時代に全共闘運動に参加し、その挫折の後に、映画館に「亡命」した。ゴダールやタルコフスキーや唐十郎に憧れつつ、就いた仕事は馴染みのないアニメーション業界だった。

一九八四年の『うる星やつら2 ビューティフル・ドリーマー』は、学園祭の前日を高校生たちが延々と繰り返すというドタバタラブコメで、作品全体が登場人物たちの夢として構成されていた。つまり、これはオタクがアニメに求めている「夢」に対する自己言及の作品であった。

一九九三年の『機動警察パトレイバー2 the movie』では、戦後日本論を展開する。『パトレイバー the movie』(一九八九)、『2』で、押井は、湾岸の埋め立てや再開発で失われる東京の風景を執拗に描き続けた。その東京は、作中では「蜃気楼」「幻」と表現されている。つまり、ここには戦後日本が、虚構であるという感じ方が表現されている。

押井は、この作品や様々な発言で、このようなオタク文化論を仄めかしている。戦後日本は虚構である、つまり、真正なアイデンティティや文化的ルーツのない環境である。そのような虚構の世界に生きているからこそ、日本人が登場し現実が描かれる実写映画ではなく、アニメやゲームなどのオタク文化の方にこそより強い「リアリティ」を感じ、人々が共感するのだ、と。

この「戦後日本」が虚構であるという感覚は説明が必要だろう。たとえばこれに類する感覚は、一九七〇年に市ヶ谷の自衛隊駐屯地でクーデターを呼びかけ割腹自殺した三島由紀夫の考えにも見られる。あるいは、保守派の文芸評論家・江藤淳が、戦後日本社会を「仮構」と表現したこととも通じているだろう。

この場合の、「虚構」という言葉遣いには、二つの含意を読みとれる。ひとつめは、戦後日本社会がある種の欺瞞と否認の上に成立しているということだ。

『パトレイバー2』にはこんな台詞がある。

> かつての総力戦とその敗北。米軍の占領政策。ついこの間まで続いていた核抑止による冷戦とその代理戦争。そして今も世界の大半で繰り返されている内戦、民族衝突、武力紛争。そういった無数の戦争によって合成され支えられてきた、血まみれの経済的繁栄。それが俺たちの平和の中身だ。戦争への恐怖に基づくなりふり構わぬ平和。正当な代価を、よその国の戦争で支払い、その事から目を逸らし続ける不正義の平和。
>
> そんなきな臭い平和でも、それを守るのが俺たちの仕事さ。不正義の平和だろうと、正義の戦争より余程マシだ。
>
> 正義の戦争と不正義の平和の差はそう明瞭なものじゃない。平和という言葉が嘘つきたちの正義にな

ってから、俺たちは俺たちの平和を信じることができずにいるんだ。（句読点などは適宜補った）

不正義、欺瞞の上に成り立っている「平和」は虚構、ニセモノなのではないかという罪悪感や不安の感覚をここに読み取ることができる。

もうひとつは、「本物」と「偽物」を分類する意図である。

ここで言う「本物」とは、自分が愛着を抱いている、変貌する前の日本のことだと推測される。三島の場合は、自分が青春期を送った第二次世界大戦中の価値観であろう。江藤の場合は、敗戦前までは上流階級であったので、敗戦しGHQによる占領を経て民主化しアメリカ化した戦後日本社会は、ニセモノと感じられてしまう。押井にとっては生まれ育った東京、大田区の環境がそうだろう。「本物」か否かというのは、あくまでも心理的な手応えとしての話であって、幼少期に馴染んだ環境に対して人は愛着を抱き、そこに執着する傾向を見せ、それを「本物」と、それを壊して新しく作られたものを「偽物」と感じやすいのだと推測される。それは、客観的事実としての文化や伝統の真正性とは直接は関係のない、あくまでも生きてきた心理的なリアリティの問題だろう。

それを踏まえた上で、「偽物」の日本社会を肯定しようという覚悟の寓話として、一九九五年の『攻殻機動隊』を見ることができる。作品に描かれる未来都市は、舞台は日本に設定されているが、モデルは香港である。その、西洋と東洋、日本と中国、韓国文化が混淆した未来社会に生きるサイボーグたちを描いた本作は、文化的な混淆、ハイブリッド状態のメタファーであると多くの論者が解釈してきた。押井は、そのような状態を、宮崎のように過去を向くのではなく、肯定しようとした旨を発言している。

奇妙なことに、「ジャパニメーション」として世界で最も知られている作品のひとつが、この押井守の『攻殻機動隊』である（他に、大友克洋の『ＡＫＩＲＡ』と、先に触れた宮崎駿作品がある）。それは後のクールジャパン政策に影響を与え、『攻殻機動隊』は、今ではそのサイバーパンクなヴィジュアルが「日本」イメージの典型とすら思われているが、しかし、そこに現れている「日本」とは、伝統的で真正性のある日本ではなく、そのような文化的アイデンティティを失い異種混淆している状況を嘆息混じりに受け容れ肯定しようとしたものであることは、忘れられてはいけない。

これこそが、「マンガ・アニメ共栄圏」という批判に対する反論の一つの重要な根拠となる。とはいえ、戦後の、西洋化・雑種化を受け容れた日本を、「戦後日本」と呼ぶとすると、そのような意味での「戦後日本」による文化侵略である、という議論は成り立つのかもしれない。しかし、「戦後日本」は、戦後における反省と民主主義への誓いの中で積み上げられてきたものであり、単純に「大日本帝国」と一致させて考えることはできない。押井守はかつて新左翼の闘士であり、宮崎駿も左翼であった。大友克洋も『AKIRA』作中で、革命やレジスタンスを主人公サイドで描いていることからも明らかなように、単純に日本や伝統を肯定している作り手ではなかった。その当時のオタク文化は、カウンターカルチャーでもあったのだから。

3　オタク文化とナショナル・アイデンティティ

オタク文化とナショナル・アイデンティティの接近

とはいうものの、オタク文化とナショナリズムに関係があるのではないかという議論は根強い。日本でも、いわゆる「ネトウヨ」（インターネット右翼）と、オタクの結びつきは、反差別論壇などで数多く議論されてきた（倉橋耕平『歴史修正主義とサブカルチャー』など）。そして確かに、筆者の観察においても、結びつきは存在しているように見える。そうなってしまう原因の一つとして、ここまで記してきたオタク文化の発展の経緯を、当の日本のオタクたちが忘却しているということがまず挙げられるだろう。

また、ナショナル・アイデンティティは、心理的なものなので、客観的な事実というよりは、「どう思いたいか」「どのように考えると、屈辱ではなく、自己肯定感が得られるか」という原理で言説が流通する傾向がある。これはオタクに限らず、人類に共通する弱さであろうと思われる。

本節では、それまでの伝統的な日本文化とは衝突し、時には今の言い方で言えば「反日的」とさえみなされてきた文化であったオタク文化が、どのようにナショナル・アイデンティティとの結びつきを強くしていったのかを素描しようと思う。なお、これは筆者の観察と調査に基づいた仮説であることは、あらかじめおことわりしておく。

重要なのは、「オタク」という新しいアイデンティティの不安定さであり、それがナショナル・アイデンティティとどのような反発や包摂の軌跡を描いてきたのかである。

マイノリティ文化としての「オタク」の起源

ここでは、オタク（おたく）の概念史・言説史を検討してみよう。「オタク」という言葉はどのように使われてきたのだろうか、そしてそれはどう変わってきたのだろうか。

「オタク」という言葉がある集団を指す言葉として初めて活字になったのは、一九八三年の中森明夫「『おたく』の研究①」（『漫画ブリッコ』一九八三年六月号、二〇〇 - 二〇一頁）によってである。ここで、中森はある集団を「おたく」であると定義した。

その定義は、現在の「おたく」「オタク」という言葉のニュアンスとは異なる。そこで描かれているのは、コミックマーケットに集まり、異様にはしゃぎ、対人コミュニケーションが苦手で、ファッションに疎く、電車マニア、SFファン、コンピュータ好きの理系少年だったり、ネクラだったりする人たちのことを指していた。つまり、自閉的で趣味が偏っていて対人関係が苦手で勉強が得意な理系というニュアンスが強かった。

当時、ポストモダンの環境が到来し、その消費社会を生きる若者たちを新しく名指す動きがあった。「新人類」と呼ばれるものがそれだ。消費社会をスタイリッシュに生きて、ブランド品を着て、クラブに行って踊るようなライフスタイルを送る、社交的な人々のことである。「オタク」とは、この「新人類」と対比される存在で、ポストモダンの消費社会に生きており、政治や社会のことには興味を持たないという共通性は持つものの、ファッションや恋愛などへの興味が薄く、鉄道やコンピュータなどのモノに執着し、暗く社交性に問題がある一群だと理解できる。どちらも、社会や政治への関心の薄い「シラケ世代」であり、消費により自己実現しようとする点は共通である。中島梓は『コミュニケーション不全症候群』で、「コミュニケーション不全」とオタクを関連付けている。

「オタク」とは何なのか、何者なのかというオタクのアイデンティティ問題もまた、オタク文化の中で問われていくことになる。有名なものは『機動戦士ガンダム』（一九七九‐一九八〇）で、一作目と二作目『機動戦士Z《ゼータ》ガンダム』（一九八五‐一九八六）の主人公は、機械が得意な内向的な少年に設定されている（親は技術者や科学者である）。これは、熱血で前向きな主人公が多かった当時のアニメにおいては異例のことで、総監督の富野由悠季は、現代風の若者を敢えて主役に設定したと述べている。

『ガンダム』は、ロボットの操縦には天才的な力を見せる彼らを「ニュータイプ」と呼び、大地の重力を振り捨てようとする彼らを肯定するのか否かが中心的なドラマになっているが、それはすなわち、オタクたちをどう受け止めるべきなのかの思想的葛藤のドラマの寓意なのである（『∀ガンダム』（一九九九‐二〇〇〇）などで、大地と、日本の土着的な祭りを結びつけた描写をしていることから推測して、大地とは、伝統的な価値観の寓意であろう）。

この頃の「オタク」とは、単にアニメやマンガが好きというよりは、ある気質の持ち主たちを指しているように思われる。それは高度消費社会を前提とした存在であるが、明らかに工業や理系的なものとの結びつきも強い。筆者の仮説としては、戦後日本が科学技術立国になった結果、戦前までの社会では能力を発揮しにくかった、科学や技術に強い脳神経の特性を持った人々の活躍する場が急速に拡大し、その結果、それまでは抑圧されていたであろう「オタク」的な器質を持った人々が独自の文化を形成するにまで至った、それが初期のオタク文化の特質だったのではないかと思われる（秋葉原も、八〇年代頃は電気街であり、機械の部品などを売っている街であった）。

だから、初期のオタク文化とは、ある特殊な人格類型の人たち、あるいは少数派の脳の特性を持った人たちが生み出した、マイノリティの文化という側面もあったのだろうと思われる。たとえばゲイの人たちが、マイノリティである自分たちの共同体や解放を求めてハウスミュージックを発展させたことと類比されるような文化という側面もあるだろう。アメリカなどで日本のサブカルチャーを研究する人には女性やマイノリティが多いことなどから考えて、単純な「日本の文化侵略」というよりは、世界中の、ある種類のマイノリティたちの連帯の文化という側面もおそらくはあるのだと思われる（日本アニメそれ自体が、「クィア」として受容されているのを、筆者は国外で何度も目撃している）。

オタクというアイデンティティの不安定さ

そのような非常に不安定な地位にあった新興文化であるオタク文化の担い手であるオタクたちのアイデンティティは、安定を求めて様々なものに結びつこうとする傾向があった。たとえば、伝統的な日本文化との連続性を求める言説が発せられ、それが（事実の検証抜きに）熱狂的に受け容れられる現象が起こる。

典型的な言説が岡田斗司夫『オタク学入門』である。東京大学での講義をベースにした書籍であり、そうであるだけに学術的な権威性を持って機能した書籍なのだが、そこでは「オタクは日本文化の正統継承者である」（『オタク学入門――東大「オタク文化論ゼミ」公認テキスト』三五八頁）。と断言されている。そこでは、オタク文化は「粋」や「通」などの、伝統的な日本の価値観を継いでいると主張される。浮世絵や鳥獣戯画などとアニメマンガを結びつける言説もそうであるが、オタク文化が伝統的な日本に対して異質で連続性のない文化ではなく、連続性のあるものだと主張したいのである。

この主張に関しては、批判も含めて様々な議論があるが、これらの主張が必要とされた背景として指摘しておきたいのは、宮崎勤による幼女連続殺人事件である。一九八八年から一九八九年にかけて幼女を連続で殺した犯人の部屋がビデオテープで溢れていたので、マスメディアなどは「おたく」と「犯罪」を結びつけバッシングするという風潮があったのだ。オタクたちは、このようなバッシングから身を守らなければならないという危機意識で、様々な言説戦略を行ったのだと推測される。

日本文化との連続性を強調する議論に対し、大塚英志や東浩紀は切断を強調した。大塚は、手塚漫画に対するロシア・アヴァンギャルドの影響を強調し、オタク文化と戦後民主主義の関係性を論じている。既に論じたように、東浩紀は、端的に、アニメなどはそもそもアメリカ文化であり、アメリカ産の材料を使って作られた疑似日本なのだと述べている。

実際、日本初の長編アニメーションである瀬尾光世演出『桃太郎　海の神兵』（一九四五）は、ディズニーの『ファンタジア』（一九四〇）の影響を受けている。国策によって作られたプロパガンダ映画において、敵国であるアメリカの作品を模倣し、表面上は日本的意匠で覆ったという長編アニメーションの起源を考えれば、後の日本のアニメにもその性質はあり続けるだろう。

日本初のテレビで連続して放映された本格的なアニメシリーズである『鉄腕アトム』（一九六三－一九六六

六）の生みの親・手塚治虫は、『桃太郎　海の神兵』を見て感動したことが、アニメを作る動機に影響したと言われている。ちなみに、ディズニーのアニメーションは一九二〇年代には作られており、一九二〇‐四〇年代には、既にカラーでヌルヌル動くアニメーションが実現しており、技術的にも芸術的にも明らかにアメリカが先行しており、それを日本は後から模倣したというのが、歴史的な事実である。そのようなアニメを中心とするオタクのアイデンティティが不安定になるのも、必然的なことなのではないか。

そのような起源に由来する部分だけでなく、社会的な包摂や許容の問題も、オタクというアイデンティティが不安定となった理由にあるだろう。オタクという存在が表舞台に出るのは、二〇〇三年の秋葉原ブームで、それ以前には、オタク文化は社会的にも国家的にも承認を得ていなかった。低俗で幼稚で下等な文化とみなされており、それを愛好する人々は極めて強い自己否定を内面化せざるを得なかった。だから、アニメーションの内容にも、どちらかと言えば反社会的な態度や表現が目立ち、カウンターカルチャー寄りのものであった。『新世紀エヴァンゲリオン』も、『ＡＫＩＲＡ』も、国も含めて、自分を取り囲んでいるシステムも何もかもをぶっ壊してやるという衝動の方が強く目立つ作品なのだ。

「萌え」以降のオタク――森川嘉一郎のオタク観

繰り返すが、その後、オタクという集団がナショナル・アイデンティティに包摂されてしまうに至る経緯の心理的な動機を考えるに、アイデンティティの不安定さと、社会的なバッシングに起因する自己肯定感の少なさという観点は見逃すことは出来ない。

二〇〇〇年代に宮崎駿、押井守、大友克洋らの作品が国際的な映画祭で上映されたのを契機に、オタク文化を芸術的に認める機運が訪れる。また、それを国家や権威が認めていく流れも出来ていく。

その中でオタク文化とナショナリズムの関係を考えるうえで重要と思われる言説を検討したい。森川嘉一郎の『趣都の誕生――萌える都市アキハバラ』である。

森川嘉一郎は二〇〇三年に刊行された本書の中で、オタクたちについてこのように述べている。「オタクやその文化が被差別的な存在だということ」（一九頁）、「広告代理店的に商業開発されたような街にあっては、心情的にアウトサイダー、あるいはマイノリティであらざるを得なかった。（…）秋葉原という趣都を見出し、あたかも民族が自決しようとするかのようにそこへ集まるようになったのである」（六〇頁）

少し長いが、森川の考えと、当時のオタク文化や「萌え」のことを知るための重要な文章なので、引用を続ける。

「科学技術による絶え間ない前進がもたらす輝ける未来、という高度経済成長時代に共有されていたビジョンは、七〇年代に入って、急速に色褪せてしまった。八〇年代の中頃には、このような状況を反映して出現した新しい人格が、『オタク』という呼び名によって見出されるようになった。彼らは性格として、科学を信仰し、大志を抱くはずだった少年たちである。それゆえこの〈未来〉の喪失によって受ける打撃が、ひときわ大きかったのである。彼らはアニメやゲームといった趣味に、退行していった。／秋葉原電気街も、まさに電気街であるがゆえに、この〈未来〉の喪失に敏感な街だった。（…）／その結果、秋葉原の街はアニメ絵の美少女で覆われるようになった。それらはオタクにとっても秋葉原にとっても、失われた〈未来〉を代替するための聖像なのである。（…）／そうしたアニメ絵の美少女に対するオタクの愛好の背景には、〈未来〉の喪失とともに、アメリカと日本の階層関係がある。上位文化に対して防衛的で、それを変質させて従属させようとするオタクたちの人格が、ディズニー映画から日本の『アニメ』を発生させた。アメリカのセルアニメが子供の聖性を徹底して衛生的に描くものであったからこそ、日本のアニメ絵は色濃く幼女性愛的な相貌を帯びるようになったのである。／この支配的文化に対する防衛的態度ゆえに、オタクは必然的にマイノリティである。あたかも民族が自決するように彼らが秋葉原へと集中した

ことは（…）エスニック・コミュニティの形成に近い」（二二〇、二二一頁）

オタク文化は、元々「敗者」の文化という性質があった。それは、第一義に、戦後日本がアメリカに負けた後に発展したという意味である。森川は、そのような勝者の文化＝支配的文化を変質させる、隠れた復讐のような文化としてオタク文化を見ている。そして、「萌え」や「美少女」などのキャラクター文化が中心になったのは、「高度成長」「科学技術」のもたらす未来の喪失と関連しており、それを補うためだとしている。そして、このオタクという、「趣味」「興味」を中心として生まれる集団を、民族やエスニック・コミュニティに喩えているのだ。

彼は第九回ヴェネチア・ビエンナーレ国際建築展・日本館のキュレーションを行っているのだが、そこで「侘び・寂び・萌え」というキャッチフレーズを発表している。オタク文化が、今のように「かわいい」キャラクターへの愛着を中心とする文化に変わったのは二〇〇〇年代だが、そのキャラクター文化における中心的な美学である「萌え」とは、サンリオのキャラクターなどを愛でるかのように、弱く儚い存在を愛でる美学であろう。ここには、弱い者、劣った者、輝いていない者への嗜好という共通性において、オタク文化の美学と伝統的な美学を接続させる試みが見いだせる。

「萌え」の美学が日本で大衆化したのは二〇〇〇年代だが、そこにはバブル崩壊に起因する日本の自信喪失と、若者たちの苦境が関係していると思われる。

「萌え」は弱いものを愛でる美学であり、二〇〇〇年代に流行ったKeyやLeafなどのメーカーが作った美少女ゲームでは、運命に敗北し散っていく無力な少女たちが多く描かれ、ユーザーはそれに共感していた。そして、オタクたちは、エロゲーやエロ漫画などにおいて、男性的な「犯す」主体にではなく、犯される少女の側に自己同一化しているのではないかという議論が当時起こっていた。

それは、当時の状況における、いわゆる「男性性」の強くない男性たちによる自己憐憫の投影という側面もあったのだろう。宇野常寛はそれを「レイプファンタジー」と呼び、「家父長制」と結びつけて批判したが（『ゼロ年代の想像力』）、筆者はそう単純ではないと思っている。不況により就職や結婚や家庭を持つことが困難になり、従来の「大人」「男」になる回路が閉ざされ、自信を失った男性たちは、単に弱い二次元のヒロインを疑似的に所有することで家父長的な欲望をも仮想的に満足させようとしていただけではなく、同時にか弱くトラウマを負った少女に自己を投影していたのではないかと推測されるのだ。弱い少女を救おうとし、それが出来ないことによる無力さが描かれることが多かったが、そこに自己救済の願望や「男」「大人」になることが困難な時代における自己受容の葛藤を読み取ってもいいだろう。後の「弱者男性」論につながってくる問題である。

オタク文化で描かれる意匠は、科学技術立国としてGDP世界第二位の経済大国であり重化学工業がナショナル・プライドになっていた時期には科学やメカが中心だったわけだが、バブルが崩壊して自信を失った結果、弱々しく可憐な美少女や、サンリオなどのかわいいキャラクターが中心となっていった。九〇年代の『ドラゴンボール』を代表とするジャンプ漫画では無限の成長と成功を描く傾向があったが、「科学技術立国」としてのアイデンティティが他国の経済・技術的成長により後退していき、右肩上がりの成長の時代でなくなった。その結果として、「萌え」の美学や「空気系」「日常系」のようなコミュニケーションの美学、「推し」のように育てる美学にサブカルチャーの中心が移行していったのだ。それは、旧来の「男らしさ」の価値観からすればマイナスに評価されるのかもしれないが、無限の成長を志向する男性的な近代から「成長の限界」を踏まえた上で成熟したケア的なものの主体であろうとする現代への移行期として肯定的に考えることもできるだろう。

この「弱さ」は、オタクたちの自己認識や、ナショナルアイデンティティとも言説上の布置の結果、重ねられていくことになる。森川が、オタクを、被差別者・マイノリティであると述べ、「民族」に喩えたことを思い出してほしい。オタクという趣味を中心としたアイデンティティは不安定であるがゆえに、反差別・マイノリティ運動とのこじれを生みやすく（ある時期には男性中心の、ある時期以降はマジョリティ文化になってしまったにもかかわらず、被差別・マイノリティ意識を持っているので）、「民族」「日本」などと結びつきやすい傾向を持っている。もちろん、これは森川の言説の責任というわけではなく、オタクというアイデンティティ・概念の構造的な問題と、時代的な条件によって、そうなりやすい傾向が生じているのではないかというのが、筆者がここで主張したいことである。

そこで、無意識レベルで起こっていたことは、このようなことではないか。オタクは日本と重ねられ、そして無垢で、優しくて、かわいくて、脆弱であるという自己理解が無意識に広がっていく。「オタク差別」などの言論は、確かに存在した偏見やバッシングやイジメを根拠にしている。これらが、アイデンティティの問題においては、無意識のうちに心理的に重なってしまうのだ。極端な場合、オタク文化を批判する者は＝西洋・フェミニスト・強者であり、日本を侵略しようとする勢力だ、というように（フェミニストを漫画化し、茶化す発言をするのも、劣位の者が支配的文化に対抗するものと認識されているだろうし、森川の言う「上位文化に対して防衛的で、それを変質させて従属させようとする」心理的・文化的特質に由来すると理解できる）。

しかし、工業によってGDP世界第二位だった時期には、機械やメカが作品に多く登場し、熱血の男性主人公たちが力を振るっていたことも忘れるべきではない。今では文化侵略の被害者だと思っているかもしれないが、一九七〇年代には日本製品がアメリカに多く輸出されたので、アメリカの産業が衰退し、ジャパンバッシングが起こっていた。一九八九年にはソニーが、大手映画会社コロンビア・ピクチャーズ・エンタテインメントを買収している。アメリカからすれば、日本からの「侵略」のように感じられていただろう。単純に、オタクや日本が被害者であり弱者だったわけではない。

オタク文化や、オタクというアイデンティティも、常に同じであったわけではない。敗北者的側面で言えば、確かに戦後日本の特撮やアニメなどには、アメリカへの敗北を受け止める「敗者」の文化という側面はあった。とはいえ、そこには未来に向けて新しい生き方を創造しようとする前向きな勢いもあったし、国内に閉じず世界を視野に入れている部分もあった。それに対し、「萌え」の場合は、どちらかと言えば自閉的な自己憐憫に近く、理念や論理よりも、情緒やノスタルジーと結びつく傾向がある。オタク文化が病的なナショナリズムと接近するようになったのは、これ以降ではないかとも思える。

麻生太郎のアイデンティティ・ポリティクス

オタクたちとナショナル・アイデンティティが結びついたもう一つの契機は、政府によるオタクたちを包摂しようというアイデンティティ・ポリティクスである。二〇〇八年に麻生太郎が総理大臣に就任した後、最初の演説を秋葉原で行った。麻生太郎はマンガ・アニメ好きをアピールし、ネット上では『ローゼンメイデン』から採られた「ローゼン閣下」と呼ばれていた。

彼は『とてつもない日本』の中で、オタク文化は、かつては伝統的な日本を破壊するとみなされていたが、今では日本が誇るものであると述べ、「承認」を与えた。「これらのサブカルチャーを、世界中が注目するカルチャーに育ててきたのは、実は、今この本をお読みの皆さんではないか。／『団塊』『しらけ』『新人類』『おたく』などと十把一絡げにされ、伝統的な日本を破壊する『今時の若者』と嘆かれた世代の作ってきた文化に、アジアのみならず世界中が熱い眼差しを送っている」(五二頁)。

『自由と繁栄の弧』や『とてつもない日本』などの著作を読むと、そこで麻生はいわゆるソフトパワーを活用した外交を提唱しており、それを評価すると同時にオタクたちをエンパワーメントし、票田として獲得しようという戦略があったと思われる。

この日本のクールジャパン戦略が文化帝国主義であるか否かは、評価が難しいだろう。ただ、言えるのは、ここで輸出されているのは、大日本帝国的な、国粋主義的な文化ではないということである。麻生は有名な英文学者である吉田健一を義叔父に持つが、『とてつもない日本』の中では、オタク文化は、ロックなどと同じように外来の文化であることを明言しているし、それを受け容れ肯定する姿勢を見せている。どちらかというと、『攻殻機動隊』の姿勢に近い、折衷的な文化を肯定している論者ではないかと思われるのだ。

さらに言えば、麻生内閣で立案されたクールジャパン戦略は、「自由と繁栄の弧」と呼ばれる、東アジアに平和と安定をもたらすための「価値観外交」の一部であろうと推測される。「価値観外交」そのものは、冷戦下における西側の価値観である、民主主義や人権や法の支配などを普及させていこうとするものであり、これはむしろ日本を占領したアメリカの価値観に近く、(新)冷戦状況における戦略であろうと推測される。つまり、これは大日本帝国の戦略と一致はしないだろう。

二〇一〇年代にはクールジャパン戦略が本格的に動いていく。そして、オタク文化は、国家的に認められたどころか、経済や外交において国を救うものと位置づけられもする(外貨を稼ぐ、日本の外交的に有利なポジションをソフトパワーにより得る、戦争を防ぎ平和にする……)。

筆者の観察では、インターネット上でのオタクたちの一部は、この前後から、国家との一体感、国家のために戦う者としての使命感を高めていったように思える。場合によっては、ネットに書き込むこと自体が(新冷戦下における、情報による)「戦争」として感じられることもあっただろう(世論戦、認知戦)。

社会から馬鹿にされ、犯罪者予備軍扱いされ、疎外されがちであり、アイデンティティに不安定さを抱えていたオタクたちにとって、このようなエンパワーメントと包摂と共同体との接続の魅惑は、非常に強いものであったと推測される。筆者自身も、押井守の『イノセンス』が日本のアニメ映画として初めて二〇〇四年のカンヌ国際映画祭のコンペティション部門で上映されるのを高揚して観ていたし、二〇〇〇年代には文化庁メディア芸術祭に足しげく通い、まさにその興奮を覚えていた。

麻生自身は著書の中で多文化主義的な態度を示し、第二次世界大戦の際にアジアに与えた惨劇にも言及しているのだが、それに反し、妄想的なナショナリズムと一体化し被害者意識を持ち自我を肥大化させた過激なオタクの一部は、排外主義や、アジアに対して日本が与えた被害に対する歴史修正主義に走っていくことになってしまった。麻生的なヴィジョンと、森川の言うオタクと日本を重ねる言説とが、都合よくいいとこどりされ、自身のアイデンティティ（愛国心であれ、オタクとしてのそれであれ）に奉仕する物語として利用されたのだろうと思われる。

「萌え」的な、日本＝オタクは繊細でか弱い者であるという自己認識と国粋主義的な態度と、戦争状況の中で外交のために戦う戦士であるという自意識が組み合わされば、「被害者意識」と「防衛」意識によって加害を正当化する排外主義的なネトウヨの出来上がりである。オタクとネトウヨの結びつきは、このように考察できるのではないかと思われる。

そもそもがオタク文化自体が、ある心理的な屈折に対応するためのファンタジーとして生まれている部分があり、現実の歴史を糊塗し否認する傾向のあるものだったことは、『宇宙戦艦ヤマト』を見るまでもなく明らかである。つまり、消費社会における大衆文化を消費することの快を人生の中心に据える生き方からくる必然として、心理における快感原則を重視する側面がオタク文化にはあり、それが理性や権威による判断よりも、心理的な気持ちよさを優先して物事を判断する傾向に繋がっていった可能性はある。

繰り返すが、これは単純に森川や麻生の責任とは言えない。彼らの言説は、もう少し複雑で慎重である。だが、それを大衆が摂取し実践する際に、様々な副作用が起こったのだと考えられる。

4　オタク文化の未来について――「マンガ・アニメ共栄圏」の誕生!?

オタクにとっての成熟という課題

オタク文化は、そもそも純粋に日本的なものではなく、戦後日本の文化的混乱と葛藤の渦中から生まれたものであるとみなすのが妥当だと思われる。

そして、それはある種の特性を持つ人たちによるマイノリティ文化であった。主流や権威には認められないカウンターカルチャーでもあり、であるからこその逸脱的な魅力があった。

たとえば、オタク文化の中には、明らかに戦争への愛がある。『宇宙戦艦ヤマト』などには、軍国主義への郷愁が間違いなくある。他に、オタク文化の中には、アブノーマルな性への嗜好もある。スピリチュアルへの志向もある。しかし、これらはオタク文化が「公認」される以前は、プライベートに密やかに消費される、ある種のポルノと似た心理的な機能を担っていたものだったと思われる。であるからこその自由と創造性の魅力もあった。そしてそれが主流化し、権威化したことで、様々な問題が起こっているというのが、筆者の理解である。

このことはオタク文化の担い手の一部も理解しているようで、たとえば庵野秀明は『シン・エヴァンゲリオン劇場版:||』で、オタクとしての成熟を模索していた。細田守もまた、家族や地域を担う主体としてどうあるべきかをアニメーションを通じて模索し続けている。規範として影響を与える可能性を自覚しながら、自身の逸脱性を矯めていくフェイズに、日本のオタク文化は間違いなく入っている。主流文化となり権威性や正統性を獲得するということは、規範となり人々に影響を与えてしまうことの責任を引き受けるということと、不可分なことなのだろう。

オタク文化の「権威化」「主流化」は、そこに帰属する者たちのアイデンティティを安定させ、自己肯定感を高めたと思われるが、同時にそこに包摂されない者たちを取りこぼしていくことになる。その者たちの絶望は、既に書いた通りである。

国を超えた文化としてのオタク文化の現状

オタク文化とナショナル・アイデンティティは、日本の大衆レベルではますます重なりつつあるように見える。多くの人々は、もはやオタク文化を「くだらないもの、ネタに過ぎないもの」とみなしておらず、昨今のAR（拡張現実）ブームや、聖地巡礼ブームで、アニメやゲームなどの虚構空間を現実空間に重ねる想像力が発展していることが窺い知れる。若者たちにとっては、それは自然に存在している「日本文化」に感じられている。

その感性を国家も援用している節が見え隠れする。たとえば、二〇一六年のリオデジャネイロ・オリンピックの閉会式で、東京オリンピックを紹介する演出は、安倍元首相がマリオの格好に扮しており、プロモーションのビデオでは東京の中に様々なキャラクターがいた。会場にはデジタル的な映像が投射され、「虚構と現実」が重なっている国として日本が演出されていた。

もし新型コロナウイルスが蔓延しなければ行われていた東京オリンピックの開閉会式では、映画監督の山崎貴が演出をする予定であった。山崎貴は『ALWAYS　三丁目の夕日』など、幻想の日本の過去を美化して提供するエンターテインメントを得意とする監督であり、歴史修正主義者である百田尚樹原作『永遠の0』『海賊とよばれた男』の監督でもある。

現実の東京オリンピックにおいてはこの懸念は杞憂に終わってしまったが、この「虚構と現実」の重なりという感性の普及には、問題点もある。「虚構と現実」とを重ねる想像力が一般化したら、オタク文化の想像力が公的な領域に溢れだすのではないかと危惧される。科学的事実と願望の区別や、実証的な歴史と、神話の区別が曖昧になるのではないか、そうなると、戦前の皇国史観や妄想的な自国中心主義が復活する危険はある。そのような「マンガ・アニメ共栄圏」の誕生は阻止しなくてはならないのだと思われる。あくまでも、カウンターカルチャーであり、様々な文化の混淆における矛盾の葛藤の受け皿としての、雑種的なオタク文化の性質をこそ重視するべきであり、妄想的な「オタク＝日本」という神話に引きずられるべきではない。

現実として、オタク文化を代表する、マンガ・アニメ・ゲームなどにおいては、韓国、中国のみならず、台湾、タイなどにおいても、日本のそれと遜色ないどころか、凌駕する作品が次々と生まれており、「オタク文化＝日本」とは、もはや言うことができなくなっている。宮﨑駿作品などに影響を受けたアニメーションは、アメリカやフランスや中国でも作られ続けている。

かつて「オタク文化は日本が誇る、日本人の感性しか生み出せない文化だ」というような言説があったが、このような状況だからこそ、そのような誇りを抱いていた人々のアイデンティティが脅かされ、防衛機制で攻撃的な言動が起こっている部分もあるのかもしれない（オタク文化を守ることが、日本を防衛することである、と考えていた人々は、他の国でもそれが発展している現状に心理的な整合性が取れなくなるだろう）。しかし、現実を見るならば、日本のオタク文化はグローバルに拡散し、作り手たちも生まれている。この新たな不思議な「ねじれ」をしっかりと直視するべき段階に来ている。

オタク文化は元々、自閉的なものではなく、開かれた雑種的な文化であった。それは戦後の敗戦とアメリカ化の中で、新しい価値観や未来を生み出そうとして発展した文化であり、カウンターカルチャーの影響も受けた、ハイブリッドでキメラ的な文化であった。言ってしまえば、東洋と西洋の文化を混ぜ、より高次の、より良い文化を生み出そうとする創造行為だった。それは敗戦とアメリカによる占領という「屈辱」「敗北」の中で生み出されたものであり、その葛藤や苦痛もまた構造化されたものであった。だからこそ、その要素に世界中の人々が共感しているのだ、というのが筆者の理解である。世界中で、安定して馴染んだ文化が失われていく状況は起こっている。雑種的な環境に移行しなくてはいけない地域も多いだろう。その葛藤や矛盾を心理的に乗り越え、敗北や屈辱の意識の中で、なんとか親密さや癒しを得たいという心理的なニーズを持つ者たちは、たくさんいるはずだ。

そこにこそ、オタク文化の最良の可能性がある。決して、陰謀論や過激派に近づき、それを実行するのではなく、それに親和性を持ってしまう心を持つ人たちを、世界的に救い、連帯し、新しい世界を生みだすための文化であり、回路であってほしい。

東アジアや、世界においてオタク文化の影響を受け、発展させようとする人たちにも、ぜひ、その創造性と雑種性を生かして欲しい。今までにないものを、これから必要だと思うものを、創造していけばいい。既存の国家や民族の枠も超え、今ある様々な問題を乗り越えるための新しい文化を創造することが、新しい「われわれ」のアイデンティティの創造に繋がり、それはひょっとすると平和や共存に繋がる共通理解の基盤になるのかもしれない。それこそが、新しい「オタク」のアイデンティティとなりうるのであれば、オタク文化の最高の誇りであり、人類史への最大の貢献になるのではないだろうか。その連帯の回路を通じ、第三次世界大戦の可能性をも減らしていくことが出来るのではないか。だからこそ、こじれや屈折こそがこの文化の特質だと承知の上で言うが、自分の「弱さ」を認める方向に可能性があるのではないか。戦争や災害などの危機の前では、私たちのほとんど全てが「弱者」でしかないのだから——。

国家の枠組みや、文化の純粋さや真正さに拘る態度は、オタク文化の本来のあり方ではない。それぞれがそれぞれの場所に必要なものを自ら創造していく野放図さを肯定し、雑種的に様々な影響を受け、与え合うことこそが、オタク文化の本来のあり方であり、正統な態度である。それが、人類をより高い次元に導くことを期待している。

第二部　作られる環境

Ⅳ　不幸な未来もゲームは作れるのか？——政治にゲームを実装する

ゲーミフィケーションの二面性

ゲームが世界を良くすることができるのではないか、という議論がなされた時期があった。いわゆる「ゲーミフィケーション」の議論が盛んな頃である。ゲームを社会に実装し、学習や労働などをより効率よく楽しくポジティヴに変えていこうという論調があったのだ。ジェイン・マクゴニガル『幸せな未来は「ゲーム」が創る』、井上明人『ゲーミフィケーション』、藤本徹『シリアスゲーム——教育・社会に役立つデジタルゲーム』などがその代表的な論として挙げられる。

しかし現在、ゲームは「世界を悪くする」元凶ではないかと名指されて論じられることが増えている。具体的にいえば、オルタナ右翼という極右集団との関連が取りざたされ、ゲームそれ自体がイデオロギーや行動に与える影響が批判的に考察されているのだ。

本論では、それらの論評の内容を紹介しながら、そのような考察が行われるようになった背景を確認し、それらゲームに対する批判的な考察の内容を検討してみようと思う。

ここで問題になっているのは、社会や現実に「ゲーム」を実装してしまおうという「ゲーミフィケーション」の功罪であると言ってもよい。新しく人間に力を与えて新種の行動を起こす「ゲーミフィケーション」それ自体の良し悪しではなく、その力の「使い方」の良い点と悪い点の両方を把握した上でどのように付き合えばいいのかが潜在的な論点になっていると言えるだろう。

ポジティヴなゲーミフィケーションの議論では、ゲームの持つ、人間を動かしたり脳に介入したりする性質を社会に実装することを期待し、壮大な社会変革すら夢想している部分があった。筆者はそれに共感し、賛同し、参加したことすらあった。

現在多く現れてきている批判的な論調は、その現実での「実装」が、排外主義、性差別、トランプ台頭、フェイクニュースの蔓延などに繋がったのではないかと主張するものである。

ゲームを愛し、ゲーム文化の可能性を信じるものとして、この批判は正面から受け止め、検討する必要があるだろうと思われる。実際、ポジティヴな可能性を信じて行った行動の中で、ぼく自身が多く見たり感じたり考えてきた問題点とも重なるところが多いからだ。

このままでは「幸せな未来」がゲームによって作られるという言明に説得力がなくなる、むしろ、「不幸な未来をゲームが創った」ことにすらなりかねない。ゲームを愛し、社会がよりよいものになってほしいと願うなら、この批判的な検討に直面することは避けられないだろう。

「オルタナ右翼」とゲームの繋がりを検討する記事

本節では、アメリカにおいて、オルタナ右翼との関連からゲームに対して批判的な論調で考察が行われるようになった現状を紹介し、その内容を検討していく。

二〇一六年のアメリカ大統領選にドナルド・トランプが当選してからというもの、その当選（つまりは、世界でもっとも影響力がある国の大統領を選ぶという、政治中の政治とも言うべき事態）と「ゲーム」の関わりが議論の俎上に載せられることが増えた。

たとえばそのひとつが、ゲームでよく見る派手な色彩やテクノ的な音楽への嗜好が、いわゆるアメリカ版ネット右翼である「オルタナ右翼」と関連性を持っているとする意見である。

BuzzFeedにReggie Ugwuが書いた記事「オルタナ右翼が愛する電子音楽とは」に拠ると、「ファッショ・ウェイブ（fashwave）」と呼ばれる音楽が、オルタナ右翼の間で人気になっている。「ファッショ・ウェイブ」とは『ファシスト（fascist）』と『シンセウェイブ（synthwave）』（ビデオゲームや80年代のアクションスリラーに見られる、熱狂的な音高のノスタルジックな電子音楽）の混成語」である。タンジェリン・ドリームや、ジョン・カーペンター映画の音楽などがその起源とされる。どちらもぼくの好きな音楽だ。

彼の分析では、これはオルタナ右翼の文化運動的な側面を表している。

「オルタナ右翼たちの、それほど仰々しくなくて、いささか皮肉なトーンを直感的に音楽で表現しているからだろう。ルーツは、ネット界の主流から外れた、白人至上主義の若者に人気の画像掲示板やビデオゲーム、SFだ。オルタナ右翼は、実質的に組織化して政治的ビジョンを示し、主流の観測筋を驚かせた。それと同じようにファッショ・ウェイブは、文化の一新および、独自のものと言える音楽シーンを軸とした統合やプロモーションを目指している」

ここで前提とされているのは何か。それは、趣味や感性が、政治思想や行動と何らかの形で関連しているという考えである。

次に紹介するものは、ゲームの内容がオルタナ右翼のイデオロギーと関係していると指摘するものである。

『ガーディアン』紙に掲載されたAlfie Bownの「How video games are fuelling the rise of the far right」は、このように論じている。

「ゲーム文化は暴力と結びつけられて論じられることが多かった。しかし、極右的な政治言説の台頭、オルタナ右翼に目立つミソジニーとレイシズムを結びつけて、ゲームは考えられるべきだ」（拙訳、以下同）

「ゲームの中にある『白人男性至上主義』は、ゲーマーゲート事件における嫌がらせのキャンペーンと、トランプとゲーマーたちを結びつけるリンクである匿名掲示板4chanを論じる文脈の中で議論されてきた。多くのゲーマーが単純にそのまま右翼ではないし、右翼がゲーマーをリクルートしているというわけではないのに、ゲームそれ自体の中にあるロジックと快楽は、政治的な右翼のために仕えてきたのだ」

それが具体的にどのようにしてか。Alfieは二点を挙げる。

一つは、「右翼的なイデオロギーが、ゲームの歴史のあいだずっと大きな比重を占めており、支配的だった」こと。具体的に、ゲームの中に出てくる以下のものを、作品やシリーズの名前とともに挙げている。

「エイリアン」（『スペースインベーダー』『XCOM』）
「汚染・感染の恐怖」（『Half-Life』『The Last of Us』）
「国境コントロール」（『ミサイルコマンド』『プランツ vs ゾンビ』）
「領土獲得」（『Command & Conquer』『スプラトゥーン』）
「帝国建設」（『シヴィライゼーション』『トロピコ』）
「姫の奪還」（マリオ、ゼルダ）
「自然の調和の回復」（ソニック、『FarmVille』）

二つ目に挙げられているのは、「ビデオゲームは、ユーザーを本能的なレベルで作業するようにさせることで、イデオロギーに衝動的に賛成させてしまう」ということである。『バイオハザード』をプレイすることは、映画を見ることと同じではなく、コントローラーを操作するゲーマーは、ゲームの欲望を、他人の欲望としてではなく、自身の欲望として経験する」

一つ目の理由は、オルタナ右翼の「イデオロギー」に影響したゲームの内容面についての指摘であり、二つ目は、映画や小説などとは異なるゲーム固有のメディアの性質が影響した側面についての指摘である。

前者については、個人的には物語内容が即座に思想に影響するという単純なメカニズムではないと思うが、確かにその内容が右寄りの思想と共通性があるということも否めない。もちろん、『レッドファクション：ゲリラ』『RESISTANCE』など、「左翼」的な物語内容の作品もあるので、ゲームの内容が即座に右傾化に繋がるという議論はおそらく単純すぎるのだろう。

むしろ注目すべきなのは後者ではないか。それを「本能的なレベル」と呼ぶことには賛同しないが、ゲームというメディアの固有の性質がある認知や行動の習慣を生み、それが（特にオンライン上での）行動や欲望に影響する可能性は十分にあるだろう。

どちらの指摘も、ゲームが世界認識や欲望の持ち方に影響をするのだという理論的な前提を背景にしているのだと推測される。

この「前提」には、疑問を持つ人も多いだろう。そのような影響関係や因果関係や相関は実証されていないのではないかと言われる方もいるだろう。

しかしながら、芸術理論や文化批評の領域では、文学作品や絵画作品や映画作品も、同様の批判に晒されてきた。同様の理論を用いてゲームを分析することはゲームに対する過度にネガティヴな偏見ではないだろう。むしろ、絵画や映画などと対等に、真剣に考察されるべき重要性があるものとみなすからこそ、軽く見ず、かつての文化研究や評論で行われていた水準での検討を平等に行うべきなのだ。
少なくともぼくにとっては、軽視しているから行うことではなく、文化・芸術としての重要度を高く見積もっているからこそ行われなければならないと感じている。

批判的検証を正当化する背景の理論——「美学」

このような、ゲームとイデオロギー（政治思想）の関連を考察することは、どのようにして正当化されるだろうか。それは、様々な文化研究や批評理論が背景として用いている美学を根拠にするべきかもしれない。

美学とは、その創設者・バウムガルテンの原義に遡れば、「感性・認識の学」である。個人が世界をどう感じるか、どのように認識するか、そのシステムのあり方それ自体を考察する学である。世界をどう感じているのか、どのように認識しているのかが、ダイレクトに対人行動や政治思想などに影響を与えることは、すぐに分かるだろう。

世界的なゲームメディアであるIGN日本版の副編集長（当時）・今井晋は、『S‐Fマガジン』二〇一八年六月号のインタビューで、このように述べている。「ゲームの体験によって物の見方は明らかに変わっていますし、人生に対する認識にも影響を受けていると思う」（三七頁）と。これは、ゲームに対して美学的アプローチを行うことの正当性の根拠のひとつとなるだろう。

伝統的に、美学と、その影響を受けた人文学や批評の領域では、ある作品やメディアによって人間の「感性・認識」がどのように変化し、それが美術鑑賞や娯楽などの場以外の、対人行動や政治的アクションなどにどのように影響を与えるのかを検討してきた。

ハリエット・ビーチャー・ストウ夫人の『アンクル・トムの小屋』のような文学作品がアメリカでの奴

隷解放という事態に繋がったというポジティヴな場合や、ロマン主義の詩とナチズムの関係などのネガティヴな場合の両方が存在している。

芸術作品やメディアは、ある個人の「感性・認識」のあり方に影響を与える。何に親密さや心地よさを覚え、何に違和感や拒否感を覚えるのかという趣味・感性のあり方は、人間や集団に対する好悪を通じて社会や政治に影響を及ぼす。社会や政治とは、人間と人間の関係性にかかわるものであり、好悪や愛着もそこに影響を及ぼすのだから。

ゲームも「感性・認識」に影響を与え、人間のあり方、人間と人間のつながり方（社会）、関係性（倫理）、世界認識の方法などのあり方を変え、そのことを通じて、社会や政治的な状況すら変えていく。絵画や小説などに対して人文学や批評が用いていた分析のための理論や視座を、「ゲームにだけは使ってはいけない」理由は存在していないと思われる。もちろん、実証的な研究を尊重した上で、ということは言うまでもない。

では、そのような美学的態度（ある作品や表現やメディアの内容が、受容者の感性や認識に影響を与え、そこから社会や政治などにどのような効果があるのかを検討する立場）をゲームに対して採るべき理由とは何か。

ゲームをプレイする人々は、既に膨大な数にのぼるということが、その理由のひとつだろう。ゲームは多くの人がプレイする。そして、メディア論の知見を援用するならば、人は、接しているメディアの性質に影響を受けて、世界の見方や内面のあり方を変えていく。ゲームに接する時間が長い人々は、たとえば書籍、映画、TVなどのメディアに接してきた人とは異なる世界認識のシステムをメディアによって構築させられている部分があると考えられる。

そのことを脳神経科学的に言えば、それが起きうる理由は、脳神経に可塑性があるからであり、あるメディアに接していることによって学習され強化された脳の回路は、それ以外の場でも作動するからである、という言い方になるのかもしれない。

民主主義の危機の意識――「ポスト・トゥルース」と「オルタナ右翼」

ゲームの与えるイデオロギー的効果に対して懸念が出てくるのは、そもそも、民主主義それ自体が危機的な状況に陥っているという認識が背景にある。

現代の民主主義の危機を指し示す言葉の一つに「ポスト・トゥルース」がある。

「ポスト・トゥルース post-truth」とは、二〇一六年に「今年の言葉」として、オックスフォード英語辞書が選んだ言葉だ。津田大介・日々嘉高『「ポスト真実」の時代』に掲載されている和訳を引用すると、「〝世論を形成する際に、客観的な事実よりも、むしろ感情や個人的信条へのアピールの方がより影響力があるような状況〟について言及したり表したりする形容詞」（二四頁）のことだと日比は書く。

ポスト真実の時代とはいかなる時代なのか、その特徴をまとめてみよう。それは、信頼できない事実が出回る時代だ。あからさまな虚偽がまかり通るだけでなく、真偽が不確かな情報も数多く生み出され共有される。不正確な数字や、根拠のない危険性、根も葉もない原因論、不確かな経歴、憶測に満ちた陰謀論、その他さまざまな「事実」や「伝聞」がネットや口コミで流通していく。それが、一般の人たちの間だけではなく、重大な国民投票や大統領の周囲という国家の中枢的な政治の世界においてまかり通っていくとき、その状況は「ポスト真実の政治」と呼ばれる。

政治家だけでなく、一般の人々の生活においても、不確かな情報に接することが増える。不確かな情報の拡散を後押ししているのが、ソーシャルメディアである。ポスト真実の時代は、ソーシャルメディアが拡散させるデマ情報の時代でもある。フェイスブックやツイッターなどのソーシャルメディアは、情報の作り手と受け手の区別を複雑にし、同時に人々を仲間内の世界に留めおく構造をもつ。デマが作りだされ広がりやすい設計となっているのである。（一九‐二〇頁）

このような状況が生まれた理由は、インターネットにあると名指されることが多い。特に、二〇一六年のアメリカ大統領選でトランプが当選するという予想外のことが起こったとき、これまでは軽視されてきたインターネットの影響力が無視できないものであるという認識が多くの人間に共有されたのだ。

そのうちの一冊、アメリカ在住の書き手が大統領選を追った書籍、池田純一『〈ポスト・トゥルース〉アメリカの誕生──ウェブにハックされた大統領選』を実際に繙いてみると、アメリカ大統領選に大きな影響を与えたオルタナ右翼たちについて、このような分析が書かれている。

彼らが「オルタナ右翼（Alt-Right）」という名称で呼ばれるのは「4chan や Reddit などのスレッド系のフォーラムに集まる若いインターネットユーザーのクラスターからなるところから来ている。4chan に集うせいか、彼らのアイコンには日本のアニメキャラのものが多」い（一八五頁）。

4chan とは、日本の2ちゃんねるやふたば☆ちゃんねるをモデルにして作られたアメリカの匿名掲示板であり、現在の所有・管理者は西村博之である。そこが、オルタナ右翼の温床であると名指されているのである。

キーボードの「Alt」から名前が取られた Alt-Right（オルタナ右翼）たちは、主にネット空間で活動する。「政治的活動の多くが『言葉』に根ざしたものであることを考えると、ネットの中に活動が限られるからといって軽んじられて済むものではない。ネットの上で言説が流布する速度は今までとは段違いであり、言説の真偽にかかわらず容易に信念を形成することができるからだ」（一八五頁）と池田は警告する。

彼らと政治的な行動のつながりは、フェイクニュースとの関連で考察されることが多い。ドナルド・トランプは、オルタナ右翼の中核サイトであるフェイクニュースサイト「ブライトバート」から、スティーヴン・バノンを登用した。当選前には選挙対策本部長、当選後はホワイトハウス主席戦略官としてである。

民主主義の世界における政治家は、世論の支持を必要としている。あるいは世論を誘導することで自陣営を有利に進めようというプロパガンダの欲望を持つ。オルタナ右翼たちとトランプたちとが結んだ共犯関係、あるいは、相互利用の関係の存在を読み取る論調は、当然現れるだろう（ここにさらにロシアからの積極工作も加わっていたことが現在では分かっている。詳細は次章にて）。

ゲーマーゲート事件

トランプとオルタナ右翼とゲーマーとの結びつきを論じる文脈で挙げられるのが、「ゲーマーゲート事件」と「ピザゲート事件」である。この事件が、それらに結びつきがあると考える人の、ひとつの論拠になっている。

八田真行がニューズウィーク日本版に書いた記事「オルタナ右翼とゲーマーゲートと呼ばれる事件の関係」によると、「オルタナ右翼には、（異論もあるが）前史が存在する。それが、ゲーマーゲート（Gamer-Gate）と呼ばれる事件」だという。

ゲーマーゲート事件とは、インディゲームクリエイターであるゾーイ・クインがきっかけとなった、フェミニストへの嫌がらせ事件である。彼女の作品が高評価であるのは、ゲームメディアレビューが枕営業による提灯レビューだったのではないかという疑惑から火がついた騒動である。

騒動は、二〇一四年にボーイフレンドが私信をブログに暴露して始まった。そこから4chanやReddit

上に批判が殺到、炎上状態になり、アカウントがクラックされ、住所などの個人情報がオンライン上に書き込まれ、殺害予告・レイプ予告などが起こった。

そして問題は発展。ゲーム業界とメディアの「エスタブリッシュメント」の癒着と腐敗疑惑を暴くという方向に向かっていく。どういう流れか矛先はフェミニストのメディア批評家、アニータ・サーキシアンに向かう。

4Gamers.netに掲載されている奥谷海人の連載「Access Accepted第440回――北米ゲーム業界を揺るがす〝ゲーマーゲート〟問題」によると、「彼女の大学での講演会が、殺害予告によって中止されるといった事件も発生し、FBIが捜査に乗り出すといった社会的な問題へと発展した」。

では、オルタナ右翼とゲーマーゲートとはどのような関係なのか。もちろん、単純なイコールではない。ゲーマーゲート事件に関わった人間はゲーマーのごくごく一部であろうし、ゲーマーゲート事件にかかわった人間が即座にオルタナ右翼であるというわけでもない。

八田によると、「ゲーマーゲートに関する書籍を執筆中のジャーナリスト、ブラッド・グラスゴーが行った調査によれば、多くのゲーマーゲート参加者は自分をリベラルだと考えている。オバマに投票した人が多く、死刑反対、公的社会保険賛成など政策的にもリベラル志向が強い。ゲーマー、イコール、オルタナ右翼、というような単純な図式ではない」「一方で、ヤノプルスのようにゲーマーゲートからオルタナ右翼へ流れた人も相当数いると考えられる。なぜそうなったかと言えば、一つは冒頭で述べた『気分』の問題だ」。

あくまで、イコールではないことに注意しつつ、「気分」が両者に共通していると分析されている。

ここに出てくる「ヤノプルス」とは、ゲーマーゲート事件にかかわった人物で、かつ、オルタナ右翼でもある有名人マイロ・ヤノプルスのことである。彼は、トランプの大統領選のところで名前が出てきたオルタナ右翼のフェイクニュースサイト「ブライトバート」の編集者を務めていた。ゲーマーゲート事件ではゲームメディア業界の裏メール暴きを行った。ゲーマーゲートとオルタナ右翼との密接な関係を示す例としてよく名前が挙がる。

では、その「気分」とはどのようなものか。

「ゲーマーゲート参加者は、元々最近のゲーム業界のあり方を巡って漠然とした不満があったわけだが、彼らはゲーマーゲートに参加することで、初めてラディカル・フェミニズムという具体的な『敵』とそれがもたらす『問題』を発見したのである。ラディカル・フェミニズムをメディアが結託して支持し、ポリティカル・コレクトネスを錦の御旗に掲げ、適当なことを言って自分たちの好きなゲームをおとしめ、ゲームにおける表現の自由を抑圧しようとしている。そうした『敵』に対抗するための手段、理論的支柱として、一部のゲーマーゲーターは、アイデンティタリアニズムのようなオルタナ右翼の思想を見いだしたのである」

彼の分析によれば、このようなゲーマーゲートからオルタナ右翼が発生する心理的なメカニズムがあった。現実世界を舞台にした「ゲーミフィケーション」による政治行動の中にある「気分」とは、政治的動員の際によく使われている構図を非常に髣髴とさせる。そこに漠然とあった情動をある一定の方向に向け、敵を名指し、味方の輪郭をはっきりさせる「物語」を広めることは、シュミットの「友敵理論」を引くまでもなく、原初的なアジテーションや動員の際に用いられる政治的技法である。

ゲームと、それをめぐる価値観の変動（PCやフェミニズムの台頭）の中で生じていた気分を前提として、政治的動員の古典的な技法とゲーミフィケーションという新しい技法が重なり合ったところにこの問題が生じている、と言えそうである。

ピザゲート事件

ピザゲート事件は、「ポスト・トゥルース」の時代を象徴する事件として頻繁に名前が挙げられている。それは、4chanやRedditやツイッターなどで流行した「デマ」を元に起こった事件である。それは、ゲーマーゲート事件と連続の事態として見られている。行動パターンや、そこにある習慣や、気分として共有されている世界認識・自己像のパターン（それはそのような言葉で自覚していなくても、イデオロギーや思想そのものである）の共通性が紛れもなく存在しているからだ。

「ピザゲート」の「ゲート」は、「ウォーターゲート」の「ゲート」から取られている。「ゲーマーゲート」事件のように、オルタナ右翼の間では、そのような政治的告発のニュアンスを持つ言葉が、自分たちの行う行動の標語として使われることが多かった。

そのデマの内容は、トランプのライバルである大統領候補ヒラリー・クリントンが属している民主党に関わるスキャンダルだった。エリートたちが小児性愛犯罪を行っているという陰謀論が流布し、メディアなどで事実ではないとの訂正が何度も行われたがネット上では実在のものとして扱われ、エスカレートした。二〇一六年十二月四日には、児童が監禁されているとされたピザ屋にライフルを持った男が「女の子を救出するため」に乗り込んで発砲、逮捕されている。

陰謀論の元になったのは、ウィキリークスが二〇一六年一〇月七日から公開していったヒラリー陣営のジョン・ポデスタ選対本部長のメールである。それらが4chanやRedditに広まって、解読作業が行われた。このポデスタのメールボックスにハッキングし、リークしたのはロシアの諜報機関であったと、アメリカ国家情報長官室は断定している。

日本においてもそうであるが、このような大量のリークを集団で検討する場合、断片的なメールの内容などを繋ぎ合わせて、人々は「物語（虚構）」を作り上げてしまうことが多い。オンラインで多くの人々と共同で謎解きパズルをやっているようなものである。

ゲームは、断片的な情報をプレイヤーに集めさせ、それをプレイヤーに再構成させるというナラティヴが、ほかのメディアよりも遥かに優位なメディアである。まるでそのようなゲームプレイであるかのように、これらのメールが「解読」されていき、やりとりの中にある「Cheese pizza」という単語が「Child pornography」の隠語であるという冗談のような説が作り出され、それがあたかも事実であるかのように流布していく。おそらくプレイヤーたちには、巨大な陰謀を暴く正義の戦士となるゲームをプレイしているかのような自己意識があっただろう。

後に、ピザ店「コメット・ピンポン（Comet Ping Pon）」が児童売買ネットワークの拠点であると名指されるようになった。「CP」という頭文字が一致しているからというだけのバカバカしい理由でである。実際のメールの「解読」作業や、「陰謀」を実証しようとして作られた登場人物図などはネットにたくさん転がっている。バカバカしいパズルのように陰謀論が生まれ、それを確信する人々が現れ、信じた人が子供たちを救うために発砲する事件まで起こった。

ハフィントンポスト日本版に平和博が書いた記事「〝ピザゲート〟発砲事件――陰謀論がリアルの脅威になる」によると、十二月九日に行われた世論調査では、全回答者の九パーセント、トランプ支持者の一四パーセントがピザゲート陰謀論を信じていたという。これが大統領選の結果や支持政党などに影響を与えるものであったことは、想像に難くない。

これを見ていて、ぼくは、ジェイン・マクゴニガルが『幸せな未来は「ゲーム」が創る』でポジティブなゲーミフィケーションの例として挙げられていた二〇〇九年のゲーム「地元選出議員の経費を調べよう（Investigate Your MP's Expenses）」のことを思い出さずにはいられなかった。

二〇〇九年に多くのイギリスの国会下院の議員を辞職に追い込んだそれは、政府が疑惑に答えるために五〇万枚もの資料を提出してきたときから始まった。『ガーディアン』紙は一般市民に呼びかけ、ゲーミフィケーションの手法を導入してこれらの資料の解析を行った。

これは批判的かつ有益なゲーミフィケーションの例だった。様々な差異こそあれ、ピザゲート事件も同様のゲーミフィケーションであるとみなしうる。

以上のように、「ゲーム」と「政治」が結びつけられて考えられるのは、「ゲーミフィケーション」による政治が無視できないほど影響力を持つ状況に至ったからである。その是非や功罪を議論していく過程の中で、ゲームというメディアそれ自体や内容が与える感性・認識・行動への影響や、コミュニティのあり方やネットを使う習慣の問題や、共有されていく世界認識や自己像といった意味での気分や思想の問題が問われているのである。

「ゲーム」と政治的「ゲーミフィケーション」に共通の習慣

ぼくの観察及び経験（参与観察）に基づく仮説としては、そのインターネット上で行われる「政治行動」の駆動の仕方は、確かにとてもゲームによく似ている。個々人がパソコンやスマホなどをインターフェイスに使って行う行動というメディア・テクノロジーの側面からもそういえるし、ゲームなどで身についた「習慣」が現実の政治行動などに応用されているという意味でも、そう言えるだろう。ネット上の政治的アクションは、オンラインゲームなどで養われた「習慣」がそのままスライドして行われている部分があると考えることに、特に異論はない。

では具体的に、ゲームと、ネットを通じた政治的アクションに共通している「美学」「習慣」の要素を列挙してみよう。

・デジタルゲームは、プレイヤーが何かをしたことに対し、即座にリアクションを返し、そのことにより脳に達成感を発生させる装置である。
・SNSなどで炎上させたり、企業などに反応をさせる人々の行っている政治的な行動も、このような「達成感」を目的として、マウスやキーボードなどを操作して行うデジタルな行動である。
・どちらも、コンピュータによって作られたデジタル空間に働きかけることによって行うものである。
・どちらも「ハマ」る、いわゆる「フロー」の状態になる。
・ゲーミフィケーションでよく言われるように、ユーザーのアクションに対するリアクションを視覚的・聴覚的に派手にすることで（スーパーマリオのコインや、フェイスブックの「いいね！」ボタンなどのように）脳内報酬を高める演出をする仕組みになっている。
・オンライン上で、仮名やアバターによって別人格になった上で共通の目的を達成するために協力する喜びがあること。オンライン上の擬似共同体や一体感を求める。
・「敵」「味方」の単純な構造を用いる。
・正義のために戦う戦士としてのロールプレイの高揚感がある。
・様々な物事を数値化されて把握しうること。
・リアルタイムでインタラクティヴであること。
・ハクティヴィスト集団ラルズセック（Lulzとは、大笑いを意味する）の名前がその風潮を示すように、遊戯的で楽しさ・面白さをベースに駆動している（いわゆる旧来的な政治活動のように、真面目ではない）。
・生身の身体がない、現実空間ではない（デモやオキュパイなどとは違う）。

ざっと見たところ、これらの共通性が存在している。

とは言うものの、これはゲーマーが問題行動を起こしているとか、ゲーマーが差別主義者だとか、ゲーミフィケーションが悪い、ということを意味しているわけではない。

政治的アクションがSNSなどを通じて行われるのだとしたら「ゲーミフィケーション」の手法が使われるのは自然なことであるし、たまたま4chanなどのコミュニティにいる人やゲーマーの中にはその手法に馴染みやすい人がいるというだけの話であって、全員が全員そうではない。ゲームやネットやスマホのようなニューメディアが支配的になってきた時代における政治の変質における一現象であると理解するべきである。

しかし、このような過激な問題行動にまで先鋭的に突っ走ってしまう人たちの姿と、それに対する批判から、ぼくらも学ぶべきことはあるはずだし、自制し反省してみることは、自身が極端な行動に走って身を滅ぼすリスクを遠ざけることになるはずだ。

私見では、ゲーマーゲート事件と同じように、「フェミニスト」に何かを奪われているという意識をベースに、ミソジニーを刺激し、政治的行動を行う集団へと組織化する（あるいは、自己組織化されていく）という現象は、アメリカで見られるだけではなく、日本や韓国でも観察可能なように思われる。

それが「趣味」のせいだと短絡することはもちろんできない。思想や動員のテクニックが伝播してきたというだけのことなのかもしれないし、全世界的にフェミニズムが隆盛していることへのバックラッシュがたまたま同時に起こっているだけのことなのかもしれない。あるいは、不安や危機の感覚が蔓延する中で、剥奪感を覚え、それを行う敵を探して攻撃したくなる世界情勢なのかもしれない。無数の原因を背景に想定することは可能だが、確かに表面上の行動の類似性はあるように見える。

そのことをどう考えるのか。アメリカの事例を、そのまま日本などに当てはめて考えることは、背景の無数の差異を無視する乱暴な議論になってしまうだろう。しかし、同一や類似の部分があることも否定できないのだ。気づかない間に悪しきゲーミフィケーションの中に取り込まれてしまう事態を避けるためには、アメリカの事例を「他山の石」として、緻密に差異と同一性を比較しながら、ゲームとどのように接するべきなのかを批判的・反省的に検討していった方がいいのではないだろうか。

ゲーマーゲートに関わった者たち（ゲーマーゲーター）は、Qアノンの母体となったと言われている。Qアノンは、様々な陰謀論を信じ、二〇二一年にはアメリカ合衆国議会議事堂襲撃事件を起こし、四名の死者を出した。ほとんど内戦・内乱・クーデターのような状況がそこに生まれているのである。ネットだから、サブカルチャーのような荒唐無稽な「物語」だからと、甘く見ない方がいいのではないだろうか。

ナチス・ドイツも、当時の最先端のメディアテクノロジーである、映画やラジオを用いて、ファシズムを広めたのだ。六〇年代の「革命」も、テレビやマンガなどの大衆的なメディアの普及とおそらく関連がある。新しいメディアへの移行期において、政治的感性や行動が大きく変容することはあり、それが巨大な破壊をもたらすリスクは確実にあるのだ。

暇空茜と暇アノン――ゲーマーゲートと類似の運動手法

日本では、ゲーム会社に勤務していたと自称する暇空茜という人物が、ミソジニーを動機にフェミニストへの攻撃を行い、かつ「公金チューチュー」と称する「不正」を暴くために、一般社団法人 Colabo への東京都の委託事業に住民監査請求・情報開示請求を行った。「不正を暴く」「フェミニストへのミソジニーに基づく」「ゲーム的な運動」が、日本にも飛び火してきたのである（不正は認定されず、暇空は名誉毀損容疑で警視庁に書類送検された）。

安田浩一による元暇空信者たちへのインタビュー「娯楽としての暇アノン」（『世界』二〇二四年二月号）で、その運動に参加した動機が語られている。「公金の使途を探ってネットで公開するという手法に惹かれた」

「ゲーム感覚だった」「要するに娯楽でした。SNSだけでつながる仲間たちと共にコラボを攻撃することが楽しかった」（一一一頁）、それに「依存状態」になったのだという。インフルエンサーに気に入られたり、ツイッターなどのSNSに「いいね」などの反応が来ることの快楽に「依存」していったのである。

暇空はその不正追及のプロセスなどを有料で販売し、見世物にしながら支援者からの寄付を募るという手法を用いており、支援者たちは通称「暇アノン」と呼ばれている。

そして、自民党の杉田水脈衆議院議員は、「安倍総理に自民党に入れていただき」（「私を潰そうとしている人たちの正体」『月刊Hanada』二〇二四年一月号、一一一頁）、衆院選の比例単独で当選し続け、安倍の問題意識を継いでいると自称しているが、彼女は二〇二三年末に、政府のアイヌ関連事業を「公金チューチュー」と呼び、暇空茜及び暇アノンに同調するかのようなサインを送っている。

V　積極工作と陰謀論政治

本章では、ネットにおける他国からの情報工作について、検討していく。

ネットにおける情報工作は、日本では対策が乏しく野放しに近い状況だという。

ＩＣＰＯ（国際刑事警察機構）のサイバー犯罪対策組織初代総局長を勤めた中谷昇は「日本は世界第3位の経済大国で、地理的にも重要な位置にあります。影響工作の対象にならないと考える方がおかしい」（毎日新聞取材班『オシント新時代』九一頁）と言っているが、日本のネットも、ネットカルチャーも、基本的には様々な影響工作・情報操作の対象にされてきたし、今もそうであると考える方がいいだろう。

中曽根平和研究所主任研究員の大澤淳は「日本に対する情報戦の脅威として、ロシアと中国による影響工作が懸念されます。ロシアは情報戦を独特な形で捉えており、偽情報を歴史的文脈の中で発信し、欺瞞工作を多用する、という特徴を持っています。／一方で中国は（……）情報で相手を分断して勝つという発想を持っています。世論戦、法律戦、心理戦という『三戦』が有名ですが、デジタル時代に入り、人の脳を制する『征脳権』という認知領域の戦いを重視しています」（「座談会　戦場はスマホの中に」、『外交』第八〇号、一一－一二頁）と指摘している。

本章では、トマス・リッド『アクティブ・メジャーズ』、保坂三四郎『諜報国家ロシア』、ジョゼフ・E・ユージンスキ『陰謀論入門』、ジョナサン・ゴットシャル『ストーリーが世界を滅ぼす』を参照し、ロシアを中心に、どのような積極工作・情報工作が行われているのかを紹介した上で、それと陰謀論との関係を論じ、陰謀論を用いた政治が蔓延した現代の状況を考察していく。

もちろん、情報工作を行っているのはロシアだけではないし、企業や団体など、様々な勢力が多元的に行っており、全てをロシアだけのせいにするのは、それはそれで単純化によって生じる陰謀論に陥ってしまう。しかし、ネット上で物事を考えるときに、「このような工作があるのだ」と知っておくことは、皆の思考や態度を変え、国防上も利益があるのではないかと思われる。

ウクライナにおけるKGBのアーカイブ調査などによって明らかになったことによると、ロシアは日本やアメリカにおける世論などに介入して、人々を動員したり、分断を煽ったりしてきた。特に、そこにおいて力を持つナラティヴは、各国における「弱い」「敗北した」者たちに訴えかける論法であり、それは、西側のグローバルな秩序に対して抵抗するロシアを正当化するナラティヴと同様の論法である。その論法は、ロシアが選挙において当選を促進する工作をしたドナルド・トランプと、プーチンと「同じ未来」を見ていると言った安倍晋三が使った政治的レトリックとよく似ている。

1　トマス・リッド『アクティブ・メジャーズ——情報戦争の百年秘史』

ロシアとアメリカ、情報戦争の一〇〇年

積極工作（アクティブ・メジャーズ）とは、フェイクニュースなどによる情報操作やスパイや協力者たちを用いた攻撃のことである。

トマス・リッド『アクティブ・メジャーズ』は、ソビエトの諜報機関ＫＧＢや、アメリカの諜報機関ＣＩＡなどの行った工作について、一〇〇年のスパンで様々な事例を紹介してくれる（厳密には別の組織名になっていることがあるのだが、煩雑なのでここではＫＧＢ、ＣＩＡと呼ぶ）。著者は国際関係論の名門校であるジョンズ・ホプキンス大学の教授。

現在の情報工作で目立つのはＳＮＳやニュースサイトを使ったものだが、ネット以前は偽の政治文書を流したり、自国の良い部分だけを見せてそれを宣伝する本を書かせたりと、アナログなやり方が行われていたとトマスは言う。

その被害は甚大である。たとえば一九二六年、中国・日本・ロシアが衝突していた東アジアにおいて「田中上奏文」という偽文書が広められた。この偽文書は、様々なメディアによって日本の本当の政治文書だと誤って取り上げられた結果、「日本の軍国主義と政府の攻撃的対外政策」（五〇頁）という印象を世界に広めた。それは戦争の行方に少なからぬ影響を与えただろうと推測される。

偽情報を使うのはソビエトやロシアだけではなく、アメリカを中心とする西側陣営も行ってきたことでもあると、本書は述べている。ＣＩＡは数々の情報工作を行っているし、国内の共産主義勢力に対抗しようとする警察関係者が様々な捏造の文書をメディアに流すこともあった。ロシアのアクティブ・メジャーズと、アメリカのやっているそれや、日本もやっている文化外交などはどう違うのかという論点がある。トマスは、アメリカなどの自由民主主義の国では、それが国内的に問題化されるため、ソビエトやロシアと比べて相対的に下火になっていったという、体制の差によって説明する。

次節で紹介する保坂三四郎は、アクティブ・メジャーズとソフトパワーの違いは、前者は信用低下や不安や不満の助長を隠れて行うのに対して、後者は魅力を発信して親近感を醸成しオープンに行っていると いう違いがあると述べている。大きな違いは、働きかける感情のポジティヴさネガティヴさと透明性だと いうことだ。

「自由」や「憎悪」を広める工作活動

偽情報による戦争が熾烈化したのは、冷戦時代のベルリンにおいてだとトマスは言う。CIAは、東ベルリンに自分たちの「自由」の思想を広めるために、ゴシップや、占いやジャズなどの、ライフスタイルやエンターテインメントを扱う雑誌を創刊し、「モスクワ共産主義に対する攻撃のために西側が使える効果的な力」（二〇〇頁）として使った。その手法は「個人が過去の経験や希望と、日常生活の厳しい現実との折り合いがつけにくいような——それゆえにこの現実から『迷信やファンタジー』に逃げ込む誘惑がある」（二〇〇頁）社会体制に生きる人々を狙ったものだった。

ＫＧＢも色々な作戦を行ってきた。一九五九年には、ケルンにおける焼け落ちたシナゴーグ（ユダヤ教礼拝所）跡の聖地に、「ユダヤ人は出ていけ」という文字と鉤十字の落書きがペンキで書かれた。それからヘイトクライムが国内外に広まっていき、それに対する反発も激化していくのだが、イギリスの諜報機関が傍受した内容によると、それは東ベルリンとモスクワが関与した工作だったという。

その暗号通信の内容は「ナチを使えば階級の敵の信用を落とせる」（一三七頁）というものだった。ソビエトとしては西独や、今で言うＮＡＴＯ諸国に軍備をしてほしくなかったので、この工作が行われた。別の暗号には、ナチスが今でもいるように見せかけることで、軍備に反対する世論を喚起して妨害するという狙いが述べられている。

このように人種、民族、宗教などの社会的な緊張を用いて、対立や分断を煽り、信用を落とし、世論を変える工作をソビエトは繰り返してきた。他にはニューヨークでは黒人やユダヤ人の活動家とKGBが接触した例がある。あるいは国連総会が植民地主義を論じようとした際に、アフリカやアジアの代表団宛てに『KKK』名義の冊子が郵送された。CIAはそれを東ドイツで製造されたと結論付けている。

平和運動や反核運動も利用されている。NATOのミサイル配備を邪魔するために、シュタージ（東ドイツの諜報機関）は「平和戦争（フリーデンス・カンプ）」と呼ばれる作戦を行った。それは、フロント組織を使った、平和運動や反核運動の偽装である。これが厄介なのは、東側の工作と純粋に行っている西側の平和活動の区別が付きにくく、かつ、純然たる善意や使命感に基づいた運動が利用されてしまうことである。

日本において、右派政治家や国防関係の論者が「サヨク」「運動」を冷笑的に見て、背景を勘ぐる傾向があるのは、このような工作への警戒心によるものだと推測される。仮にその警戒心自体が正当だとしても、三浦瑠璃の「スリーパーセル」発言や、杉田水脈の「アイヌのコスプレ」「公金チューチュー」などのような、ある集団に対する差別や扇動を助長する発言になってしまうことこそが問題であり（疑われた者の中にはまったくそれに関わりのない者もいるのだから）、「事実」に基づいた緻密な対応と自制が必要だと思われる。

他には、エイズが流行した際には、それがアメリカの開発した生物兵器であるという陰謀論がバラ撒かれたという例がある。それは、一九七九年のアフガニスタン紛争の際にソ連軍が化学兵器を使ったことに対する国際的な非難を逸らす目的の延長線上で行われた。ゲイの雑誌には、エイズは米軍が作った「人種的兵器」であるという見解が載った。偽情報は、偽のリークなどを通じて広がっていくのだが、その陰謀論は裸のピンナップが表紙の雑誌から、権威ある大手の出版社の雑誌まで掲載されたという（信憑性が精査されて偽情報や工作だと見抜かれる場合も多いようだが）。

「不正工作」を復活させたプーチン

冷戦とは、東側陣営と、西側陣営における、どちらの体制がより良いのかを宣伝し合う戦争という側面がある。核兵器による抑止力により、直接的な軍事衝突がしにくくなったので、それぞれの陣営が相手の陣営のネガティヴな部分を誇張し、自身の陣営の良いところを宣伝し、それに共感する人々を増やすという戦略を採る必要があったのだ。

だから積極工作は、冷戦終結とともに、下火になった時期があった。それが息を吹き返すのは一九九九年頃のことで、「不正工作」を復活させたのはプーチンであった。

プーチンは、KGBの若手幹部として、「積極工作が最も狡猾だった時代に、とくに西独に対する積極工作を行うために設置されたドレスデン支局に勤務したこともある」（三四三頁）人物である。そして、エリツィン大統領の汚職と権力濫用疑惑について捜査していた検事総長の、娼婦と遊んでいる映像を公開しスキャンダルを起こし、検事総長を停職にし、検察庁を封鎖した。

権威主義に利用される「反権威・反権力」の精神

インターネット時代になって、そのような「リーク」作戦がさらに激しくなる。文書の時代から、偽のリーク作戦は、真実の中に、嘘を巧みに交えるという方法を用いて行われていた。

ネット時代においても、純粋な動機による活動と、ロシアの情報工作が重なり合ってきて、見分けがつかなくなるという厄介な現象が続く。ネットの初期は、政府などからの自由を謳うサイバーリバタリアニズムの思想が流行ったが、その楽観的な理想が利用されたと言ってもいいだろう。

たとえば、ウィキリークスを創設したアサンジや、NSAから情報を持ち出しリークしたスノーデンは、当初は純粋にリバタリアンの理想主義者としてそれを行ったかもしれないとトマスは分析している。しかし、後述するように、ウィキリークスなどはロシアの工作に利用され、スノーデンは後にモスクワに亡命し、二〇二二年にプーチンからロシア国籍を付与されている。

アメリカでカウンターインテリジェンス活動をしていた人々も、元々はヒッピー精神に基づく反権威・反権力志向、アナキズム志向であったと思われるが、それもソビエトの情報工作に利用されていくようになっていった。

映画『Vフォー・ヴェンデッタ』や『マトリックス』に影響された、ネットにおける匿名の義賊集団であるアノニマスたちもまた、「工作のための強力な隠れ蓑」（三六〇頁）にされた。アノニマスのメンバーは「アノン」と互いを呼び合うが、それが後にトランプ大統領を支持する陰謀論集団の「Qアノン」に繋がっていく。アノニマスたちは、政府や大企業の支配や専制に対する解放を求めているリバタリアニズムの信奉者たちだったが、それがより強烈な専制、独裁、権威主義の体制であるロシアの手先として奉仕させられるというのは皮肉な話である。

二〇一三年、プーチンが二度目の大統領になったあとに、アノニマスによるフォーラムに「ウクライナ外務省資料大量リーク」という匿名の書き込みがなされた。そこには「ウクライナ政府はいかれていて、ヨーロッパ民主主義原理を追及するEUに加盟するという与太話でヨーロッパを騙している」（三六一頁）と書かれていた。

二〇一四年のユーロマイダン革命後、ロシアがウクライナを侵略した後に、GRU（ロシア連邦軍参謀本部情報総局）の74455部隊は、フェイスブックなどのSNSに偽造アカウントを大量に作り、クリミア独立のための情報工作をした。同じ頃に、アノニマスを名乗る者たちからのリークがたくさん行われ、ウクライナの革命はCIAの陰謀だと主張する偽造メールがリークされた。このリークの内容をロシアの国営放送は翌日に流した。その放送では、「NATOを介した西側の干渉からウクライナの自由を守る」、キエフにいるのは「ファシスト」である、というリーク主からの音声ファイルがそのまま流された。この偽造メールは英語の文法も間違っており、発音も訛っているというあまりにも質が悪いものだったので、キエフの米大使館にいた陸軍武官補は「コメディみたいだった」(三七五頁)という感想を残している。「深刻ではあったが、同時にとても滑稽だった」。

二〇一六年、GRUの26165部隊は、ヒラリー・クリントンの選挙対策本部を狙ったハッキングを仕掛け、選対委員長ジョン・ポデスタのメールボックスのデータを盗み出すことに成功し、それをウィキリークスのアサンジに提供した。

著者のトマス・リッドは詳しくは触れていないが、そのリークは、後にピザゲート事件と呼ばれる、滑稽なデマに発展する。前章でも触れた通り、ポデスタからリークしたレシートに書いてあった「チーズピザ(Cheese pizza)」が、イニシャルが同じ「チャイルドポルノ(child porno)」の隠語だとされ、ヒラリー陣営は世界的な児童買春ネットワークに加担しているという陰謀論に広がったのだ。それは、多くの有権者に影響を与え、トランプ当選に影響したと推測されている。この陰謀論は、後に「Qアノン」らに繋がり、ディープステイトと呼ばれる闇の組織が世界を支配しているという「物語」を主張するようになる。二〇二一年にQアノンたちはアメリカ合衆国議会議事堂襲撃事件を起こし、四名を殺害した。二〇二三年には、ウクライナがディープステイトに支配されているという「物語」が流布していた。

トマス・リッドはそう断言はしないが、二〇一六年のアメリカ大統領選前後のアメリカでの陰謀論やフェイクニュースの跋扈、そこから発展したポストトゥルースと呼ばれる状況も、ロシアからの民主主義陣営への攻撃の側面は確かにあるのだろう。しかし、それは「ロシアによる情報工作によるデマや嘘によって、ポストトゥルースになった」という風に、ロシアを単純な悪玉にして説明のつくことでもないだろう。SNSなどにより人々が相互に自由に発信できるというメディア環境を利用した上で、多重に認知戦・情報工作が行われているという新冷戦の状況において、必然的に生じた人々や社会の認知的・実存的な混乱という側面も確かにあるのだろう。

「積極工作」は巧妙に自由民主主義の弱点を突く

これらの攻撃が巧みなのは、自由民主主義の弱点を見事に突いていることにあるとトマスは言う。「自由という『武器』を、当の自由に向けさせることにした。オープンであることは、強みであるのと同様、弱点でもあることを、ソ連側は理解していた」（二八四頁）。ネットでの工作やフェイクニュースが可能なのは、権威主義国家のように書き込みが統制されていないからである。つまり、これ自体が権威主義と民主主義の体制同士が優位性を競い合う新冷戦のひとつの局面なのだ。

対抗しようとすることが、自由民主主義の首を締めてしまう攻撃であるのも巧妙な点である。偽情報に対抗するために偽情報を使った工作を仕掛けてしまうならば、今度はその政府が信頼できないものになってしまうので、自由民主主義陣営はハンディを負っている。さらに、それを防ごうと規制をすることが、自らの自由や民主主義の理念を毀損してしまう。「積極工作に過剰に反応することは、開かれた社会を閉ざされた社会にするということだ。開かれた社会を守る反応と、閉ざされた社会を助長する反応とをどう区別するかというのはさらに難しい問題だった。それを教えてくれるのは未来だけだろう」（二七一―二七二頁）。

たとえば、トランプ現象が起こったので、「民主主義」や「自由」に問題があると多くの人が感じるようになる。それこそが、権威主義体制と民主主義体制の「共感」集めゲームにおける権威主義側の目的の達成になってしまう。「表現の自由」があるからこそ、権威主義陣営が工作でき、様々な差別発言などで分断や対立を煽り混乱を巻き起こせる。だが、そこで「表現の自由」を規制すれば、自由民主主義はそれ自体でダメージを負う。反戦平和運動などを利用し、様々なイメージを用いた攻撃が存在するのは事実でも、たとえば警察・自衛隊などがそれに睨みを利かせていることを表明してしまうと、思想信条の自由に基づく政治行動を委縮させてしまい、結果として民主主義を後退させてしまう。このようなジレンマに相手を追い込むような種類の攻撃が「積極工作」であり、偽情報なのである。我々はこの攻撃の中で、難しい立場の選択を迫られている。

ポストモダンと〈真実〉

トマスは、自身が社会構築主義（認識論、科学史、ポストモダン哲学、構築主義）にハマっていた学生だったことを認めつつ、このように内省する。

「偽情報の目標は分析よりも情緒、統一よりも分割、合意よりも対立、普遍よりも個別を上位に置くことによって、分断を操ることだ。（……）客観性の前にイデオロギーを置くことは、社会を閉じ、その閉鎖を維持することに貢献した。したがって、イデオロギー的に引き裂かれた二〇世紀には、客観性がほぼ恒常的に攻撃に晒されていたのは偶然ではない」（四五二 - 四五三頁）。「積極工作を起動状態にしていたのは、ある構築が現実と響き合うかどうかではなく、感情や狙ったコミュニティで集団的に抱かれている見方と響き合うかどうかであり、それが既存の緊張関係を悪化させることができるかどうか——あるいは冷戦期の工作員の用語で言えば、既存の矛盾を強化できるかどうかだった」（四五四頁）。

そして、この偽情報による工作と、ポストモダン思想との関連をトマスは疑う。

「一九七〇年代には、ポストモダンの思考は大学でさらに広まったが、おおむね人文科学、美術、映画、文学、あるいは建築の範囲内に収まっていた。（……）影の部分では、諜報機関が自分たちの戦術的あるいは戦略的な目的——世界を変える——に利用するために、実際に知識を生み出し、新たな人工物を構築し、言説を形成していた」(四五四頁)。「フーコーは、分析的真実とイデオロギー的真実の間の壁を崩そうとしていた。〔KGBとシュタージの諜報部員である〕アガヤンツとヴァーゲンブレットもそうだった。／この東側のスパイ業と西側の思想との奇妙な合致がただの偶然だなどということが本当にありうるのだろうか」(四五五頁)。

偶然なのか、否か。偶然ではないとしたら、どのような関係があるのだろうか。現在は、ポストクリティークと呼ばれるような、「暴く」「批判的な」批評が好まれない時代であるが、それとこのトマス・リッドの内省は通じ合っているように思われる。ポストモダン思想がポストトゥルースに影響したのではないかという疑惑、サブカルチャーやカウンターカルチャーがフェイクニュースや陰謀論に満ちた狂気の世界の誕生に寄与したのではないかという議論がなされているが、思想や批評のあり方も、様々な工作との相互作用という観点からもう一度再検討されるべきなのかもしれない。

ぼく自身も、ポストモダン思想にかぶれ、カウンターカルチャーや、サイバーリバタリアニズムを信じ、様々な活動を行ってきた。よって、本書の内容や、著者の内省は他人事ではなく、反省と認識の更新を迫られている。

2 保坂三四郎『諜報国家ロシア』

積極工作と社会問題の狭間の難問

続けて、保坂三四郎による、ロシアの積極工作の分析を見てみよう。保坂は、学生時代に日ロ学生会議を開催し、その後は日本政府の対ロシア支援関連の仕事をしていた「ロシアかぶれ」(二七四頁)としての過去を持ち、現在はエストニアなどで国際防衛に関する研究をしている人物である。

本書は、ＫＧＢのアーカイブ調査などの知見を集めた、ロシアにおける諜報活動についての本である。トマス・リッドの本とは異なる力点もあるので、その手法をいくつか紹介した後、ロシアが使いがちなナラティブのパターンが、何故か日本のネットでよく見られるという現象を考察する。

ＫＧＢの教本によると、アクティブ・メジャーズでは次のような行為が行われるという。「『偽情報』の他、米国やその同盟国の『陰謀』を暴いて反米感情を煽り、ソ連に有利な外国勢力を形成する『暴露』、敵国の政府、政治家、反ソ組織に倫理的ダメージを与える『コンプロマット』」（一〇一頁）。

具体的な実行としては「標的とする人物の感化を目的とした『打ち解けた懇談』、センセーショナルな『秘密』文書の公開、外国人著者名での本やパンフレットの出版、著名な政治家や学者を招いたラジオ・テレビ番組や記者会見、集会やデモの組織、外国政府・議会への陳情・質問状、国際会議での（ソ連を利する）決議など」（一〇一頁）である。

これらを実行するのは、その国のエージェントや、協力者である。だから、日本の言論人や活動家の中にもきっとそれらが紛れ込んでいることになる。社会問題に関する暴露や告発があると「反日勢力の工作ではないか」と反応する人たちには、おそらくこの警戒心があるのだろう。繰り返しになるが、本当に深刻な社会問題であることもあり、それが利用されることも多いので、その解決が遠のき、その国に混乱や対立が生じてダメージが起きることまで含めての、工作である。この見分けは大変に難しい。

日本の場合、ＫＧＢは、共産党ではなく、「社会党をターゲットにエージェントをリクルートし、幹部や機関紙に工作資金を提供していた」（二一〇頁）。研究者たちが「自己実現」や資料へのアクセスを餌に抱き込まれることもあるという。

このようなことは、日本の内閣調査室も行っていた（志垣民郎・岸俊光『内閣調査室秘録』）。ターゲットとした知識人や学者に謝礼を渡し研究会を組織していた。アメリカのネオコンも、研究所やシンクタンクなどを用いた情報工作を行っている。

コンプロマットは、相手の評判を落とす作戦だが、その中に性的な情報を使って相手に道徳的なダメージを与えるというものがある。男性を対象とするハニートラップが有名だが「一九六〇年代、KGBは、ウクライナを訪問したフランス人女性に対し、魅力的な男性エージェントを近づかせ、事前に用意したアパートでのセックスの一部始終をカメラに収め、これを利用してコードネーム『クルチザンカ』としてリクルートした。この女性の弟がフランスの原子力企業、夫が航空産業で働いていたことにKGBが目を付けたものであった」（二〇七頁）

よく性被害の告発やスキャンダルの暴露が行われると「ハニートラップではないか」という声が上がるが、それはこのような工作への警戒なのだろう。しかし、それは当然、セカンドレイプとして機能してしまう。真の被害者であればセカンドレイプになるのだが、「セカンドレイプ」であるという世論の声を利用してハニートラップなどの工作を仕掛けやすくしてしまうという側面もあるのだと推測され、大変な厄介さを抱えている問題である。あらゆるケースで「事実」に基づいて慎重な調査をするのがベストであると思うが、現実的にあらゆる組織がそのコストを支払えるわけではなく、後手に回らざるを得ないし、SNSなどでの炎上は検証抜きに流通し、株価や評判のみならぬ実害を与えることができるので、工作に成功されてしまうというリスクはどうしても消えないだろう。それが消えない以上、「脅威」の感覚は消えず、過剰な警戒が免疫異常のように自らの社会を傷つける（真の性被害者の声が疑われ、改善が進まない）現象も続いてしまうだろう。

偽情報において効果的なものは、逆説的だが、「正確な偽情報」だと言う。「九五％は事実であり、捏造は五％」（二一一頁）ぐらいが良いと、アクティブ・メジャーズを担当する局のトップだったアレクサンドル・ズダノヴィチが述べているらしい。

嘘を完全に信じさせることが出来なくても、真偽の区別がつかず混乱する状況が訪れさえすれば、戦略的な目標は達成される。「ロシアのような国家は、現実と虚構の境界を曖昧にするため、事実とは一八〇度異なる『オルタナティブ』の生成に注力しているということである。（……）西側のメディア多元主義に慣れた者がよく犯す間違いとして、嘘で塗り固められたソ連のプロパガンダと西側の報道の間の中庸を取ることを挙げている。中間ですら、まだ十分に『嘘』なのである」（二一七 - 二一八頁）

様々なネット工作の実態

ネット工作においては、このようなことが行われている。

「ロシア軍による虐殺で知られることになったキーウ近郊の町『ブチャ』で検索しても、あたかも虐殺がなかったかのように、ウィキペディアによる町の紹介や公式サイトが表示された」（一六二頁）。そして『ウクライナ軍によって三歳の子どもがお母さんの見ている前で磔にされ、殺された』等の感情に訴えるフェイクを使う」（一七三頁）ことは、分かりやすい例である。

もっと身近なところでは、ブログやニュースサイトのコメント欄などで、サクラの工作員が活動しているという。インターネット・リサーチ・エージェンシー（ＩＲＡ）は「サンクトペテルブルク国立大学の現役学生や卒業生などが一シフト一二〇人の三交替制で勤務し（……）運営者の指示に沿って、ニュース記事に一人当たり一日一〇〇件程度のコメントを書いていた」（一六六頁）。彼らは、「米国が抱える主要な社会問題」の知識を持ち、急進リベラルや急進保守になりかわり、双方の感情を刺激し煽り炎上させていった。

二〇二一年にカーディフ大学の研究所が、Yahoo! のコメント欄をロシアが利用しているという報告書を出しているが、日本でもそれらニュースサイトのコメント欄だけではなく、SNSや匿名掲示板などで工作が行われていると類推するのは当然だろう（そしておそらく、日本政府や自民党も自国民に対してそれを行っていただろうことも、DAPPI事件や、自民党ネットサポーターなどから推測される）。

そして、動画配信者、インフルエンサーを利用する場合もある。「ナーシは、クレムリンから資金提供を受け、プーチンを題材にしたポップな動画やユーモアと陰謀論の境界が曖昧な『おもしろ動画』を作成するとともに、プーチンの動画が上位に入るようにSEO（検索エンジン最適化）対策のプロを雇った」（一六五頁）

ウクライナ戦争が開戦する直前、日本のSNSにおけるオタクの間で、プーチンを「おもしろおじさん」的に持ち上げる風潮があったのを、筆者は覚えている。

「自分たちが被害者で、危機にある」というナラティヴ

二〇二〇年まで大統領補佐官を務めたウラジスラフ・スルコフは、ペンネームを使った小説の中で、以下のようなことを書いているという。「事実の存在そのものを否定し、社会に幻想を見させ続けることこそが自らの仕事であり、ゲオポリティカ（……）の思想に倣って、外部勢力が無垢なロシアを攻撃している、という世界観を描いた」

ロシアが発信する世界観（ナラティヴ、物語）は、「自分たちは被害者で、差別を受けていて、西側から攻撃を受け続けていて危機にある」というものである。自分たちは「被害者」で「挑発」されたから攻撃したと、加害と被害をひっくり返す。これもネットで非常に良く見る論法である。

「西側がロシアの『影響圏』に侵入し、解体や弱体化を狙っているという『包囲された要塞（siege mentality）』は特にソ連時代に広まったナラティブである。ソ連の共産主義体制は、資本主義国によってイデオ

ロギー的に包囲されていると認識し、外国から入るあらゆる思想・文物を危険視した」「外部脅威の強調は、ソ連のプロパガンダの一貫したテーマとして芸術の域に達し（……）このプロパガンダは、信教・言論の自由の制限や反体制派の弾圧を正当化した」（一八三頁）。「『ソ連崩壊後、ロシア人は差別的待遇を受けている』、『米国はロシア弱体化を望んでいる』、『新しい世界秩序、多極化が必要である』など、より包括的なナラティブと共鳴することで、西側の左翼から右翼、グローバルサウスの新興国や途上国まで幅広いターゲット・オーディエンスを取り込む」（一七二頁）。

これは、日本における極右や排外主義者の世界観と酷似している。ロシアでは二〇二二年九月から「毎週月曜日に小学校三年生以上に『伝統的家族の価値観』（反LGBTを含む）を教え、愛国教育を施す課外活動が始まった」（二二七頁）と、日本の宗教右派が望むのと同様の傾向の政策をしているのは何故だろうか。

白人至上主義者や弱者男性たちもまた、「自分たちが被害者で、危機にある」という世界観の元に、銃乱射事件などを起こしている。彼らの中には主観的には、自衛のためにやむなく攻撃をしたと考えている者もいる。

「プーチン政権は、EUの推進する民主的価値観を体制への脅威として捉えている。そのため、欧州に関するテーマ集の九割は、『悲惨な生活』『頽廃する欧州』『抗議活動』『テロ』『難民危機』などのネガティブなナラティブから構成される」（一五六頁）、「反米のレトリックとともに、政治家は腐敗し、主要メディアは偏向しているという包括的ナラティブも、西側の民主的機構への信頼を失わせ、国際社会を分断するために頻繁に用いられる。このような世界観の中で、ソ連・ロシアが救世主、道徳的権威、世界平和の保障者として映ってくるのである」（一七三頁）

これらのナラティヴに共鳴する国や地域も少なくないらしい。「とくにアフリカ・中南米諸国では、欧米の政治、文化、社会に対する偏見やステレオタイプが下地となり、質の低い捏造文書が『米国の悪』の象徴として拡散する傾向がある。一方、欧米諸国では、健全な寛容性や懐疑心を欠く極右および極左のような極端な政治態度の者が標的となりやすい。信憑性の低い情報であっても、受け手の政治姿勢と共鳴して、陰謀論が受け入れられてしまうのである」(一一五頁)。かくして、西側の価値観への不信が世界的に蔓延していき、民主主義よりも権威主義体制を選ぶインセンティブが増えていく傾向がある。

この「包囲された要塞」論が、根も葉もない陰謀論や被害妄想とも言いにくいのは、西側は西側で、様々な「民主化」のための工作をしているからである。西側の価値観こそが絶対的に正しいという確信があるならば、それは必要な正しいことをしていると正当化できうるが、ロシアは必ずしもそうは考えていない。それは、多元的な文化を尊重しない文化侵略であり、ロシア的なものの破壊のように感じられるのだ。

筆者は、第二次世界大戦や様々な争い、絶滅収容所や大量虐殺のような二〇世紀の悲劇を踏まえた上で、それをなんとかしようという「普遍的価値」を普及させるためのプロジェクトに、理性の部分で共感し賛同する。

しかし、リベラリズムの合理性や世俗性からはは み出してしまう、土着性、民俗性、固有の文化、心情、信仰を擁護したいという気持ちにおいては、ロシアに共感してしまう部分もある。そのような分裂と乖離を生きてきたのがおそらくは戦後日本であり、それがぼく自身にも内面化されているように感じる。だから、「普遍的価値・システム」と「多元的な文化」を両立させ、レイヤー化するような政治思想やそれを生きる心理的な構えに移行するべきだと思っているのだが、それがそう簡単な道ではないこともよく理解している。

ともあれ、西も東も、「敵」が入り込んで「自分たちが脅威に晒されている」というロジックや世界観が蔓延しているという状況そのものを認識し、それを考察する必要がある。ロシアが自らに都合のいい世界観を広めているという側面はあるのだろう。あるいは、冷戦的な工作の手法それ自体が必然的に生み出す社会心理的なものなのかもしれない。さらには、人類全体の衰退や「成長の限界」への直面、「万物の霊長」「自然や動物を支配する権利を持つ」「神に選ばれた」「言葉や論理を使えるのは人間だけ」という、西洋哲学やキリスト教などに見られるアイデンティティが維持できなくなってきたことからくる意識なのかもしれない。

ネットでの「議論」で見かける話法のパターン

ロシアがよく使う話法だと保坂が言うものは、日本のネットで「議論」しているときにも頻出する。その一つは、「切り貼り」「ワンフレーズ化」「単純化・二項対立化」である。

「ロシアメディアの報道は（……）伝統的な政治・軍事プロパガンダに基づき、都合のよい情報の切り貼りの他、ワンフレーズ化（例えば、ウクライナのオレンジ革命を「オレンジ疫病」と呼ぶ）、政治神話との関連付け（……）、感情に訴える扇動（……）、単純化・二項対立化（……）などの手法やレトリックを用いる」（一五二－一五三頁）。

二つ目は、「ワタアバウティズム」である。それは、「そっちだって○○をやっているじゃないか」と、指摘された問題から論点をずらす論法である。

「冷戦時代、ソ連は議論を脱線させ、『そっちだって問題があるではないか（What about……?）』というフレーズで西側の偽善を指摘した。西側の外交官や記者はこのソ連のプロパガンダ技法を『ワタアバウティズム whataboutism）』と呼んだ。重要な事実から相手の注意を逸らそうとする『燻製ニシンの虚偽』という論理的誤謬である」（一七五頁）。

この論法は、ネトウヨと呼ばれる人々が多く使っていた印象があるが、ネットでは毎日毎日見かける論法である（それだったらフェミニストは、それだったら朝日新聞は、左翼は……などなど）。『月刊Hanada』のような論壇誌でも、このロジック展開は頻繁に見かける。

批判に対して「ロシア嫌悪症」だと、相手の人格の問題にすり替えることもパターン化しているという。それは、正当な批判を、人種やジェンダーへの偏見や差別心の問題にすり替えるテクニックとして、日本のネット上でも多く見かける。

そして、「ロシアに対する批判は、『二重基準』や『偏見』に基づき根拠を欠くと反撃する」（一七六頁）。「ダブスタ（ダブル・スタンダード）」という言葉も、ネットの論争でよく使われるものである。

今や、ガザ地区へイスラエルが行っていることによって、アメリカを含む西側は欺瞞的で二重基準で差別的だ、というナラティヴに説得力が出て世界的な非難が高まっている。これをどう考えるべきだろうか。

筆者は、諜報員でもないし、国家的な機密にアクセスできるわけではないので、これらがどういうことなのかについて、裏付けとなる証拠を示して話すことはできない。ただ、表面上に現れている言葉や論法、思想やナラティヴのパターンの類似があることを指摘し、推論を展開した上で、解釈は読者に委ねるしかないと思っている。

3　ジョナサン・ゴットシャル『ストーリーが世界を滅ぼす』

陰謀物語はどれほど心をワクワクさせてくれるか

ウクライナ戦争のあとから、「認知戦」という言葉が多く使われるようになった。「認知戦」とは、世界をどう考えるか、どう認識するのかの「パターン」を奪い合うような争いのことである。その道具となるのはメディアと物語である。ロシアとウクライナのみならず、パレスチナとイスラエルもまた、SNSなどを通じた「認知戦」を繰り広げている（デイヴィッド・パトリカラコス『140字の戦争』）。

ワシントン＆ジェファーソン大学英語学科特別研究員のジョナサン・ゴットシャルは、物語が世界の協調と調和を促す一方で、分断と対立を加速させる兵器として使われる二重性があることを、『ストーリーが世界を滅ぼす』で警告している。

兵器としての物語の具体例として挙げられているのは、二〇一八年一〇月二七日、四六歳の男性がピッツバーグ郊外のツリー・オブ・ライフ・シナゴーグで起こした銃乱射事件である。この事件では、一一人が殺害された。銃乱射を行った理由は「ユダヤ人が、事実上のアメリカ侵略と白人種に対する緩慢なジェノサイドを進めている」（二〇頁）という陰謀論にあった。

「事件の犯人は、ユダヤ人は邪悪だとする古来のフィクションの単なるマニアではなかった。どこかの時点で、彼は登場人物としてそのフィクションの中に入り込んだ。彼は壮大な歴史叙事詩の悪を倒す英雄にみずからを仕立て上げた。悪夢のようなＬＡＲＰ（ライブＲＰＧ〔ゲーム世界の設定を再現して遊ぶ体験型ゲーム〕）ファンタジーにとらわれていたのだ。『ダンジョンズ＆ドラゴンズ』の物語世界を演じながら楽しく森を駆け抜ける大人たちのように。／だが、彼に撃たれた被害者たちは現実の存在だった」（二三頁）

効果を与えやすい陰謀物語のパターンは、敵／味方、闇／光というような二項対立に基づく単純で分かりやすいものだという。その中でも、ジョナサンが重視するのはＬＡＲＰという性質である。今が終末に近いという切迫した危機意識と、今が歴史のクライマックスであるという感覚こそが、人々を「戦い」に参加させ、歴史と正義のために戦う戦士であるという高揚とスリルと自己肯定の感覚を与えるのだ。キリスト教の物語がこれほど世界に普及した理由を、ジョナサンはそう考えている。

ここで言う「物語」は、単なる小説や映画のようなコンテンツを意味しているのではなく、世界観、自己認識、アイデンティティ、生と死の意味、共同体の存在理由などに深く絡みついた「意味付け」の装置のことである。自分がそれにどっぷりと浸かっているときには、それが「物語」であると自覚しにくい場合もある。

何故、そのような「物語」の登場人物として人は生きようとしてしまうのだろうか。それは、面白いからであると、ジョナサンは言う。

「流行るのは陰謀物語がたいてい、気持ちをわくわくさせる虚構のスリラーだからである。信者の多い陰謀物語はほぼすべて、ハリウッド映画として大ヒットするはずだ。それに対して、陰謀物語の嘘を暴く検証記事のほとんどは、公共放送PBSのまあまあ悪くないドキュメンタリーにしかならないだろう」（一二一頁）

「世俗的な地球平面説信者〔陰謀論者の一例〕はSFとミステリーとスリラーが入り混じった世界に生きている。世俗派たちは手がかりをつなぎ合わせ、犯人を暴き、その隠れた動機を解明するという探偵のような仕事を求められているのだ」（一二八頁）

世界は何かに操られていて、真実は隠されていて、レジスタンスとして戦いそれを暴き、世界を救う英雄になるという物語を、小説や映画やゲームで、筆者も繰り返し経験してきた。何度も何度も世界を救う英雄になった。

この辺りに、サブカルチャーやオタクカルチャーと陰謀論の接点がある。

サブカルチャーは、定義として「サブ」であり、社会の主流の価値観ではない。つまり、外れ者や、社会的な疎外を受けていたり、失敗していると意識している者たちからのニーズの高い文化である。だから、物語兵器による認知に対するハッキングにおいて、そうされやすくなってしまう心の脆弱性が存在している。脆弱性を突いた侵入が、エンターテインメントで成功しているナラティヴを利用して行われているのではないか。

物語兵器

では、その物語兵器は、実際にどのように使われているのだろうか。

二〇一六年五月二一日、テキサス州のイスラム教ダアワセンターで、テキサスの伝統を称える保守主義者「ハート・オブ・テキサス」というグループと、移民の権利を支持する「ユナイテッド・ムスリムズ・オブ・アメリカ」というグループのデモ隊が衝突した。

これはどちらも、ロシアにあるインターネット・リサーチ・エージェンシー（ＩＲＡ）が作ったフェイスブックグループだった。前者はメンバー数二五万人、後者は三〇万人。つまり、アクティブ・メジャーズだったのだ。

ロシアによる二〇一六年のアメリカ大統領選への介入について、ジョナサンはこう表現する。

「あれは物語の電撃戦だった。物語と物語に対する人間の生来的な弱さの兵器利用だった。その短期的な目標は、共和党に投票する人を増やし民主党の足を引っ張るナラティヴをばらまいて、選挙を共和党の候補者に有利にすることだった。長期的な目標は、同族意識から生まれる憤りに火をつけることによって、アメリカに長引くダメージを与えることだった」「ロシアの諜報機関はミーム、インフォグラフィック、フェイクニュースなどあらゆる武器を使った。そのすべてに共通していたのは、対立するナラティヴを作り出してぶつけ合い火花を散らさせ、やがてアメリカ人同士を反目させて、自分の尻に噛みつこうと体をひねって追いかけるうちに目を回してふらふらになっていく犬のようにする企みだった」（一〇一頁）

このような物語兵器を用いているのは、ロシアだけではない。アメリカ国防総省の国防高等研究計画局

（DARPA）もまた、物語を分析し兵器として用いようとする「ストーリーネット（STORyNET）」というプログラムを二〇一一年に研究開発している。「ストーリーネット」とは「Stories, Neuroscience and Experimental Technologies」の略で、物語と脳神経科学と実験的なテクノロジーを融合させようとする研究である。

このきっかけは、二〇〇一年の9・11以後に展開したアルカイダらとの戦争にあるとジョナサンは言う。「アルカイダら敵対勢力は戦場でしぶとく持ちこたえていただけでなく、インターネット上のナラティブ戦争でも勝利をおさめつつあった。DARPAは物語を分析してその最も強力な効果を研究し、得た知識を自分たちの説得力を増幅させるテクノロジーに応用しようとしていた」（九三頁）

それは、アメリカの軍のみが用いているわけではない。民間企業も、他の国も用いていると彼は言う。「大企業はストーリーテリングを説得の道具として全面的に活用しているし、世界の大国や新興国は物語をこれまで以上に巧妙かつ効果的に用いている。テクノロジーによって従来型の戦争は財源と人命の犠牲が高くつくようになったため、戦場は現実の世界から人間の想像の世界に移りつつある。中国の軍事政策立案者はストーリーランドという戦場を支配することが戦争目的遂行の要だと理解している。（……）今まさに進行中の、世論に影響を与えようとするロシアの作戦は、物語戦争の最終兵器を初めて利用した例として歴史に残るだろう。そしてアメリカ国防総省は物語の基礎研究に資金を出している。かつてのプロパガンダ手法が火打石式マスケット銃と同じほど原始的に見えてしまうような、ナラティブのデス・スターを作るのが目的だ」（六九頁）

そのような「物語」によって、世界とはどういう場所か、自分とは何か、というような「認知」を奪い合う戦争が起きている。その結果、人々は、客観的には同じ物理的現実を生きているはずなのに、まったく違う「現実」認識を持って生きているような現在の状態が形成されている。

「世界はフィルターバブル、フェイクニュース、野放しの確証バイアスというポスト真実の渦を旋回しながら落下しつつある。誰もが認める現実が解体するにつれ、私たちは事実上のストーリーランドで暮らすようになっており、未来は事実よりもストーリーテラーが競い合う戦争によって作られるようになるだろう」（二〇九、二一〇頁）

「私たちを狂わせ残酷にしているのはソーシャルメディアではなく、ソーシャルメディアが拡散する物語である。私たちを分断するのは政治ではなく、政治家が楔を打ち込むように語る物語だ。（……）私たちが互いを悪魔に仕立て上げるのは無知や悪意のせいではなく、善人が悪と戦う単純化された物語を倦むことなくしゃぶり続ける、生まれながらに誇大妄想的で勧善懲悪的なナラティブ心理のせいだ」（二九頁）

「私たちのほとんどは自分のストーリーバースというねばつく網に絡めとられた状態で生きている。自分の物語を現実に合わせるのではなく、現実を自分の物語に合わせて曲げている。さらに困ったことに、人間は物理的にはまったく同じ現実を生きていても、異なるストーリーバースの中で暮らせるのだ」（二三二頁）

そのような「物語」により、作られた虚構の「現実」に集団を閉じ込める力は、インターネットやマスメディアを統制できる社会の方が当然強いことになる。ウクライナの戦争に対するロシア国民の認識を見ればそれはよく分かる。

「物語戦争のツールは中国（をはじめとする）権威主義国家によって西洋に照準を合わせてすでに武器化され、一方で、彼らがみずから入念に構築したストーリーバースはグレート・ファイアウォール〔ネット検閲による情報統制〕という城壁に守られている。ディープフェイクも中国にとっては脅威ではない。むしろ、ディープフェイクは支配者が思い描く通りの虚構の夢の内部に国民を泳がせておくというプラトンや全体主義国家の目標の実現に近いように見える」（二五二頁）

表現の自由や報道の自由のない国は、集団で現実離れした「虚構」を現実と認知する状態になるリスクが高まることになる。それは、ナチスドイツなどの例を見るまでもなく、その国にとっても破局的なリスクを高めるものである。

このような「物語兵器」により「認知」を奪い合う戦争の中に生きていたら、何が本当か分からなくなるし、何を信じていいか分からず、敵やスパイがいるのではないかと疑心暗鬼になってしまうのも当然ではないだろうか。しかし、私たちは、そのような「状況」そのものを知的に認識し、その混乱を整理し、そこを生きるために必要な心理や実存の状態を考え出していくことができるはずだ。

なぜ人間は「物語」に振り回されるのか

なぜ、私たちは「物語」をそれほど欲してしまうのだろうか。

ひとつの理由は、「私たちの心は、複雑な現実をナラティブによる単純化を経て処理するようにできている」(一九〇頁)からだとジョナサンは言う。世界も現実も情報もあまりにも多く複雑なので、それを縮減して処理しなければいけないという認知上の要請から、物語が必要になるというのだ。これほどまでに高度で複雑な社会になった現在、その「複雑性の縮減」「単純化」のニーズはより高まっているだろう。

もうひとつの理由として、人類が長い間狩猟採集民として生きてきた結果、その生存の可能性を高めるような物語とその類型に対する志向が進化心理学的に生じているという仮説があげられている。大抵のエンターテインメントにおける主人公は利他的で共同体に利益を与える存在であるのに対して、悪役は利己的であるということや、強権的なリーダーによる支配への叛逆の物語がたくさんあることなどが、その根拠とされる。

昔話や神話に類型があることは、既に研究されている(ウラジーミル・プロップ『昔話の形態学』(北岡誠司ほか訳、一九八七年、白馬書房）など）し、ハリウッド映画の脚本術などがその類型を応用している。その類型への好みがなぜ人間の脳にあるのかを説明する仮説として、狩猟採集時代への進化的な適応を挙げることには、一定の説得力がある。

ジョナサンはこう言う。「私たちのナラティブ心理は、先祖が血縁関係、言語、民族、同じ文化的アイデンティティの物語によって全員が結ばれていた小さな共同体で暮らしていた時代に進化した。／そんなこぢんまりした世界はすっかり消え去り、血縁関係のない、めまいがするほど数の多い人々を擁する国家に取って代わられた。しかし私たちが語る物語は、いまだに人々を部族に切り分け、互いに敵対させる昔ながらの役割を果たしている」（二八〇、一八一頁）

人類学者のロビン・ダンバーの言うように、人間の脳は狩猟採集時代に適応するようにできているのだろう。しかし、現代社会は関わる数もあまりにも大きく、数十人や数百人のサイズの群れに生きているわけではなく、社会や国家や世界のようなサイズと関わり合って生きている。狩猟採集時代には機能していた感情や直感や感覚が、そのままでは通用しなくなっているのだ。過去の私たちの暮らしにおいて適応的だったその物語への志向は、おそらく現代社会においては不適応になっている。そこが、「陰謀論」を必要とし、宗教的な神話や民族などの「退行」の物語への心理的傾斜を生む理由なのではないだろうか。

私たちの脳は、世界と直結したコミュニケーションをしなくてはいけないインターネットの世界に不適応であり、疲れ切ってしまうのではないか。生身の対人関係、内輪の情緒や愛着や信頼の感覚を必要としてしまうのではないだろうか。だから狩猟採集民的な感覚を解放できるようなエンターテインメントや芸能や芸術の世界で、安らごうとするのではないか。陰謀論や信仰・イデオロギーを共有する小さなコミュニティを求めるようになってしまうのではないだろうか。

おそらく、私たちは、グローバルで高度で複雑な社会を理性的に生きつつ、狩猟採集時代的な愛着や情動を満足させるという、二重の世界を生きる技術や文化を開発しなくてはならないのだろう。

4 ジョゼフ・E・ユージンスキ『陰謀論入門』

陰謀論政治

このような「物語兵器」は、陰謀論という形をとって現れることもあり、イデオロギーとして政治的な影響力を持つこともある。本節では、マイアミ大学教授ジョゼフ・E・ユージンスキ『陰謀論入門』を参照し、陰謀論とポピュリズム政治の結びつきを考察する。

ユージンスキは、トランプを「陰謀論を用いて政治方針や政府の行動を正当化する大統領」(一五九頁)と断定し、「トランプの陰謀論は(……)反主流派のアウトサイダーには熱狂する人たち――の心にうまく入り込んだ」(二六五頁)と言う。

彼はジョナサンと同じように、陰謀論の物語としての「面白さ」を指摘する。「陰謀論とは、ある意味では愉快で、おもしろいとさえ思えるものだ。それは計略と策謀の物語であり、卑劣な悪漢と同情を誘う犠牲者が登場する。権謀術策の世界を垣間見せることによって、陰謀論はわれわれの想像力をかき立てる。数々の人気映画やテレビシリーズが陰謀論をテーマとしており、ぱっと思い浮かぶものだけでも『X-ファイル』『LOST』『FRINGE/フリンジ』『イン・サーチ・オブ』『古代の宇宙人』、オリバー・ストーン監督の映画『JFK』などがある」(二三頁)

その上で、リークした資料に基づき、FBIは陰謀論者を「潜在的な恐怖、安全保障上の脅威」として考えつつあるらしいとユージンスキは言う。

「陰謀論はポピュリストによる訴えとよく似ている。ポピュリズムとは、政治家や専門家について、一般の人々からあまりにかけ離れている、信頼することができない、また、市民に対する陰謀にかかわっている可能性が高いとする政治的世界観だ。ポピュリズムは、反エリート主義と多元主義の否定とを組み合わせることによって、唯一の意志を国民に持たせる。それを拒絶できるのは部外者や敵だけだ。陰謀論がポピュリストのナラティブと非常に馴染みがいいのは、陰謀論はエリートを非難し、政治的な競争相手は『人民』の敵であるという強いマニ教的二元論のナラティブを提示する傾向にあるからだ」(一二五頁)

これは、元々反エリートで反権威主義なリバタリアニズムの傾向のあった初期のインターネットユーザーたちと親和性の高い態度である。そのようなサイバー・リバタリアニズムの、反権威・反政府的なアナキズムには、陰謀論に接近する内在的な性質があるのだろうとも考えられる。

「陰謀論は敗者のもの」である

ユージンスキは、「陰謀論は敗者のもの」であると言う。実際、選挙で、負けた方の政党の支持者は、選挙に対する陰謀論を唱えやすいという世論調査の結果がある。

そして、「無力感、社会的疎外感、自信のなさ、不安感、コントロールができないという気持ちは、陰謀信念と相関関係がある」(一〇八頁)。アンケート調査などによると、陰謀論は、社会的に劣位で弱い境遇に置かれた者が抱きやすい傾向がある。たとえばアフリカ系アメリカ人たちがそうである。その理由は、陰謀論は、実際の陰謀や暴力などの脅威に対する警戒のセンサーであるからだとユージンスキは言う。

ユージンスキはフェミニストの言う「家父長制」や、「一パーセントの金持ちが支配している」というサンダースのロジックも「陰謀論」と呼ぶ。前者は、弱い立場に置かれた女性たちが、過剰なまでにあらゆることを「家父長制」のせいにしすぎる点が、陰謀論だということである。サンダースの標語の「一パーセント」も、金持ちに支配されているという点で、陰謀論と扱っている。ある程度は事実であり、ある程度は事実ではない「物語」を用いた非エリート動員の戦術であるといえる。

この「敗者」もしくは「衰退」の感覚は、弱者男性、ラストベルトの労働者たち、それからロシアや、「第二の敗戦」により自信喪失していた日本（あるいはIT化やオタク文化の隆盛などで衰退していた「古き良き日本」）に共通している。ユダヤ陰謀論が跋扈したナチス・ドイツも、没落していく中間層が陰謀論や差別に誘引されやすかった。陰謀論によって、自身の敗北、屈辱などを誤魔化し、他人のせいにし、自身を正当化し、他責により心を楽にし、不安や惨めさから身を守ろうとする心理が働くのは、よく理解できる。そのような心理メカニズムを利用し集票するのが、政治的なポピュリズムの戦略なのだろう。トランプを支持したのも「負け組」が多く、選挙戦略において「カエルのペペ」という弱者男性のシンボルを活用するなど、「負け組」を取り込む戦略を使ったことを、選挙戦略を担当した会社が認めている（アーサー・ジョーンズ監督『フィールズ・グッド・マン』）。

「陰謀論を信じ、これを共有することはつまり、『序列が低下しつつある集団が、敗北から立ち直り、これを挽回し、結束を固め、敗北を食い止め、集団行動の問題を克服し、脆弱性に注意を向けるための手段』となる。負けたことの責任を認めたり、勝った側を褒めたりするよりも、負けたことを策略のせいにする方が簡単だと感じる人もいる。世論調査では一貫してこの効果が示されている」（二五〇頁）

これは、二〇二〇年のアメリカ大統領選で、トランプがジョー・バイデンに敗北した後、トランプ支持者たちが「不正選挙である」と主張していたことを思い出させる。

冷戦的な構造で考えれば「西と東」として敵対しているはずであり、サミュエル・ハンチントンの『文明の衝突』では異なる文明に分類されているアメリカ、ロシア、日本で、同じロジックと手法を用いたポピュリズム政治が行われているというのを、どう考えたらいいのだろうか。おそらく、手法と主張の内容において、プーチン、トランプ、安倍は同じグループに分類することが出来てしまう。自分たちが「弱い」「劣位」であると思っている集団に訴えかけるポピュリズム・陰謀論的な論法による動員の政治という共通点を、どう理解したらいいのだろうか。

日本でそのポピュリズムの手法が有効になったのは、敗戦と占領というトラウマを乗り越えた戦後日本でGDP世界第二位という経済的な成功を達成したが、九〇年代以降に急速に停滞と衰退の一途を辿ったからだろう。他の国が経済成長し家電などのシェアでも抜かれていくと、「序列が低下しつつある」状態に陥り、科学技術や経済力に託されていたアイデンティティが崩れていった。そのときに自身を反省し体制を建て直すよりは、他国を非難したり「反日」の謀略のせいにする方が心が楽だという心理が働くことは想像に難くない。陰謀論とポピュリズムの両方が功を奏しやすくなる条件は確かに存在していた。ロシアが西側に比べて自身を「劣位」「序列が低下」と感じることは、説明するまでもないだろう。

このような状況で有効になる「物語」(イデオロギー)のロジックは極めて似通ったものになるということなのだろうか。おそらく私たちは、政治的な認知地図を「東西」「リベラル・保守」「共産主義・反共」などの枠組みから更新しなければいけないのだろう。

論理ではなく愛着に基づく判断

しかし、なぜ論理や事実は、政治的な有効性を持ちにくいのだろうか。その理由としてユージンスキは、そもそも多くの人々は論理的に考えていないのだ、と説明する。

「一般に、人は自分がすでに持っている世界観に合致する意見に同調しやすい。自分の世界観と相容れない主張を突きつけられたとき、人は自分の意見に反する証拠からどうにかして逃れようとする」(四六頁)、「人はとかく、真実よりも、自分がすでに信じている内容と矛盾しない情報源を選ぼうとする」(一〇四頁)。

そして、「多くの人が表明する意見は、信頼するエリートの意見のおうむ返しに過ぎないということだ。政治的な議論が膠着状態に陥るのは、たいていの場合こうした理由からであり、つまりは、表明される意見がそもそも丁寧な論理的思考を経てたどり着いたものでない場合、道理や証拠によってそれを変えることはできない可能性が高い」（一〇五頁）。

逆に、「教育水準の高さは陰謀論への抵抗力の一貫した予測因子となる。批判的思考を学ぶ講座を受講した学生は、とりわけ強い抵抗力を持つものと思われる」（一〇五頁）とされる。

安倍政権下で自民党参議院議員の今井絵理子は「批判なき政治」という発言をした。日本の教育や文化は批判的思考力を鍛えない傾向があると言われているが、ユージンスキの発言を根拠にすると、他国からの様々な工作や陰謀論などの物語兵器に対する脆弱性を高めるという、安全保障上の危険がある。高等教育を皆に行き渡らせることは、国防上、民主主義の上で大きなメリットがあるのだと考えられる。

「何を信じるか」については党派性による判断が強く、その際に大きく作用するのは「党派的な愛着」だという。愛着スタイルが不安型と回避型の人間は、陰謀論を信じやすいという。

何を信じるかの判断が、論理や証拠ではなく「愛着」であると考えれば、現状の社会的分断や対立を理解しやすくなる。たとえば、それは、「古き良き日本」などへの愛着によっても駆動されるだろうし、「西側の価値観に侵略されるロシアの文化」などに訴えかけてもいい。愛着に訴えかけるポピュリストの言動は、それが事実ではなく論理的に間違っていても、通用してしまいやすい傾向を持つ。必然的に、論理的に陰惨な結果を招く可能性が高いものを選択したり、事実として存在する悲惨な結果を否認してしまうことが生じやすい。

「日本を、取り戻す。」と言っていた安倍政権のポピュリズム的な手法も、この「愛着」に訴えかける論法を駆使したポスト・トゥルース的な状況を作り出す陰謀論政治であったと言えるのではないか。「愛着」

と結びついた「脅威」の感覚を煽ることで、差別を激化し、「友と敵」を分断する「マニ教的な二元論」を社会に蔓延させたのではないか。実際の安倍政権下で行われた政策の評価とは別に、票を集める政治家としての手法において、安倍元総理大臣の言動は、ポピュリズム・陰謀論政治に近いものであり、それが社会に与えた影響は少なくないだろう。

警戒センサーとしての陰謀論

ユージンスキの議論が面白いのは、陰謀論を全否定はしないところにある。それは、脅威に対する警戒のセンサーであり、本当に脅威や陰謀がある場合もあり、健全な民主主義や権力の監視などと骨絡みになっているものであると、彼は主張する。

陰謀論を、彼はこう定義する。

「陰謀論とは、過去、現在、未来の出来事や状況の説明において、その主な原因として陰謀を挙げるものを指す。陰謀と同じく、陰謀論にも権力を持つ人々の意図や行動がかかわっている。そのため、陰謀論は本質的に政治的なものと言える。陰謀論は、何かを非難する見解であり、真実あるいは虚偽である可能性があり、また認識論的権威による公式な意見が存在する場合には、それと矛盾するものだ」。「適切な認識論的権威がまだ調査を行っていない、あるいは結論に到達していないケースにおいて、真実を確認しないまま、これは陰謀であると主張するのも陰謀論だ」(四三頁)と定義される。

ここからの帰結として、陰謀論には有益なものもあり、民主主義社会において、必要かつ健全な懐疑を含むということになる。健全な懐疑なのか、そうではないのかを事前に区別することは難しい。そして、陰謀論の規制は、政府などに本当の陰謀の追求を規制させてしまうリスクがある。政府自体が陰謀論で駆動し死傷者が出た事例もある。「権力を持つ機関も、陰謀論を信じ、それに基づいて行動する。さらには危害を加えるために陰謀を企てることもある」（一六二頁）。

陰謀論を規制することの難しさを、私たちのよく知っている例をもとに考えてみよう。たとえば、日本でも、統一教会と安倍晋三のつながりは、2ちゃんねるなどで頻繁に書かれていたことである。しかし、それを見た多くの人は、怪しい陰謀論であり、ガセのようなものとして扱ってきたのではなかっただろうか。ジャニー喜多川による少年への性的虐待も同様である。しかし、それは「陰謀論」ではなく事実であった。アメリカにおいて、UFOや宇宙人の目撃が多くされ陰謀論が蔓延しているエリア51なども、実際に軍の施設があり、様々な公開されない秘密が存在しており、それがUFOなどの陰謀論の下地になったと推測されるのと同じことである。

「大きな反響を呼ぶ陰謀論の対象とタイミングは、外国の脅威と国内の権力に基づいた戦略的論理に従うと主張する。これにより、陰謀論は脆弱な集団によって、認識された危険を管理するために使用される。つまり陰謀論は、とくにセンシティブな分野を監視し、潜在的な攻撃に対する解決策を準備する早期警告システムと言える。根本的に、陰謀論は脅威の認識の一形態であり、恐怖心は基本的に相対的な力の変化によって引き起こされる。敗北と排除がその最大の誘因であるのだから、陰謀論は敗者のためのものである（この言葉は侮蔑的な意味ではなく、その特徴を述べるために用いている）」（一五〇頁）。

その警戒センサーの過剰が暴力を生み自らを蝕む可能性については、既に記した通りである。

プーチンとトランプと安倍の共通性

さて、改めて、プーチンとトランプと安倍の思想や主張の類似性を検討していこう。ざっと、以下の共通点が挙げられる。

①かつて存在していた国の栄光を取り戻す。

トランプは「メイク・アメリカ・グレート・アゲイン」と言い、安倍は「日本を、取り戻す。」というキャッチフレーズを使った。プーチンは、ブレインであるアレクサンドラ・ドゥーギンの影響を受け「新ユーラシア主義」を掲げており、本来のロシア帝国を取り戻すという理由でウクライナに攻め込んだ。人々の文化や地域に対する愛着と、変化への恐怖に訴えかける論法で支持を集め、それを権力の源泉にしているのである。

②「敵と味方」の二項対立、恐怖や脅威をベースとした正当化

プーチンは、自国の「生存」のためにウクライナに攻め込んだと「包囲された要塞」論を使い、正当化している。そして、西側の価値観なども、文化侵略だと考える傾向がある。トランプは、移民や難民の脅威を煽り、国境への壁の建設に着手した。日本も、「スリーパーセル」「在日特権」など、敵が侵入して侵略しているという陰謀論に基づいた差別やマイノリティへの攻撃が起こっている。

③リベラリズムの否定

この三つのグループは、どれもリベラリズムを否定する傾向を持っている。たとえば、ロシアはLGBTを違法としたが、日本もまた「伝統的な家族観」を根拠に同性婚を認めない傾向がある。それらは、「古き良き日本」に対する心理的な愛着を政治的な根拠としているだろう。自分たちの文化は固有なので、西側が「普遍的価値観」とするものは当てはまらないのだ、そのような価値観を普及させるのは「文化侵略」だという感覚も、日本とロシアで共通しており、日本のネットではそのような主張がたくさん見られる。それは、フェミニズムを否定するロジックにもなっている。

トランプも、ヒラリーらリベラルを否定し、露悪的に差別的な発言を繰り返しており、支持者たちは「リベラル」はエリートやエスタブリッシュメントの振りまく「幻想」であり、「真実」「現実」は異なると主張している。

④事実や論理、証拠を無視する

これについては、説明するまでもないだろう。現代の日本は、国政レベルで、事実や論理に基づいた判断を行いにくい傾向がある。様々な歴史的な問題を認めない歴史修正主義的な傾向もある。

もちろん、「歴史戦」は存在し、でっち上げや数字を盛ることなども確かにある。それを利用し、世界に対してアピールすることで威信や共感を低下させようとする戦略もある。だが、それへの警戒や対抗が、明らかに公文書に証拠があり、学者や専門家たちが認めているような事実を「なかったこと」にするのは行き過ぎではないか。論理と証拠に基づき、事実を重視したあり方に変わる必要があるのではないか。

政策なども、有効性を合理的・科学的に検討して決められているとは思えず、それが「失われた三〇年」を引き起こしたのではないかとも感じられる。先のことを考える論理性と合理性があれば、格差を拡大し非正規雇用を増やせば、若者が結婚や出産を出来なくなり、少子高齢化が加速し、日本人だけでは社会を維持できなくなる危機が訪れることは分かっていただろうに、そのような政策を立案し、支持し、実行してきたのは、論理や合理性とは違う原理に駆動されていたと考えるしかないだろう。

日本会議などの保守系団体や神社本庁などの宗教右派との結びつきが強い政治家たちは、宗教的な信念のもと、家族観などの問題である、マルクス主義であるとして少子化対策を拒否してきたが、それこそが、日本の経済的な衰退と、人口減少による安全保障上の危機を引き起こす原因になったのだとすると、その皮肉をどう考えればいいのだろうか。生殖や豊饒さ、生産力と結びついた日本の「カミ」概念からすれば、明らかにそれが衰弱している現在の状況が、神々の意志に叶ったものであるとは到底思えない。

⑤メディアや警察・検察をコントロールしようとする

安倍政権下で、安倍と対談本を出すなど、思想的に共通性の多い百田尚樹はＮＨＫの経営委員に指名された（二〇一三–二〇一五）。安倍政権は検察や官僚など行政の人事の権限を握り、コントロールを強めようとしていたと言われる。検察などを抑え、身内の犯罪などが露呈しないようにしていたとも報道されている。岸田政権以降に検察が立件するようになった、東京オリンピックにおける収賄、安倍派の裏金、公務員の性暴力などを見ていると、その説の説得力を強く感じてしまう。

日本よりも遥かにひどいのがロシアであり、元ＫＧＢのプーチン大統領がメディアなども統制しており、ジャーナリストや野党政治家などの批判的な人物は行方不明になったり暗殺されたりしているという（『諜報国家ロシア』）。政府や行政の問題を暴こうとした者も同じ運命を辿っていく。マフィアと政治の癒着も著しく、邪魔者の排除はマフィアが鉄砲玉を使い捨てして行われる。「表現の自由」はなく、全体主義的に抑圧された恐怖政治の国であり、内部の腐敗も狂気じみた権力者の行動も制御できず、より没落が加速しているように見える。

このような独裁（権威主義体制）を志向する国は増えているが、民主主義を抱き、「普遍的価値」を重視する日本の価値観とは合わないはずである。しかし、そのような民主主義や、人権などの「普遍的価値」なども、戦後にアメリカから押しつけられたものであると否定する向きがあった。確かに、それはその通りなのであるが、アメリカからの押しつけをはねつけて、皆がノスタルジイの中で夢想する美化された「古き良き日本」に戻るわけではなく、戦時中の日本や、ロシアみたいな全体主義の警察国家になってしまう恐れがある。プーチンも、「古き良きロシア」に戻ると言っているのだ。

おわりに――「弱者」であり「衰退」「没落」しつつあるという感覚と陰謀論

繰り返しになるが、本論は、これらの政治家の手法が何故似ているのか、ロシアのナラティヴと日本のネットで見られるそれらが何故酷似しているのかについての、証拠に基づいた確たる解釈を提示出来るわけではない。とはいえ、思想の類似性などを根拠に、いくつかの推測を提示することはできる。

福田直子『デジタル・ポピュリズム』によると、モスクワのシンクタンク「戦略情報センター」が二〇一三年にまとめた報告書には、ロシアが西欧社会に影響を与える方法論が記されているという。「報告書の内容は、西欧では多くの人々が社会の安定と治安、同性愛やフェミニズムではない伝統的家族の形態、多文化ではなく本来の国家主義を重視しているという趣旨だった。そして、『左翼の特定の理想が社会を分断している』ともあった」「人々の怒りと不安を利用し、ロシアが『保守主義の保護者』としてリベラルと保守を分断させて君臨することこそ、世界でロシアの地位を再び高めることにつながるという結論が出されていた」（二七三頁）。そして、ドイツのＡｆＤ（ドイツのための選択肢）はじめ、右翼的政党を応援する戦略に出ているという（ドイツにおいて、ＡｆＤへの投票が多かった地域は、ＲＴ（ロシア国営テレビ局）やスプートニク（同ラジオ局）などのロシアのプロパガンダメディアの情報源を参照する者が多かった）。ＡｆＤはドイツのウクライナ支援を批判し、対ロシア制裁に反対している。二〇二二年には、ＡｆＤの元議員を含む極右勢力が政府転覆を図っているとして、二五名が逮捕された。

トランプの当選に向けてロシアが工作していたことが明らかになり、イギリスのＥＵ離脱やヨーロッパでの極右政党などにロシアが介入していたとされている以上、日本だけがその対象にならない、あるいは、なっていなかったということがありうるのだろうか。

安倍晋三がプーチンと「同じ未来」を見ていると言ったのは、どの程度の意味なのだろうか。同じ勢力だということなのだろうか。それとも、単にロシアの介入による影響工作の結果として政権にイデオロギーが浸透していったり、ネットを中心に社会的な混乱を起こされたり、選挙における工作をされていただけなのだろうか。単に有効性のある政治的手法を模倣していただけなのだろうか。この辺りの調査は、アメリカやヨーロッパと比較し、日本は大きく遅れを取っているように思われ、大いに懸念される。

これ自体が陰謀論的な懸念であることを承知で、ロシアからの積極工作への脆弱性が政治家たちに存在しているようにも見えることも指摘しておきたい。

安倍政権は、二〇一八年にアメリカとヨーロッパにおいてイギリスへ亡命していたロシアの元スパイと娘の殺人未遂事件にロシアが関わっていたことの対抗措置としてロシアのスパイとされる外交官を一五〇人以上追放した際にも、G7で唯一参加せず、追放しなかった（岸田政権になった二〇二二年四月には八名を国外退去にしている）。

その安倍元首相が所属していた自民党の清和会（清和政策研究会）の四代目会長であり、安倍を首相に擁立した森喜朗元首相は、首相になって初の訪問地をロシアに選び、プーチンと接触している。森は、ウクライナ戦争後も単身ロシアに渡っているほか、ウクライナとゼレンスキー大統領を非難する発信を続けている鈴木宗男のパーティーにも出席し、ロシアが負けることはない、ロシアばかりが批判されるのはおかしいという旨の発言をしたと報道されている。

安倍元首相はロシア経済分野協力担当大臣を新設し、そのポストを担当したのが、裏金問題で更迭された安倍派五人衆の西村康稔、萩生田光一、世耕弘成である。彼らがロシアからの影響工作を受けやすい立場にいたことは確かであろう。金を求めるという動機は、金銭に基づいた結びつきを作ってしまい、政権や政策にまで影響を及ぼすような工作を受けやすい状態を作ってしまう。記録が残らない金のやりとりは、痕跡や証拠を残さない工作に好都合である。この問題では安倍派の池田佳隆が現職の国会議員として政治資金規正法違反の疑いで異例の逮捕にまで至っているが、検察がそう判断した理由は証拠隠滅にあるとしている。彼らは国防や原子力や教育にまで関わっていたのだから、過剰な懸念かもしれないことは承知で、しっかりと調査し、この脆弱性に対処しておくことが、国防上重要なのではないかと思われる。

さて、ここに挙げた政治手法は、世界中で見られる。このやり方が有効になる背景には、自らが「弱者」であり「衰退」「没落」しつつあるという感覚の増大がある。そうなってしまう理由は、既に述べたように、いくつも考えられる。産業構造の変化によってＩＴ産業に極端に富が集中するようになり、格差や不平等が拡大したからということもあるだろう。社会が複雑で高度化し、個人では理解するのが困難になり、労働に適応するのが難しくなってきているということもあるだろう。新自由主義的な考え方が、弱い者は淘汰されるという感覚を増大させていることもあるだろう。あるいは、有機的な共同体が解体され、ナショナリズムや同胞意識が低下していった結果、孤独に陥り、愛着の元となる心理的安全基地を喪失する人々が増えているということもありうる。地域と結びついていたアイデンティティや自尊心が、ネットのような抽象的で漂泊された世界に接続され、相対化されてしまうという苦しみもあるだろう。

これらの苦しみに手当てをしていくことが、国防上も重要であろうと思われる。

「物語兵器」「陰謀論」「ポピュリズム政治」が結託する状況は、国内のみならず、国際的な安定においても深刻な危険をもたらしている。下手をすると、第三次世界大戦に繋がりかねない火薬庫のような状態に、世界が陥っている。そのような時代に、どのようにそれを防ぐのか。そして、どのような認識や思想、世界観、文化で生きていけば良いのか。それを新しく生み出す責務が、おそらく我々にはある。

補論　ポスト・トゥルスと、脱マスメディア時代のポップカルチャー

室井尚　それでは、二〇二一年度第三回室井科研「脱マスメディア時代のポップカルチャー美学研究に関する基盤研究」のオープン研究会を始めさせていただきたいと思います。本日のゲストとして日本映画大学の藤田直哉さんに来ていただいています。今日は藤田さんからお話をうかがいたいと思っています。

どういった流れでこの会をやっているかというと、第一回はポストコロナ、つまりコロナが終わったあとの世界がどうなるかということで、大澤真幸さんから様々なお話をして頂いて実りある議論ができたと思います。資本主義はこのまま生き延びていくのか、そして人新世はどうなのか、また哲学の話においてはカントと特にヘーゲルの「絶対精神」というような、未来を考える機会を作っていかなくてはいけないのではないか、未来の子どもたちのために生きるというようなことを考えていかなくてはならないのではないかというお話をして頂き、みんなで議論をしました。

第二回は、先日京都大学こころの未来研究センターで私、室井が研究発表をしました。これは今日の話とも繋がるのですが、ポスト・トゥルスの問題について議論をしました。今日の藤田さんのお話もそうい

う話なのですが、アメリカの大統領選挙の時に特にポスト・トゥルスという言葉が使われるようになって、陰謀論を含めてある特定の事柄を強く信じる人たちとそうではない人たちの間の分断が、世界中で起こっています。今、僕たちが巻き込まれている事態がまさにそうで、一昨日テレビで観た世論調査において分断が際立っていてびっくりしました。それは今僕たちがいる事態がまさしくそうなのですが、国や自治体が出している「まん延防止等重点措置」が全く意味が無いと考える人が40パーセント近くいる。今度は逆に、「まん延防止等重点措置」では生ぬるい、早く「緊急事態宣言」を出せと言っている人たちが40パーセント、あとの人たちはどちらでもないというようなことなんですけれども、針がブレすぎているというか、中間が無くて全く正反対です。新型コロナウイルスやオミクロン株の不安や恐怖に駆られている人が40パーセント、こんなものは風邪と一緒なんだから規制を一切やめろと言っている人たちが40パーセントです。「なんなんだ、これは?」と思いました。つまり、この人たちはもはや対話不能です。対話不能が問題というのは家庭内でもあります。ワクチンの話をしたがらない人もいますが、一応これは陰謀論ではないですが結構あると思います。細かいことまで含めると、意見が極端と極端で分かれて会話しても解決しないみたいな状態はあると思います。これと、アメリカ大統領選挙でのトランプ支持派とバイデン支持派というかトランプでなければ誰でも良いというような人たちの分断もあったという話を前回しました。ただ、前回はメンバーに通じなかった気がして後から反省していたのですが、僕は元々哲学みたいなことをやっていたので、どちらが「真実(truth)」かという議論はそもそもおかしいんじゃないかと。要するに、認識や、世界を言説に置き換えるということは、元々は真理を開示することではなく、実は差異を隠蔽する、隠していることのほうが多いのではないか。これは思弁的実在論にも繋がる話ですが、人間というものは本当の世界というか実在に本当に近づくことなんてできないので、むしろそれをいかに覆い隠すか、差異を隠蔽するかということのほうが人間がやっていることです。ということは、何か真理や真実を開示するのではなくて、どういう隠し方をするかを考えたほうが良い。リチャード・ローティというアメリカの哲学者はより有用なものを取れば良い、つまり役に立つ考え方と役に立たない考え方があって、役に立つ考え方を取れば良いという、プラグマティズムの考え方からこういうことを言ったわけです。僕らは別にプラグマティストではないですけれど、提案したのがより対話に開かれていくほうの選択肢を選ぶということです。つまりどちらが真理でどちらが嘘かというような対立は不毛なので、どちらがより対話に開かれていくかということで、もう一度この分断された社会やポスト・トゥルス問題をリセットしたら良いのではないかということを前回お話ししたのですが、正直通じなかったと反省しています。その時来ていただいた方ともなかなかうまく議論ができなかったので、この問題は難しい。つまり、オミクロン株を怖がっている人にただの風邪だと言っても説得することはほとんど不可能ということが現実です。

どうしてこのような時代になってしまったのかと言うと、やはりメディアの問題が欠かせません。つまり元々はマスメディアが支配的な社会だったわけですが、それがだんだん非マスメディア型、インターネットが典型的にそうですが雑誌文化など別なメディアが現れることによって、様々な考え方が激しく対立するような時代が作られた。特にインターネットの影響がすごく大きいと思います。今日お話いただく藤田さんは、最近『攻殻機動隊論』（二〇二一年、作品社）という本を出されて、また『シン・エヴァンゲリオン論』（二〇二一年、河出書房新社）という本も出されています。それだけではなく、アートに関心がある人なら誰でも知っている『地域アート――美学／制度／日本』（二〇一六年、堀之内出版）という、地方のアートフェスティバルを扱った有名な本を監修されて、非常に話題になった方です。大学の先生もされていますが、藤田さんのこういったインターネットカルチャーに関する議論にすごく関心がありまして、ぜひポスト・トゥルスをめぐる状況について、ネットやメディア批評の立場からお話を伺いたいと思い今日お呼びしました。少し説明が長くなってしまいましたが、ここから藤田さんにお話いただきたいと思います。

それでは藤田さん、よろしくお願いいたします。

藤田直哉　ご紹介ありがとうございます。貴重な場にお招きいただき、どうもありがとうございます。室井先生も仰ってくださったように、ポスト・トゥルスということをひとつのテーマに、脱メディア時代のポップカルチャーを考えてみようということが今日の発表の題目です。

まずは自己紹介をさせていただきます。僕は日本映画大学でも教えさせていただいておりますが、これまで批評文を書いてきました。一九八三年に札幌で生まれまして、ちょうどファミコンと同じぐらいに生まれた、ポストモダン以降の文化で育った人間です。東京工業大学で博士号を頂き、その後サブカルチャーやSF、文学を中心に文章を書かせていただいています。二〇〇〇年代には東浩紀さんが発展させていた「ゼロ年代批評」という、ネットカルチャーとオタクカルチャーが隆盛した時代の批評に刺激を受けて、その中に飛び込みました。二〇一〇年代にはネットカルチャーだけではなく、今度は逆に現実社会の方を重視しようという地域アートのようなものに興味を持ち、それを批評し、わりと話題にしていただいたようなことがありました。

そのうえで、今日の話はポスト・トゥルスについてなんですが、主にインターネットを中心とした現象なので、ちょっと自分の話をしますと、父親が電機のメーカーに勤めていたもので、僕の家にはパソコンがずいぶん早くからありました。僕の部屋にも小学生くらいからもうパソコンが設置されていて、インターネットをやっていたんです。一九九四年とか一九九五年とかだったと思います。正確にはインターネットになったのは一九九五年で、それまではパソコン通信でしたね。インターネットの世界というのが新しく始まって、非常に面白いことになっていると感じました。『攻殻機動隊論』という本でも書いたのですが、そのときに、人類が「進化する」とか「世界を拡張する」とか、今までと違う世の中になるという「革命」に、非常に希望を抱いた世代なわけです。そして、ネットと政治みたいな問題意識で実際にネットでも活動していたりするうちに、共同通信や朝日新聞でネット時評を担当させていただくようになりました。新しい政治状況、分散型のデモみたいなものなどにも実際に関わってきました。今回は、そういう立場から、ポップカルチャーとの関係の範囲でポスト・トゥルスという問題についてどう考えたら良いのかを発表させていただきたいと思います。

発表の構成としては、まずポスト・トゥルスとは何か、ということを確認し、次にその原因として何が挙げられているのか、何が挙げられがちなのか簡単に列記して紹介したいと思います。三番目に、それがポップカルチャーにどのように反映しポップカルチャーの内容をどう変えているのかを確認させていただいて、おしまいに、今後どうなっていく可能性があるのかというような予測のアイデアをいくつか伝えさせていただければと思います。

I　ポスト・トゥルスとは何か

ポスト・トゥルスとは何か

まず最初に「ポスト・トゥルスとは何か」ということから話を始めさせていただきたいと思います。このポスト・トゥルス（post-truth）という言葉は、オックスフォード辞典が二〇一六年のワード・オブ・ザ・イヤーに選んだ言葉です。オックスフォード辞典の定義では、「世論を形成する際に、客観的な事実よりも、むしろ感情や個人的な信条へのアピールの方が影響力があるような状況について言及したり現したりする形容詞」となります。トランプ大統領の当選もひとつのきっかけとなり、このポスト・トゥルスという言葉の利用がインターネット上でたくさん行われるようになりました。

津田大介さんと日比嘉高さんが『ポスト真実の時代――「信じたいウソ」が「事実」に勝る世界をどう生き抜くか』（祥伝社）という本を二〇一七年に出されていて、そこで文学研究者である日比さんが「ポスト真実」時代、「ポスト・トゥルス」時代をこういうふうにまとめています。「それは、信頼できない事実が出回る時代だ。あからさまな虚偽がまかり通りだけでなく、真偽が不確かな情報も数多く生み出され共有される。不正確な数字や、根拠のない危険性、根も葉もない原因論、不確かな経歴、憶測に満ちた陰謀論、その他様々な『事実』や『伝聞』がネットや口コミで流通していく。それが、一般の人たちの間だけではなく、重大な国民投票や大統領の周囲という国家の中枢的な政治の世界においてまかり通っていくとき、その状況は『ポスト真実の政治』と呼ばれる」（一四頁）

その原因というのは、ソーシャルメディアに拡散されるデマ情報や、Facebook、Twitter などソーシャルメディアです。つまりこれまでのマスメディアのような、中央から一方的に発信されたものを受信するメディアとは違う、分散型で、ひとりひとりの人間が発信者になれるというインターネットという新しいメディアによって起きていると言われています。これまでも、デマや陰謀論はたくさんあって、人類は月に行ってないとか、9・11は起きてないとか色々ありましたが、それは『ムー』や陰謀論的な本を好きな人たちの趣味に留まっていました。ポスト・トゥルス問題の新しいところは、量的に非常に拡大し、政治的な現実に影響してくるようになった点にあると思われます。これは、日本、アメリカ、ヨーロッパでも、起こっていることのようです。

似たような概念として、一九四六年にアメリカの陸軍が作ったランド研究所という、のちにNPOになった軍事戦略のシンクタンクのような研究所が、二〇一八年に「トゥルス・ディケイ」という言葉を発表しました。これはポスト・トゥルスと似た言葉なのですが、そうではなくアメリカの自治体や政府などの公共の決定においても事実の影響力が失われてきている状況を呼ぶ言葉です。

ポスト・トゥルスの特徴

ポスト・トゥルスの特徴は、虚偽や事実、虚構と現実などの区別が曖昧になっていくことにあります。もっと言ってしまえば、「共通の真理」「共通の現実」があるはずだという信憑そのものが後退しているのだと考えられます。それはインターネットの発達によるメディアの再編成の中で起こっていることで、具体的にはデマやフェイクニュースなどによって広まるもので、それが世論や政治的な決定につながると、いわゆるファシズムやポピュリズムに近いものになりかねないと危惧されています。これがポスト・トゥルスという概念の基本的な理解であり、ポスト・トゥルスという概念が必要になってきた背景だと思われます。

ポスト・トゥルスの例として挙げられるもの

具体的な例として挙げられるものには色々あるのですが、そのひとつが在特会（在日特権を許さない市民の会）などの排外主義ですね。たとえばマイノリティや在日が日本の中枢に入り込んで支配している、日本人こそが被害者だという物語を提示したりします。さらには、反原発運動もポスト・トゥルスだと言われることもあります。反原発派は科学的真実を信じないで、スピリチュアルな考えや、非合理な不安や恐怖に駆られて動いているという批判がある。あるいは、歴史修正主義などもこのように言われることが多いです。現実に起きた事実、過去の惨劇、悲惨なこと、加害、そういうことを否定し、美化した物語を信じたがる傾向も、ポスト・トゥルスと関係あるかもしれません。

そして、最も典型的な例として、のちほど中心的に取り上げようと思うのが、Qアノンです。彼らは、トランプ大統領が闇の勢力と戦っているとか、不正選挙であるなどの陰謀論を信じて二〇二一年の一月六日にアメリカの合衆国の議会を襲撃し、四名の死者を出しました。様々な炎上も基本的にはポスト・トゥルス的であり、本当の事実や実態と関係なく人々にどのように思わせるか、どのように感情を喚起させイメージを作るかでリンチが起きたり、社会的非難も起きたりする。陰謀論もそうですし、インセル(インボランタリー・セリベイトの略、「不本意な禁欲主義者」を意味する)という非モテの過激化した男たちもポスト・トゥルスだと言われることが多い。インセルとは、男性の方が本当は不利益を負っていてフェミニズムは偽者だというようなことを言う人たちで、男性たちが実は被害者だと主張する。白人至上主義も、白人の方が本当は被害者であると主張する。逆にフェミニズムや人文学こそ、論理や実証を踏まえていないポスト・トゥルスだ、とも言われることもあります。それから、気候変動否定論者たちですね。二酸化炭素で自然環境は悪化してないだとか、地球温暖化は嘘だというようなことを言う人たちで、アメリカには多いらしいです。

以上見たように、右か左か、保守か革新かは関係なく、どちらの陣営にも見られる。これらの現象を引き起こす共通の何かがある、あるいは、それらが起こるような時代状況である。ポスト・トゥルスを考えるということは、そのことを考えることになると思います。

アメリカ合衆国議会議事堂襲撃事件(二〇二一年)

ポスト・トゥルスが本当に大問題だと、多くの人がはっきり認識するようになった顕著で分かりやすい例が、二〇二一年のアメリカ合衆国議会議事堂襲撃事件です。この事件では、トランプ支持者やQアノンと呼ばれる人たちが国会を襲撃して死者が出ました。Qアノンの主張は、トランプ大統領の選挙での敗北は不正選挙で陰謀だというものです。Qアノンの人たちは、中国の人民解放軍がアメリカ国境に展開しているとSNSで広めて「もう世界の終わりだ」、「危機だ」と大騒ぎをして、不正選挙を(政府が公に)認めるに決まっていると息巻いていたのですが、やがてそんなことは起こらず、静かになっていきました。日本では、安倍政権と密接な関係にあった作家の百田尚樹が、このQアノンの陰謀論にひっかかって、不正選挙を主張し、トランプを支持しました。ここまで思い詰めて行動を起こしてしまう人たちがいるということが、ひとつの現実なわけです。しかもその行動のスタイルですが、現場の写真を見ると分かるのですが、自撮りをSNSにアップしたり、襲撃そのものをリアルタイムで配信して、非常に面白がっている感じなんですよ。僕の主観的な印象としては、かなりゲームのような感じで遊んでいるふうにも見えます。少し軽い感じのノリがあるような議事堂襲撃、と言うんですかね。真面目な政治的なテロや暴動の真剣さとは異なる雰囲気がある。ある意味で、ゲーム化した、サブカルチャー化した政治のようなものが、ここにあるわけで、それこそが注目し分析されるべきものなのです。

Qアノン

この事件を起こしたQアノンという集団はポスト・トゥルスを理解する上で重要な手掛かりを与えてくれると思います。たとえば彼らの共通の妄想として、「ディープステイト」という闇の政府がアメリカを牛耳っているというものがあります。リベラル、民主党、マスメディア、フェミニストたちは「ディープステイト」なのだと考えられています。彼らは世界規模の児童買春組織があると思っていて、それがディープステイトでもあるのですが、トランプはその闇の勢力と戦っている「光の戦士」だと考えています。児童買春組織にはリベラル・エスタブリッシュメントやマスメディア、ヒラリーなどが関わって繋がっていると考えています。この現実世界、つまりマスメディアやリベラルな人が牛耳っている世界は偽物の世界であり、本当の悪とトランプが戦っていて、だからトランプはみんなから袋叩きにされていると彼らは思っている。その正義の味方を自分たちは支持しているのだと、彼らはそう思っています。だから彼らが議事堂を襲撃したりいろいろネットに書き込むのは、彼らの主観としては、陰謀論やデマを広めているというよりは、本気で世界を救いたいと考えているようだし、本当にアメリカが支配されているから救わなければという脅威に基づく使命感の感覚が強いように見えます。

ポスト・トゥルスに関して重要なポイントなんですが、Qアノンは匿名掲示板から発展した運動なんです。Qアノンの発展した場所は4chanとRedditというアメリカの匿名掲示板です。そこで様々な陰謀論が育まれたんですね。簡単にアメリカの匿名掲示板の歴史を説明しますが、4chanは、日本の匿名掲示板のふたば☆ちゃんねるのスクリプトをほぼ流用して（二〇〇三年に）作られたもので、二〇一五年以降の管理人が、日本の2ちゃんねるの管理人だったひろゆき（西村博之）さんです。ひろゆきさんを知識人として持ち上げることに反対する人たちの根拠のひとつもこの辺にあろうと思います。Redditは少しスクリプトが違いますがこちらも匿名掲示板で、オタク文化を中心とした匿名掲示板です。アメリカでは匿名掲示板文化はあまり発展していなくて、日本の匿名掲示板文化が輸出されてアメリカで発展したわけで、だから「オルタナ右翼」や「ポスト・トゥルス」的なものは日本が先行例、日本が輸出したのではと言う人もいます。この匿名掲示板にいる人たちは、ポスト・トゥルス現象を考える上でとても重要なサンプルになると思います。

僕は日本のふたば☆ちゃんねるも、Qアノンの日本版であるJアノンもわりと見ていました。リアルタイムでものすごいスピードでスレッドが毎日毎日動いていて、勢いがあるときにはもうチャットみたいな感じでガンガン書き込んで、集団で陰謀論を発展させたり、この世界の「真実の敵」を探したりしている。ふたば☆ちゃんねるはインターネットに流れる「ネットミーム」と呼ばれる面白いネタの発信源のひとつで、大体ここですごいスピードでいろんなもののサイクルが回って色々と生み出され、みんなで面白いものを言い合って作ったものがツイッター（現・X）や様々なところに流出していき流行ります。

コロナの話とも関係しますが、Ｊアノンは、アメリカ大統領選挙が不正だとか、マスコミ、国民を許すなと言ってアメリカの国旗を掲げています。よく渋谷などでデモをしたり、あるいは最近は反ワクチン、コロナは実在しないというデモをやっています。このＪアノンの写真を見てください。

室井　これは幸福の科学ではないですか？

藤田　幸福の科学と、ＱアノンやＪアノンには繋がりがあるのではないかと言われていますが、僕には詳しくは分かりません。ある日本のＪアノンは、ふたば☆ちゃんねるなどに入り浸っているうちにそこで言われていることの物語に染まっていって、もう世界の真実はこう（そこに書かれているもの）で「なんとかしなくてはいけない」という状態になっていきました。Ｑアノンであると自称こそしませんが、Ｑアノンの思想に感染している人は、ツイッター上でたくさん見かけます。彼らは、いわゆるインセルや、弱者男性論者などとも重なり合いながらＳＮＳ上に大量にいて、影響力を持っています。少なからぬ政治家、議員にも見られますね。

ピザゲート事件（二〇一六年）

Ｑアノンの議会襲撃の前身として、4chanなどで広がった陰謀論の典型的な事件をサンプルとして紹介します。二〇一六年の「ピザゲート事件」がそれです。ワシントンＤＣのあるピザ店が児童買春の拠点だというデマがネットの中でまことしやかに広まり、ある調査によるとアメリカ国民の十何パーセントが信じていたらしいです。その児童買春の拠点とされたピザ店に男がライフルを持って救出に向かい、発砲したんですが、当然そこは児童買春の拠点でもなんでもなかった。この事件が怖いのは、マスメディアや様々な媒体が「児童買春」組織は事実ではないと否定したのですが、匿名掲示板やＳＮＳ、YouTube、ネットメディアといったインターネット中心に拡散し、意見が全然訂正されなかったことでした。

「ピザゲート」事件が、どういった経緯で始まったのかというと、民主党の議員でありヒラリー陣営を統括していたジョン・ポデスタのメールが流出して、ウィキリークスで公開されたのが始まりでした。そこに書いてあったチーズピザ（Cheese pizza）という単語がチャイルドポルノ（Child porno）の隠語だと4chanなどに誰かが書き込んだ。チーズピザのそれぞれの頭文字CとPがチャイルドポルノの隠語だとネットで騒がれて、襲撃された店の名前もコメット・ピンポン（Comet Ping Pong）。「C」と「P」だからという、本当に馬鹿馬鹿しい、冗談みたいな理由、全くなんの根拠もないことなんですよね。それによってそのピザ店が児童買春の拠点だとされて襲撃され、発砲を受け、二〇一九年には放火の被害にも遭っています。

その陰謀論が始まるときの匿名掲示板の書き込みのひとつを見ると、ポデスタのメールにある「ホットドッグ」は「ボーイ」で「ピザ」は「ガール」、「パスタ」は「リトルボーイ」というように、児童買春の暗号だと誰かが書いている。こんなことは根拠のない言いがかり、ネタみたいなものですよ。それがまことしやかに事実みたいに広まって、ピザ店の前でデモが行われ、匿名掲示板の中でその陰謀論がどんどん発展していって、集団の集合知によって括弧付きの「真実」と括弧付きの「悪」が暴かれていき、誰と誰が繋がっていて、この暗号は何で、真の敵は誰かなどの物語がどんどん作られていきました。

このように、オタク・サブカルチャー系の匿名掲示板で、集合知的に作られた陰謀論だということは、注目されるべきかと思います。今画像でお見せしているQアノンマップもそうですが、匿名のみんなで集まって集団で作り上げていく、CとPの頭文字が同じというだけでチーズピザがチャイルドポルノだとか、CとPが頭文字のコメット・ピンポンという店が児童買春の拠点だとかという、冗談みたいな内容なんですが、これが世論にかなりの程度信じられたようで、おそらくは投票行動にも影響したと推測され、ヒラリーは実際に落選したわけです。

集合知ということをQアノンたちは重要な概念として掲げますが、集合知が機能するときとしないときには条件があることが分かっています。集合知は万能ではなく、「集合愚」になるケースがあることも分かっています。しかし、彼らは「反権威」であり、知的訓練や議論の作法に敵意を持っている傾向が強いので、直観と心理的気持ちよさに従って、冗談みたいに愚かな「集合知」に転がり落ちていっているのだと推測されます。

政治のゲーミフィケーション

『インターコミュニケーション』という雑誌を編集されていた武邑光裕さんは、これは「代替現実ゲーム」、「ARゲーム」だと仰っていて、僕にもそう見えます。さっきも言いましたが、4chanとかRedditはオタク系の匿名掲示板でゲームも好きな人が集まっています。「ピザゲート」という名前は「ウォーターゲート」事件を意識していて、匿名掲示板は、集団で陰謀を暴くゲームみたいになっていたわけです。リアルタイムで推理をして集団で何かを明らかにし、すごいラスボスを皆で力を合わせて倒そうとするオンラインゲームに近いわけです。

実はこれ、もともと似たようなことは左派が行っていて、政治のゲーミフィケーションの成功例と言われている「地元選出議員の経費を調べよう」というものがありました。イギリスで二〇〇九年に下院議員たちが不正に経費を使っているという疑惑が出たのですが、証拠となる書類を何百万枚と出されてしまって、あまりの膨大さに調査できなくなりそうになったときに、新聞社が主導し、ネットの人たちが集まって、分散して一枚一枚の書類を調査し不正をしている議員を倒そうというプロジェクトをやった。このピザゲート事件を見ていると右派による「政治のゲーミフィケーション」に僕には見えます。謎を解いて隠された真相を暴きラスボスを倒すというのもゲームにありがちなナラティヴですし、こうだと思っていた世界がひっくり返るというのもゲームでよくある話なんです。

点と点を結んで、ユーザーが能動的に「絵」や「物語」を創っていくのがゲームというメディアのナラティヴの特徴だと言われますが、彼らはまさにそれをやっているようにも見えます。様々な断片を世界から集め、真実／真相にたどり着き、世界をひっくり返してラスボスを倒したいという欲望の形式がゲームによって訓練され、それが現実に投影されているのではないかなと思うんですよ。感性や認識・欲望のパターンがゲームによって脳神経構造に影響し、習慣化しそのパターンを現実の政治とつながっているネット掲示板でも繰り返しているのではないか。インターフェイスはデジタル端末で、ゲームと変わらないですから。これは、集団で何かを達成するオンラインゲームに似てるんじゃないかなと。ゲーミフィケーションを論じている研究者、ジェイン・マクゴニガルは『ＨＡＬＯ』というゲームで、尋常ではない数の敵のエイリアンを皆で倒すという目標を達成したときの高揚感について論じています。そこには、宗教的と言えるほどの感情、集合的意識、連帯感みたいなものが感じられると。そして、ゲームは「生きる実感」「感情報酬」を与える装置だとも言っています。Ｑアノンたちはこういうゲームに依存症的な状態になっている集団なのではないかと思われるわけです。

Ｑアノンや陰謀論者のプロフィール

じゃあ、これらをやっているのはどういう人たちなのか。Ｑアノンや陰謀論者のプロフィールも多少調べてみました。よく言われる意見としては、トランプ支持者は、ラストベルトのデトロイトなどの産業が衰退した地域のインターネットやＩＴ産業などについていけない自動車産業などに従事する人たち、あるいは南部の人たちで、こういった人たちがＱアノンなのではないかと言われます。そして、これが、よく議論になることなんですが、「負け犬（Loser）」、「ゴミ白人（White trash）」、「貧困層・下層階級（ＣＨＡＶ）」などという言い方もされるんですね。そういう言い方こそがトランプを支持させるのだという批判もあり、僕はそれにも賛成する部分があります。競争社会の敗者に対して過剰に残酷な社会であることの問題は確かにあるでしょう。

もう少し、素顔の実態に迫りたいと思いまして陰謀論者たちに迫ったいくつかのドキュメンタリーを参照してみたいと思います。例えばアーサー・ジョーンズ監督の『フィールズ・グッド・マン』（二〇二〇）という作品があります。これは4chanやRedditに入り浸っているトランプ支持者に迫ったもので、その映像を観てみると、多くは社会的に失敗した孤独な人たちでした。部屋がめちゃくちゃに汚れているような家でパソコンをやって、そのパソコンで4chanなどで見た内容を「真実」だと言って騒いでいました。僕の偏見かもしれないですが、なにか障害があって何らかの形で弱者である可能性があるようにも見える。この作品の中でトランプの選挙戦略を立案した会社が出てきます。トランプは戦略的に、彼ら匿名掲示板の人たちをターゲットにしたと言うのです。彼らのアテンションを引くために、「カエルのペペ」というネットミームを使った。これは「負け犬」、「弱者男性」、「ゴミ白人」的な存在を象徴するミームなのですがそれを使ったり、あるいはヒラリーが軽蔑的な発言をしたのを利用し感情を煽ったと明言しています。

Qアノン、インセル、オルタナ右翼のイデオロギー構成

Qアノンと同型のイデオロギーもあちこちに増えています。そのパターンとは、世界（つまりリベラル、マスメディアや教師や政府、日教組や戦後民主主義）は嘘っぱちであり、真実を知っているのは自分たちであるという物語です。自分たちが活躍できなかったり、社会的に不遇なのは何らかの「謀略」のせいである。自己責任じゃない。自分たち（強者とされる白人や男性、日本人やアメリカ人）こそが被害者であって、「侵略」に対して「自衛」をしなければならない。「弱者」であるとされている人々は、本当は「強者」であるという、優越性を錯覚させてくれて、「世界の人々はみんな馬鹿で、俺を仲間外れにした奴らは嘘に騙され

て俺だけが真実を知っていて、だから迫害されたんだ」というようなナルシシズムに奉仕するような物語ですね。それは、疎外や敗北、屈辱を自己の責任とするのではなく、外部の原因になすりつける物語ですよね。これを必要とする人が増えているというのは、社会問題だと思います。個人の尊厳をもっと尊重するべきだったし、自己責任論で追い詰めすぎても、人はそれに耐えられず、「別の何か」のせいにしてしまうという心の弱さを、経済思想もちゃんと計算に入れておくべきだった。マジョリティこそが被害者でありマイノリティこそがむしろ強者だという物語は、そのうえ、弱い者いじめを正当化しますからね。本当に強い者と戦うのは怖いしおっかないし、敵が強ければ勝てないですが、「弱い者が本当は強いんだ」という話にすると、弱い者いじめの快楽と正義の満足感を同時に得られますよね。そういう心の低劣さに付け込んでこれらのイデオロギーが猛威を振るっていると思います。

これで思い出すのは、西洋のホームグロウンテロなんですね。西洋の国の中で孤独な男性たちがテロリストになっていくわけですが、移民の二世など、社会的に疎外された若者が、YouTubeなどを見てイスラム国などに共感して、組織化されないまま自爆テロなどを実行するわけです。逆の方向から言えば、そのような人をターゲットにして、遠隔で洗脳しテロリストにさせる戦法が存在し、実行されているわけです。Qアノンやインセルも、似た戦略が実行されているように僕には見えます。

室井　ホームグロウンテロのことをあまり知らないのですが、イスラム国がそれをやっているのは明白だけど、この場合Qアノンやこれを意図的にやってる人たちはいるんですか？

藤田　うーん……。

室井　イスラム原理主義のホームグロウンテロはもちろんですが、それと同じように特定の人がこういうことを本当にやっているのかということを今質問しました。それから、ちょっとおもしろすぎてこの話自体が陰謀論に聞こえてきちゃう。そんな人たちがいて、そんな人たちが世界を動かしてるのだというふうに聞こえてきてしまったんです。

藤田　具体的にやっているいる主体がいるのかいないのかについては、こう考えるべきかなと思うんですよ。ひとつは、ネットの仕組みや人間の性質から自然にそうなったという側面があります。インターネットはアテンションを引いてたくさん誘うことでクリックさせ、その広告費で回るような商業的システムなので、「あなたは間違ってない」、「あなたは素晴らしいから何も努力しなくていい」という楽な物語がみんな好きだから、自然にそちらに収束していったという考え方があります。そのうえで、それを利用しようと介入する主体も間違いなく存在しています。トランプの選挙陣営もそうですが、アメリカ大統領選にはロシアからの選挙介入があったということが言われています。アメリカの政府も調査し、介入があったことは結論付けました。後に話しますが、ネットやSNSに規制が少ない国は、よその国から様々な工作がし放題なんですよ。マケドニアなどの国ではフェイクニュースの工場があったりしますし……。

室井　もう先に行きましょう。

藤田　またプロフィールの話に戻りますが、ダニエル・J・クラーク監督が『ビハインド・ザ・カーブ――地球平面説』（二〇一八）というドキュメンタリーを撮っていて、こちらは地球が平面だと言ってる人たちを扱ったものです。「地球が丸いというのは嘘だ、見たことが無い」と彼らは主張しています。山の上に登れば曲がっているのが見えるんですけど（笑）このドキュメンタリーによると、地球平面説の提唱者であるマーク・サージェントはYouTubeを使って人気を集めている。YouTubeで人気者になって、きれいな恋人ができたり、大きな集会やコンベンションのようなものを開いてすごく楽しそうで、グッズを作ったりCDを作ったりして売っている。マークが言うには、人々は孤立しているからコミュニティや繋がりを求めている。だから、まずい陰謀論よりはこういったファニーで楽しい陰謀論の方がまだいいじゃないか、と言っています。ということは、意識的・自覚的な陰謀論ビジネスというのがあるんだということなんですよ。

室井 本人が言ってるの？

藤田 本人が言ってるんです。この人、メタ的な意識があるんだなと思ってビックリしましたよ。陰謀論ビジネスが、人々の孤立や孤独といった心の隙間を利用して漬け込んでいるわけですね。ポスト・トゥルスの時代に流行っているイデオロギーは、それとほとんど同じ手法のようにぼくには見えます。商業におけるマーケティングと同じ手法は、政治の領域でも利用できますからね。

II ポスト・トゥルスの原因は何か

ここまでポスト・トゥルスがなぜ社会の問題になっているのか、その背景にある掲示板文化やそこに入り浸っている人たち、そしてイデオロギーのパターンの話をしました。しかし、では、どうしてこういう現象が起こるようになったのか。色々なポスト・トゥルス論をまとめてみました。

1 メディアの変化、脱マスメディア時代

インターネットはそもそも反中央集権的で分散的なところにメディアの特徴があります。特にネットの初期は海賊的な、知的財産を世界にばらまいてみんなでコピーしちゃえばいいというコピーレフト運動もあり、独占されたものを庶民や民衆の中にばらまくといった石川五右衛門のような義賊的な部分がありました。ネチズン（ネット市民）という言葉がありましたが、ネットで人々が理性的・市民的に討議し、民主主義の世界が良くなっていくという希望もありました。直接民主主義的になっていくと、必然的に中央や

権威、専門性などに対する信憑性が低下していきます。さらに、共通のメディアや言語空間というのが消失していきます。みんながテレビを観ていた、みんなが力道山を知っていたというようなことはもうないわけですよね。中央分散的でみんなが発信者になれることで、専門性や権威性などが考慮されにくくなり、共通の世界の基盤となる知識も共有されにくくなった。そのうえで、ネットは規制も遅かったですから、センセーショナルな感情を利用してクリックを稼ぐネットメディアなどが発達したのが深刻な問題です。僕らはFacebookやTwitterで記事をクリックするときに、やっぱり面白そうなものをクリックします。地味だけど役に立つことなどはクリックされにくい。みんなそうだと思いますが、SNSやネットをやっているときって、意識や思考がはっきりしているわけじゃない、ダラーっとやっちゃうわけですが、そのときの脳って、集中しているときよりも知性が低いんですね。この状態でメディアに接するようになったことが、感情や情動に振り回されてデマが流通する世の中の状態を生んだ基盤的な原因かなと思います。

SNSとかYouTubeなどのメディアが、文字をしっかり読み書きするのではなく、短文や動画でコミュニケーションをする性質を持つことも、原因の一つでしょう。SNSやYouTubeというのは、文字ではなく画像や動画中心のメディアなので、理性や知性よりは、感情や共感の原理が優勢になります。今はSDGsや企業のプロモーションなどの戦略を見ていても「共感」ということをよく言われています。それはいわゆるフェミニズムやケアの倫理などの発展とも関係していると思うのですが、SNSが共感を駆動する、言語ではないものを中心としたメディアだったからだと思います。SNSは断片なので、当然長い活字の文章を読むこととは違う経験です。メディア論者のマクルーハンは『グーテンベルクの銀河系』で、近代的主体は長編小説を読むことで構成されると言っています。長編小説は長い文章ですが、長い文章を黙読し、ひとつのものにひたすら向き合って、何を言おうとしているのかを考えることによって、近代的自我あるいは近代的内面が構成されているのだと。それが本当なら、断片的なSNSやYouTubeを観ていても近代的内面というものは形成されないですよね。そういった内面が形成されないと、文脈を読むということや全体の構造を理解するという考え方の能力はもちろん低下しますし、当然その本の奥に「作者」がいて、何か言おうとしている真理があり、それを追求するというような神経症的・近代的な主体のモデルが成立しなくなってくるわけです。どうも人々の内面の構造、人格や自我の構造が――あるいは脳神経かもしれませんが――変化しているのかなという気がします。

ゲームやスマホなどのメディアの影響

インターネットやSNSとゲームが、ポスト・トゥルスの犯人じゃないかと個人的には思っています。システム１（速い直感的思考）とシステム２（遅い理性的思考）というのが人間の思考にはあると、ダニエル・カーネマンという行動経済学者が言っています。人間が自然の中で生きていた時代は、獣が来たら逃げるとか食べ物がありそうとか、そういう直感的にすごい素早い反応が生き残るために必要でした。それがシステム１の速い直感的な思考です。もうひとつ、ゆっくり遅い理性的な思考というものがあると言っていて、研究論文を書くとか、何か会社の経営的決断をするとか、そういうときにはゆっくりと理性的な思考をするわけですが、これがシステム２。しかし、人間はずっとシステム２でいることがあまりできなくて、大概の時間はシステム１でいる。システム２的な思考を鍛える訓練も機会も減っていますよね。ゲームはシステム１的な速い直感的思考を促進して、直感的思考を行ったことが正しくて合ってると感じさせることを次々繰り返すことで、脳内報酬を刺激する装置なわけです。SNSもそうで、システム１的なもので処理されるようになっている。今までの新聞や本などはシステム２的で、専門家とか選ばれた人が頭で考えて書いて、それを誰かが専門家以外の編集者が判断してできたため、システム１的な言説が流通しにくかったのですが、いまはそうではなくなった。

そして、利用時間を長くさせるために依存症的に人を誘導することがスマホやSNSのビジネスの構造としてあります。滞在時間を長くして、ユーザーに能動的に労働させるわけですよね。書き込みをする、文章を作る、画像や動画を撮るなど、能動的にユーザーに労働をさせて、その労働の成果をほかの人に対するコンテンツにするというのがプラットフォームビジネスですが、それを成立させるためにはそのメディアをずっと見続ける人を作らなければいけないわけです。ある程度依存症的に人を誘導するスマホやSNSのテクニックがあって、それはゲームの世界に蓄積された技術が応用されているわけです。それらのメディアの変容による必然的な結果としてポスト・トゥルスになっているのではないかという仮説を僕は立てています。

2　ネット世論操作、新冷戦、ロシアからの選挙介入・世論操作

「広告」の場もネットに移行します。ネットは規制が緩いので、ここは誰もが情報操作や世論工作の主体になれる場所なわけです。一田和樹『フェイクニュース』によると、様々な国同士が多元的に情報工作をやりあっているようです。自民党はネット対策チームである「Truth Team（T2）」というものを組んでいて、そこがネットサポーターを募集しています。共産党は「カクサン部」というものを作ってます。政治勢力が世論を味方につけたり、自分たちを支持させるための宣伝の舞台がネットになったわけです。選挙では、ある候補者を批判したらリプライが飛んで来るんだけど、それがボットだったり、この候補者は素晴らしいみたいなことを全く同じセリフで言う綺麗な若い女の子のふりしたアカウントがたくさんあったりと、色々な工作が行われていました。その中には、「工作を行っている」と見せかける工作もあったでしょう。政治勢力だけじゃなくて、いろんな主体が様々な宣伝戦を多元的に行う環境で皆が疑心暗鬼に

なるわけですが、ポスト・トゥルスに大きく関係しているのは、その「思想戦をやっている」というメタ意識を多数の人が持つようになってしまったことなのではないかと思うんですよ。

基本的に冷戦以降のネオコンは世論に介入しますよね。アメリカも日本も、多くの国もやっています。情報戦、イデオロギー戦をやっているわけで、たとえばこれまで日本では、学者や発信者を囲い込む、研究会に呼ぶ、お金あげるというようなことをやってきたわけで、価値観を広め合うことをみんなやっているわけです。しかし先ほども言ったように、ネット時代以降には政治集団や企業などの様々な陣営が、規制のない領域で相互にやり合うようになっていく。グラムシのヘゲモニー論そのものですよ。グラムシのヘゲモニー論とは、ある政治的覇権をある国なり、文化が握るためには文化的あるいは価値観的な覇権をまず握ろうという話です。ラクラウ＝ムフというラディカル・デモクラシーの論者は、このヘゲモニー論を受けて、アイデンティティ政治などと結びつけてポピュリズムを肯定するような理論を作ってますが、それはネットが感情を中心に動く思想戦の戦場になったからこそ注目されている理論なんだと思うんですよね。そして、そのような思想戦を多元的に無数にやり続けていることこそが、「真実」が何なのか分からないという感覚を生んでいるんだと思うんですよね。誰もが「竹槍部隊」としてこの戦争に参加できて、自分も「洗脳」されるかもしれないと常に思うということの量的な拡大が、質的な変化に繋がっているんだろうと思います。

思想戦・情報戦の飽和

具体的に言うと、たくさんの勢力が互いに相手側は嘘を信じさせられていて、自分たちが真実を知っているのだと言うわけですよ。戦後日本はＧＨＱによる洗脳や日教組による洗脳をされていると、保守やネトウヨの人たちは言います。そして、戦中の日本は悪くなかった、みたいな議論をする。一方、それこそが歴史修正主義の虚構である、と批判者は言います。こういう「相手は洗脳されていて、真実はこれだ」みたいな議論に日常的に接し続けていると、何重にもひっくり返り続けていて、段々と本当に何が何だかわからなくなってきますよね。「本当」、「常識」だと思っていたことがそうでなかった、というのは人文学や我々学問をやる者の基本的な経験ですが、それが慢性化して様々な陣営の考え方の方にひっくり返され続けると、一般の人々も結局何が本当か分からなくなっていく。「真実」「現実」を探る作業というのが負担を強いるわけで、何を信じるかを判断できなくなってしまうんです。これまでは権威や知識人、政府やマスメディアなどが一応信頼されていたわけですが、今は、それが嘘をついていると話を広めて切り崩すので、何を信じるべきかの根拠になるものがなくなるわけですよね。大学で学んでいる人間というのは、アカデミズムの方法だとか、岩波書店が信用できそうだなとか、朝日新聞はまとめサイトよりも本当のことを言っているようだとか判断できるわけですが、信憑性について判断する基準自体を破壊するのが今のネットで行われていることで、何を根拠に何を信じるのかが相対化されてしまう。そうやって民主主義を機能不全にさせることこそが、権威主義国家の情報工作の狙いだという意見もありますね。

確証の底がなくなった結果として、逆説的に最初からその人が信じているものを信じるようになる。あるいは、その人の感情にとって気持ち良いものを信じるようになる。そして、周りの人が言っていたことを信じるようになるという現象が起こっていると考えられます。流暢性という概念があって、人間の頭は自分が最初から知っていたものの方を正しいと思いやすいと言われています。人間の脳というのは自分が最初から知っていないことは理解しにくいから、理解にかかるコストや抵抗そのものが不快感として出て来て、その快不快で真偽を判断してしまう癖を持っているようです。そうすると自分が信じたいものや信じたら気持ち良いものという原理が前に出て、他の判断基準や原理が弱くなっていった結果、前者がせり出します。いわゆる情動論的転回などと言われ、社会学や哲学などでも最近情動の研究が盛んですが、これはこのようなメディアの変容に伴うパラダイムの変化に対応する側面もあるのではないかと思います。

3　サブカルチャーの影響

サブカルチャーの影響も、非難されがちです。たとえば『マトリックス』（一九九九-）がその典型なのですが、真実の、現実だと思っていたのが実は作られた世界、シミュレーションで、その世界から目覚めようとする話です。ジョセフ・ヒースとアンドルー・ポターの『反逆の神話――「反体制」はカネになる』という本の中では、『マトリックス』がひとつの例として槍玉に挙げられていて、社会や学校から疎外された異能な者たちが、システムに騙されている大衆を目覚めさせ世界のために戦うという物語のパターンが問題だというわけです。リバタリアニズム的な、社会や体制の支配から解放される、そのためにシステムを全部ひっくり返すみたいな、SFでよくある物語が有害に作用しているのではないかと同書の中で言っています。

『マトリックス』は、オルタナ右翼とインセルのバイブルになっています。左派のカウンターカルチャーが、右派に簒奪されたというのが『反逆の神話』での分析で、だから「反逆」をエンタメ化してきたサブカルチャーの罪が問われるわけです。『マトリックス』では、真実に目覚めるか、嘘の日常の中に埋没するかという選択の際にレッドピルという薬が出てきます。これを飲むと真実に目覚めるわけです。インセルはこれを受けて、男性差別という「真実」をレッドピルと表現します。男性の方がたくさん死ぬし、寿命も短い。つまり男性の方が差別されている。これが真実であってフェミニズムやリベラルの価値観は嘘だという。その「現実」に目覚める合言葉がレッドピルですね。僕のツイッターのタイムラインでも、この思想の持ち主とフェミニストが毎日戦っています。『マトリックス』に代表されるサブカルチャーの影響はあるわけですよ。

4　左派の思想の、右派による簒奪

思想の影響についても様々に言われています。そこで注目されるべきなのは、左派の論法や手法が、右派に簒奪されて利用される逆転が起こっているということですね。

ポスト・トゥルスの原因として名指されるものをまとめると、反科学、反「真理」、反西洋中心主義、相対主義、反権力、反権威、理性への懐疑、あるいは生命や衝動の肯定、自分の中にある「神」の声の尊重、あるいはスピリチュアルなものの価値の擁護、認識の転倒、常識や自明性への懐疑。これは、「解放」を志向した左派的な人文思想が積み重ねてきた方向性ですよね。それらがむしろ、ポスト・トゥルスの元凶と名指される。

ポスト・トゥルスの状況の中で、人文的な批評における「懐疑の解釈学」や、一般の人が気づいていない真の構造を暴く、みたいな方法論が機能不全になっているのではないかという「ポスト・クリティーク」という議論があるのですが、これも同じ問題意識から発するものでしょう。左派的な批評のフォーマットが一般的に普及しすぎたことで、別の戦術が必要になるのではないかと、ブルーノ・ラトゥールは指摘しています。

左派の手法を、右派に簒奪

たとえば、分かりやすいところで言えば、人々が「虚構」を信じさせられていて、それを暴いて「真実」に目覚めさせなければいけないというのは、一九六八年前後に猛威を振るった、ドゥボールの「アンチ・スペクタクル」の考え方なんですよね。我々が真実、現実だと思っているものは、帝国主義や資本主義に信じ込まされている世界なので、それに亀裂を与えて大衆を現実に目覚めさせなければいけない！という理論の枠組みがあったわけですけど、それが今やQアノンやインセルたちに別の形で使われています。

別の例で言うと、アイデンティティ政治は、マイノリティが解放されるためのものだったはずです。それが逆転して、マジョリティのアイデンティティ・ポリティクスになっていく。それが白人至上主義やネトウヨやインセルですね。反権威・反権力みたいなものも、反リベラル、反エスタブリッシュ、反マスメディア、反民主党のようになっていく。あるいは、ケアの倫理、共感のようなものも、弱者やマイノリティを救うためのものだったのに、いまや白人や男性の方こそが「真の被害者」でかわいそうという物語に使われてしまう。そうなると、数の論理で、やっぱりマジョリティが強くて、押し切られそうになっているのが現状なのかなと。そこで、左派の側は、「正義」という軸を絶対化せざるを得なくなってきます。

武邑さんは、Qアノンの原点は左翼のアウトノミア運動だと仰っています。メディアを錯乱させる政治手法、特に新左翼の手法が一転して、極右のストラテジーとなって市民を覚醒したと言っていて、いわゆるアウトノミアやカルチャージャミングのような、既存のメディアやシステムをハッキングして、その中に批判性や何かを入れて社会を変えようという運動を右派が利用しているのが、オルタナ右翼だと分析されているんですね。これは、N国、維新の会、ひろゆきらに共通する手法だし、維新を分析してネット戦略を行った（小口日出彦『情報参謀』）自民党の戦略だったと思います。これは、左派的な価値観が一般化・メジャー化して当たり前になった状況で、右派が支持者を増やすために必要になった戦略なのかもしれない。この手法自体が脱構築であったりソクラテスのイロニーみたいな部分があって、なかなか左派はこれを批判することが難しいというか、左派の価値観をそのまま一部利用しているわけですから対抗しにくいわけで、混乱状態になっているのが今なのかなと。それも効果であり成果なんですよね。それに対応するために今の左派やリベラルがどうなったかというと、むしろ逸脱や反逆を抑制し、素朴実在論的ですらある真面目な方向にならざるを得なくなっているのが現状かなと。糾弾主義にもなってしまうし、そうするとかつてのようなオルタナティヴの魅力を失ってしまった。

Qアノンらオルタナ右翼の理論的支柱と呼ばれる、ニック・ランドという人がいて、「加速主義」や「暗黒啓蒙」などと呼ばれる思想と関係しています。たとえばPayPalを作ったピーター・ティールがこの思想にコミットしていると言われています。これらは要するに、科学や技術を加速させるために、それを阻害する人権や民主主義は抑制してしまおうという議論なんです。ニック・ランドは、九〇年代のネットカルチャー、ドラッグカルチャー、SF、メディアアートにどっぷり浸っていた人で、その研究から出てきた人です。その思想が、シリコンバレーの人たちにも支持されている。面白いのは、ニック・ランドの思想って、ドゥルーズの影響から発展しているんですよ。科学技術を発展させ、加速させ、この資本主義のシステムの外部に出るのだ！みたいな理論の構成になっていて、これはジェイムソンの「言語の牢獄」などを思い起こさせる、「このシステムの外に出たい！」という世界観と衝動を煽る物語の型になっているんですよね。ポストモダン思想やポスト構造主義思想の子孫なんです。

リー・マッキンタイアは、ポスト・トゥルスはポストモダニズムのせいだって言っています。サイエンス・ウォーズなどで科学的「真理」などを否定したからですね。ヒース＆ポターは先ほどの『反逆の神話』の中で、フランクフルト学派が悪いと言っています。論理や科学、あるいは官僚的手続きみたいなものを否定して、それがナチスの大量虐殺に繋がるのだと言いすぎたせいではないかとヒース＆ポターは言っています。あるいは、似た話で、フェミニズムのせいだと言う人もいますね。科学や理性、論理は「男性的」なもので、家父長制的で西洋中心主義的なものだから、それを否定し解体するんだという主張のフェミニズムに問題があった、感情や共感を大事にしようというようなロジックそのものがポスト・トゥルスに繋がっているのではないかという批判ですね。これらの議論は、単純化しすぎなんですが、単純であるがゆえに、理系的な人々からの人文学叩きと組み合わさって説得力を持っています。しかし、既に見たように、左派の手法が右派に簒奪された、あるいは、左派の考え方のパターンが世の中に普及しすぎたことによる次の段階だと見た方がクリアになると、ぼくは考えています。

そもそも自由や解放を希求したり、政府を否定するようなリバタリアニズムに問題があるのではないかとか、宗教とキリスト教福音派の自分の中に神がいる、そして政府や権力、知識人を否定して、その心の方が正しいんだと感じるキリスト教福音派の思想そのものが問題なのではないかという意見もあります。これは難しいんですが「アメリカ政治におけるパラノイド・スタイル」（一九六四）を書いたリチャード・ホフスタッターは、両義的な考え方を持っていますね。六〇年代にキリスト教福音派の思想は陰謀論や変なデマを生んでいたのは間違いないのだけど、それ以前に、キリスト教福音派は奴隷解放にずいぶん寄与したんですね。あの当時のアメリカでは、合理的・論理的に考えたら奴隷を解放しないのが理にかなっていたんです。それなのに動いたのは、宗教的信念や、霊感のようなものに動かされたわけですよね。それを否定するべきか否か、なかなか難しいわけで、だからこそ民主主義が必要だ、という話になったりもするわけですが、この辺りまで来ると、インターネット以降に人類が採用する仕組みとして民主主義が最適なのか否かという大きな議論になってきますので、踏み込むのをやめておきます。

5 科学自身の問題

あまりに当たり前なのでこれは手短にいきますが、科学そのものの位置の変化、科学自体が信頼喪失をしてきたせいだという意見もあります。工業化社会が終わり、知識やコミュニケーションが産業や労働の中心になれば、物質的なリアリティ、自然科学への信が減るだろうことは容易に想像がつきます。そして、水俣病やサリドマイドなど、科学や国家や専門家が嘘をつき、民衆に大きな被害を与えてきたという歴史があります。なかなか被害を認めようとしない世界中の原子力産業もそうだったでしょう。原発事故やコロナ禍になって、専門家や科学者の姿がツイッターなどで見えるようになってしまって、彼らの威光も低下してきました。そして、科学者が「真理」のみに仕えるという理想的なモデルは、現実の事実ではなくて、あくまで理念であり、科学者にも立場があり、政治的な状況の中で発言しているということも見えてしまった。そして時には科学的真理さえ「構築」されるかもしれないという認識が、普及してしまった。マッキンタイアが指摘する例は、石油産業、タバコ産業らが、研究者を抱えて研究所を作り、気候変動を否定したりタバコの有害性を否定するキャンペーンをやっていたことですね。原発事故の後に、科学者が放射性物質を心配する人たちに、馬鹿だ無知だというような態度をとって、それで反発して怒って分断が激しくなる現象も起こり、科学コミュニケーションの界隈でも反省があるようですが、そのような傲慢な態度、「欠如モデル」への反発という問題というのもあるかもしれませんね。権威や専門性が嫌われてしまうという問題とつながると思うのですが、啓蒙が機能しにくいわけですよね。

どうすれば良いと言われているか

それではどうすればいいのか？　どうすれば良いと言われているのかをまとめてみましたが、一つ目はファクトチェックですね。現実的だけど、でも既存のマスメディアや学術への信頼が調達できなくなれば、それを実行する資金が出せなくなるという問題があります。新聞社が潰れたら、ネットメディアがそれを出来るだろうか？　ポピュリズム政権が政権をとった国では、実際フェミニズムの学部をなくすだとか人文系を潰すということは行われていますしね、そういう予算が出にくくなるでしょうね。次に、ネット規制ですね。ヨーロッパではわりと法的規制や、IT企業に社会的責任を守らせるような方向で、このポスト・トゥルスに対応しようとしています。三つ目に、主体の側を変える方向ですが、遅い思考を回復させるという方法があります。たとえば宇野常寛さんは「遅いインターネット」という概念を提唱しています。朝の読書運動とかも、そうでしょうね。四つ目に、あるいは、主体が理性的な判断はできないということを前提とした管理の方法が挙げられます。行動経済学にナッジという、人々に命令したり、抑圧したり、啓蒙するのではなく、そっと周りの環境からある良い方向に誘導するという技があります。これをうまく利用しネットを設計すれば理性的な思考を人ができないとしても良い方に導けるのではないか。管理社会への道でもあるのですが、この方向を提案する人もいます。既にネットニュースなどではそうなっていますね。

室井　すみません。ナッジって、どういう言葉ですか？

藤田　ちょっと押すという意味ですね。肘で押すみたいな。

室井　モンティ・パイソンであったような。

藤田　ありますね。「肘をちょんちょんして教える」みたいな語源でしょうか。上から啓蒙したり、強制するのではなくて、そっと押して誘導する技です。

それと、五つ目に、やっぱり広義の「対話」を発生させることが重要ですね。僕が書かせていただいているハフィントン・ポストというメディアは「対話を生み出す」ことを重視しています。映画を上映した後に対話をする機会を作ったり、哲学カフェのような人々と話し合う場を作るみたいな試みが、多分この方向性での問題解決の試みの一つなのかなと思います。

Ⅲ　ポップカルチャーへの反映

最後に、これらの動向が、ポップカルチャーにどう反映されているのかを、時間がないので駆け足で見ていきます。

ポップカルチャーに見られる変化

大きく見られる変化が、ポスト・トゥルスやフェイクニュース、差別の問題に対応していることと、物語のパターンそのものや、ナラティヴ、メディアへの反省が含まれていることですね。「反逆」、「反抗」すれば良い、システムを壊せば良いという話は特に反省されています。ネットのアナーキーな民主主義を肯定すれば良いのではなくて、他者への理解や共感を促すような、少し利他的な傾向が出てきているようにぼくには見えます。

簡単な例でいうと、城平京の『虚構推理』（講談社、二〇一一）というアニメにもなって本格ミステリー大賞を受賞したミステリーですが、これは幽霊とかお化けが存在する世界が舞台で、探偵が事実や真相を突き詰めるのが目的ではないんですよ。真相は分かっている。主人公たちが何をするかというと、インターネットに介入してより多くの人に信じさせるキャンペーンを張る。より多くの人が信じたものが実体化する事実になるという世界観のミステリーなんですよ。これまでの近代的な世界における「事実や真実が唯一の単独のもので確固としてある」という世界認識ではないんですね。こういうプロパガンダ戦のアナロジーのようなフィクションが二〇一〇年代にたくさん出てきました。

サイバーパンクについても、『デウスエクス　マンカインド・ディバイデッド』（二〇一六）という有名なゲームがありました。ポスト・トゥルス、デマ、フェイクニュース、差別、分断をテーマにして、サイボーグが差別されて虐殺させられるような世界を描いています。差別と分断が起きてデマが出回っている街自体を探検して、様々な人たちに話を聞いたりする。主人公自身も差別されていて、要は差別体験シミュレーターみたいなものです。サイバーパンクというのは、解放・パンク・反逆を描いてきましたが、それを辞めている。むしろ、社会全体のことを知りましょう、人の多様性を知りましょう、差別やデマの構造を知りましょう、という内容なんです。優れた批評性があると思うのですが、残念ながら売れなくて続編が出ていません。

神山健治監督の『攻殻機動隊 STAND ALONE COMPLEX』（二〇〇二-二〇〇三）という作品が、ネットにずいぶん影響を与えました。そこに描かれた「スタンド・アローン・コンプレックス」という、組織に司令塔がない分散型の政治運動は、現実にたくさん影響しました。一作目は、インターネットの人たちが正義や解放のために立ち上がる、真実のために立ち上がるということの輝かしさを描いていたのですが、後にこの作品が、ネトウヨに影響してしまったのではないかと反省しています。特に「体制側のはみ出し者」が世直しをするという物語がネトウヨに影響して、炎上のような、弱者を叩くエンターテインメントを生み出したのではないか。日本のアニメやサブカルチャーというのは、「左翼構造」（体制やシステムに個が歯向かう、個の感情や気持ちを重視する）のフォーマットがあるが、そこに問題があるのでは、では、そうではない物語は如何にして可能かと神山健治は考えていくようになります。

二〇〇六年の『攻殻機動隊 STAND ALONE COMPLEX Solid State Society』という続編ではテクノクラートがシステムを設計して人々を管理する社会を描いているし、『STAND ALONE COMPLEX』の前時代を描いたとされる『東のエデン』（二〇〇九）ではもう匿名の人々はどうにもならない、ゾンビのようなもので、理性的な思考も判断もできないから、システム管理して有益に導くしかないという考え方に至ってますね。『攻殻機動隊 SAC_2045』シリーズ（二〇二一-二〇二三）では、「シンクポル」というジョージ・オーウェルの『１９８４年』の思想警察の名前を使っています。「シンクポル」という装置を一四歳の少年が発明する。それはネットリンチ装置で、学校の中で性暴力を行っていいる教師のせいで自殺してしまった女の子がいて、その隠蔽工作を暴いてリンチして報復するために、つまり正義のために「シンクポル」を作ります。しかし今度はその「シンクポル」という装置がその辺の人たちを面白半分にリンチして殺す装置になって、そのことに苦悩を感じる主人公を描いていています。作品の中にはウジェーヌ・ドラクロワの『民衆を導く自由の女神』（一八三〇）の絵画が出てきたりして、ある種民衆の力、大衆の力を覚醒させてしまった結果を問題にしている。「水は低い方に流れる」と神山は言っています。人々は放っておくとダメな方に向かってしまうという諦念がある。かつての革命なり解放の夢というのは、ネットの現実の中では駄目なものになってきてしまったという絶望と彼は向き合っているように見えます。『2045』は、最終的に、世界の格差の問題を扱い、負け組や不遇な者たちが皆、現実を見ないようにして、ゲームをするように錯覚して生きて行く、それを管理して社会全体を動かす、というアイデアに至ります。絶望していますよね（笑）。

「反逆」や「解放」のようなものに対する批評的な作品も出てきていて、『ライフ イズ ストレンジ』（二〇一五）というフランスのゲームですが、パンク少女と内向的な少女が殺人事件の犯人を捜す物語です。パンク少女は反逆的で正義感が強い。この女の子のおかげで真相が明らかにできて真犯人を捕まえられるのですが、反逆的で正義感が強いけれど向こう見ずで的外れなので事故がたくさん起きるんですよね。主人公（内向的な少女）には時間を戻す能力があって、そのパンク少女の反逆に付き添いながら方向修正していき、まろやかにまともな方向に修正していくということ自体がゲームになっているゲームなんです。これはある種反逆を否定するのではなくて、反逆は良いけれどももう少し理性的にコントロールしろよというメッセージが発せられています。そして、このゲームのラスボスや真犯人はロマン主義的な芸術家なんです。現実や人間の生命などよりも美そのものの価値を高く見る芸術家が真犯人にされて、主人公はそれに対してむしろケアを重視する価値観です。これはもう明確に、ある種のロマン主義的な反逆のようなものよりも、現実の他者や人々の方をケアする一方で、反逆的なものはきちんと制御するように倫理的・理性的なコントロールをせよ、というメッセージを発していて、とても興味深いですね。

もうひとつ、『マトリックス　レザレクションズ』（二〇二一）では、主人公がマトリックス三部作を作ったゲームクリエイターという設定になっていて、新作を作ることを強要されています。そしてネオは、前の三部作は意味がなかった、こんなつもりではなかったと嘆いています。機械と人類の戦争は確かに終わって仲良くなったのですが、ただし機械と人間が仲良くなったその中でまた派閥ができて争いが起きている。この『マトリックス　レザレクションズ』のラスボスは、世界を変えようとする主人公たちに「好きにしなさい、やるだけやってみなさい、どうせ意味ないから」という態度を採ります。何かをやっても意味はないし、何も変わらない、争いや二項対立を解決してもまた別の対立ができるだけで、結局は何も変わらないという極端なシニシズムが表現されています。そのシニシズムの象徴に対して、今度は女性が救世主となって立ち向かおうとするところで映画は終わります。『マトリックス』がインセルたちの運動のバイブルにされたことを監督たちが快く思っておらず、フェミニズムをむしろ強調するという介入のメッセージは明確だと思います。

「フロンティアはない」という認識

これらに共通してあるのは、ネットという新しいフロンティアで起きたことへの反省だと思います。一九六〇年代のヒッピーたちの拡大・拡張精神や、新天地の思想がコンピュータのインターネット産業にも影響していた。シリコンバレー精神は、ヒッピーとヤッピーの合体したものですから。その新しい世界の中では、旧来の価値観からは非倫理的なものだったり逸脱的なものも居場所を認められていた。それは裏表で、たとえばゲイやマイノリティーは東海岸では暮らしにくかったけれど、西海岸では自由を認められた。そういう意味での逸脱なり非倫理性には意味もありましたが、その非倫理性や逸脱自体がまずいことを生んでいるのではないかという反省が、どうも最近のフィクションでは多い。大きく考えるに、六〇年代の拡大・成長の時代に対して、二〇一〇年代というのは有限性と縮小の感覚を前提に、持続の方が重要と感じられる時代なんですね。やはりそれは作品のモードというか考え方のモードに影響していて、どんどん拡大して拡張していくっていう時代と違って、小さくなっていく、死んでいく、終わっていく、絶滅するという考え方がどうもポップカルチャーにも影響している。大きく見れば、人類の思想そのものの大きな転換期なのかもしれないし、そうではないかもしれない。

『レッド・デッド・リデンプションⅡ』(二〇一八)というゲームは、これは『グランド・セフト・オートⅤ(GTA Ⅴ)』というある地方都市で残虐な犯罪行為をしまくる世界で一番売れたエンターテインメントを作ったクリエーターたちの最新作です。『レッド・デッド・リデンプションⅡ』は西部の開拓時代の話で、西部開拓地はおそらく初期のネットのメタファーになっています。荒くれものたちがフロンティアを目指していって、そこで様々な自由を謳歌するのだけど、そこはだんだん近代化されていって、都市化されて追い詰められて居場所がなくなってくるという話なんです。主人公がギャングなんだけど、途中で人を殺したり暴れたりするのはやめた方がいいんじゃないかと宗教的回心をして、弱者を救わなければならないと変わっていきます。明らかにゲームという非現実的な空間において、逸脱や自由の価値を肯定し欲望をそそるようなフィクションを作ってきた彼らにとって、これは自己否定であり、贖罪なんですよね。実際、ディレクターは会社を辞めてしまいました。あと一つ何かに成功すれば、あと少し行けば、もうこの犯罪が成功すれば、自分たちは理想世界に行けるんだみたいなことを何回も言われたのに、何回やってもうまくいかなくて、その結果犯罪をするからたくさんの人が死んでいく。そんなことをいつまでやっても仕方がないだろうということがこの作品の主題となっていて、資本主義・新自由主義・キリスト教批判でもありますよね。ポスト・トゥルスなどの、ネットや社会の状況の影響を受けて、大きな転回をポップカルチャーも迎えているように見えます。

Ⅳ　おわりに　今後どうなるのか？

最後に、もし特に何も手を打たなければ今後どうなるのか、論理的に外挿してみたいと思います。

おそらく、思考力や論理性の低下は止まらないでしょう。インターネットがあるので、みんな本を今までみたいに読むことはできないし、ゲームやスマホが主流のメディアとしてより支配的になっていくと思われます。人々は、「読書」によって形成されてきたような近代的自我とは違う自我にある。それを「神経症モデル」から「依存症モデル」と呼ぶこともできると思います。そして、人々が直感的・感情的に判断して、それに訴えかける広告キャンペーンも多分自然には減らない。それは国が整備するか、世論のプレッシャーで企業を動かさないと駄目で、マスメディアが多分凋落する流れは変わらないでしょう。ただ、政府の介入や教育によって、この状態を軽減する方向はありえます。そして、「対話」を生み出すメディアの試みや民主主義の重要性の強調ですが、そのような古典的な人文学的手法はどこまでポスト・トゥルスに有効か分からないです。もう人々を信じるのは辞めて、権力により上から統治するシステムを作ることになるかもしれません。中国型の社会ですね。反逆とか自由というものが悪いものだ、システムや権威を信じようという流れが加速すれば、そっちになる可能性もある。あるいは、内向きに穏やかで倫理的に、人々がケア的に調和するという世界像もありますね。

とはいえ、このままの社会では創造性は低下するでしょうね。この縮小をしていくという精神のモードで、かつ、調和を重視し逸脱や自由を嫌う社会では多分創造性というのは全体的に低下すると思います。

社会課題の解決に創造性が必要だと文化庁が言っていますが、そちらの観点では少し心配ではありますね。環境危機を解決したり、AI時代に適応できるのかと。今常識と思われていることを疑い、新しい良いものを考えることが創造では必要なので、「カッコに括る」「自由なブレインストーミングをする」みたいなことの重要性までは忘れられないで欲しいと思います。

人々が情動で動くことから帰結する未来として、新種のネットファシズムが猛威を振るう可能性も充分にあると思います。ファシズム、ナチズムはそもそもラジオという新しいメディアを使ったわけですが、新興のメディアはいつでもこういうふうに使われる傾向があります。これはなんとか制御し食い止めなければいけない。逆に反省が行き過ぎて、過度なエビデンス主義、科学実証主義的な時代になることもあるかもしれない。これはもう、国語教科書から文学をなくして、契約書を読もうみたいな流れもそうだと思いますが、人文学的・文学的な価値観は少し不利な状況かもしれないですね。

今起きていることはおそらく六八年的な、体制に対する反逆と社会の体制や大企業との折衷が起きているわけですね。SDGsやエコ、フェミニズムやLGBTなどはそうですね。かつての反体制の反逆者の主張を、体制や社会、国連や大企業が推進しているわけですね。地域アートや北川フラム、クールジャパンにもこういう側面がありますね。これはいいことではあるのですが、サブカルチャーやカウンターカルチャーの魅力って、既存の価値観の外部にあることだったりするわけですよね。ワルだったり、不良だったりの魅力ですよ。しかし、包摂され体制内化されてしまうと、そういう側面が矯められてしまう。そうなったときに、「ワル」「不良」的な外部を志向する人たちがQアノンやインセルなどに回収されてしまうようになったのではないかなとも思うんです。サブカルチャーやカウンターカルチャーの果たしていた機能が変わってしまった帰結でもあると思うんですよ。包摂と浄化の方向は、いいんだけど、この息苦しさに適応できない人の問題は、今後深刻になるだろうと思います。もっと多様で自由な包摂であるべきなんですけどね。
最後に、楽観的な考え方も紹介します。山本圭さんという政治学者で、エルネスト・ラクラウやシャンタル・ムフなどの研究者ですが、彼は民主主義は機能するから大丈夫で、社会や状況が変わっても、問題が起きるような人たちが出てきてもそれを抑制する人たちも出てくるから、長い目で見れば民主主義が機能するのではないかと言っています。それが民主主義の自己修復力だと言うんですね。それが本当なのかわかりませんが、メディアやテクノロジーが変化して、それに我々の接する時間も増えて、我々も多分神経構造や感性、認識などが様々に変化している中で、ポスト・トゥルスや民主主義の機能不全が起きていると考えるのが妥当であり、そのために人文学や批評もアップデートされないと、ラトゥール言うところの、古い武器で戦場に出るようなことになりかねない。そんなことを僕は危惧しています。だから、大規模に体制もシステムも価値観も変わるべきなんだと思うんだけど、遅々として進まないですね、特に日本では。

室井　どうもありがとうございます。あまり聞いたことがない非常に面白い話で、おもちゃ箱をひっくり返したように知らないことがいっぱい出てきますよね。インセルっていうのも初めて聞きましたし、あといつの間にかウォシャウスキー・ブラザーズがウォシャウスキー・シスターズに変わっていたという。レッドピルを飲むという話もおもしろかったんですが、昔浅田彰さんが監修していた『日経イメージ気象観測』という雑誌がありましたが、一種の文化の天気予報的なお話になっていて、藤田さん自体がどういうスタンス、ポジションなのかがいまいちわかりにくかったです。つまり僕たちとしては、論理力や思考力が低下する、創造性が低下すると断言されてしまうと、やっぱり少し「うん、そうなのか」という感じです。最初の話はポスト・トゥルスというものが、やはり一種の陰謀であるとかゲーミフィケーションというふうな形で、現実とは違うものというふうに扱われていたと思うんですけど、そのうちやっぱりすべてポスト・トゥルス的なというか、左翼がやっていることもポスト・トゥルスだし、フェミニストもポスト・トゥルスだし、結局はレッドピルを飲んで、そういう今までの嘘のインテリたちが言っていたリベラルだとかフェミニズムだとかといった偽の世界から、フェイクな世界から目覚めようと言っているのはポスト・トゥルスだという話もだし、その辺りの話も聞きたいと思うのですが……。

（以下、大澤真幸氏や、研究会メンバーを交えた討論が続くが、本書には収録しない。興味がおありの方は、書籍『２０２１年度オープン研究会「ポスト・コロナのポップカルチャー」最終報告集』を参照してほしい。ウェブ版も無料で公開されている）

第三部　ネット時評

Ⅵ　ネット万華鏡（『共同通信』二〇一四年一月 - 二〇一五年二月）

「炎上政治」拡大に危うさ　論戦繰り返す百田尚樹（二〇一四年一月二〇日）

百田尚樹の小説『永遠の0《ゼロ》』が話題だ。映画化もされ大ヒット。原作は平成以降で最も売れた文庫本だという。なんと四〇〇万部を超えた。

そんな彼が論客でもあるのをご存じだろうか。インターネットの発信ツール「ツイッター」上で、日々論戦を行っている。二〇〇九年、「民主党のあまりにひどい政策と迷走に我慢がならず」意見を言うようになったと自著で明かしている。

彼の言葉は過激だ。「売国民主党」「日本には頭の狂った『反日ジャーナリストや学者』が大勢いる」「『南京大虐殺』はほぼ捏造の産物であると確信した」。小説から受ける印象とはギャップがある。

その主張は、ネット右翼の意見と似ている。ネット右翼とは、マスメディアが真実を隠しているという陰謀論を主張する、排外主義的なナショナリストである。嫌韓国、嫌中国の傾向を持ち、日教組や戦後民主主義を敵視する。ネットの特定の討論空間で醸成された思想・感情である。

百田の言葉は、彼らの攻撃性や自尊心を刺激する単語にあふれている。それが賛同と反発を生み、激論となる。いわゆる「炎上」だ。悪評であれ、注目が集まれば知名度は向上する。これは橋下徹大阪市長〔当時〕が行っていた手法と非常によく似た、「炎上政治」とも呼ぶべき自己アピール術である。

百田は『日本よ、世界の真ん中で咲き誇れ』という安倍晋三首相〔当時〕との共著を刊行した。さらに、安倍内閣の人事により、NHKの経営委員に任命された〔二〇一三―二〇一五〕。首相官邸もフェイスブックページを開設し、ネットの意見を取り入れている。そこには、ネットの炎上を利用しようとする意図が透けて見えないだろうか。

ネットに表出される不満もすくい取ろうとする政治は間違っていない。だが、そこには危うさもある。ネット上の不満は暴走することもある。その火が自分に飛び火しないとも限らない。マスメディアとネットが複雑に絡み合う新しい言説空間に注視が必要だ。

富裕層に広がるライト保守　不安とはき違えの先に〔二〇一四年二月二〇日〕

東京都知事選の候補者たちは、インターネットを用いた多種多様な戦略を駆使し、注目すべき結果を残した。なかでも、田母神俊雄が全体の一二・五パーセント、約六一万票を獲得し、得票数第四位にまでなったことは特筆すべきである。

田母神は元航空幕僚長、現在は軍事評論家である。日本の「自虐史観」を批判し、軍備の増強を謳っており、ネットでの知名度が高い。田母神に投票した人は二〇代に多いとされ、ネットに触れる時間の多い層に人気があることがうかがい知れる。

だが、それが「ネット右翼」だと切り捨ててはいけない。従来のネット右翼とは、貧困で、疎外されており、アイデンティティーが脆弱であると語られてきた。しかし、得票率が高かったのは、千代田区、中央区、港区などの富裕層が多い地域だったのだ。ネット右翼というより、「ライト保守」とでも呼ぶべきか。

ネット上で田母神支持を表明している女性も少なくない。田母神は、二〇一一年に、フジテレビが韓流ドラマなどを流し、偏向報道をしていると主張するデモに参加した。このデモでは、子ども連れの女性の姿が目立った。都知事選でも、ツイッターにおいて「たもがみ通信女子目線」と題し、女性が書いていることをアピールしている。

富裕層や女性が田母神を支持する背景には、ネットにおける漠然とした嫌韓ムードがある。それらは、身近なメディアであるテレビでよく見る韓流ドラマやK‐POPなどに矛先が向きやすい。それらを文化侵略のように感じるらしいのだ。

生活における安心や安定感が脅かされている感覚は、理解できる。せわしなくルールや生活形態が変動し、不況も長引いている現代、その原因を何かのせいだと言ってくれる存在は、気持ちを楽にしてくれる。もはや富裕層にまで拡大しつつあるその心情が、田母神への支持につながったのかもしれない。

哀しいことに、守るべきものをはき違えているのだが。

検証された小保方論文　草の根の能動性にみる力（二〇一四年三月二〇日）

今年に入り、捏造をめぐる問題が相次いで起きている。

佐村河内守と、小保方晴子である。佐村河内については、作曲をゴーストライターである新垣隆が行っていたことと、「全ろう」とした肩書が偽りであったことが問題視された。小保方については、STAP細胞の論文発表直後から、再現実験が成功しない、画像がコピー・アンド・ペーストされ論文の一部が盗作されているなどの疑惑が噴出した。

気になるのは、両者ともマスメディアを巧みに利用した点だ。長髪にサングラスという、いかにも芸術家然としたスタイルで、東北の海を見つめた佐村河内。かっぽう着で実験をするという、「リケジョ（理系女子）」アピールをした小保方。メディアが大々的に取り上げ、たたくという、マッチポンプの構造がここにはある。そこでは、キャラクターが立っているものにこそ意識が向かいがちな視聴者・読者の精神構造もまた〝共犯者〟になっている。

ネットでもマスメディアの騒ぎと連動して、さまざまな議論が行われた。人間関係への邪推、勘繰りなどもあるが、科学論や博士論文制度の在り方、あるいはジェンダーをめぐる議論すら湧き起こっている。注目すべきは、小保方の論文を検証していったネットの住人たちである。博士論文を取り寄せ、文章や画像の盗用をチェックしていった。まるで集団の人間コンピューターのように、多数の人間が無数の方向から調査をすることで、草の根ジャーナリズムとして機能し、それがマスメディアにもフィードバックした。

海外の例になるが、イギリスの『ガーディアン』紙は二〇〇九年、国会議員の数十万もの経費申請書や領収書をネットユーザーの協力で解析するプロジェクト「地元選出議員の経費を調べよう」を成功させた。

もはや視聴者も読者も受け身ではない。その能動性が持つ可能性と力が、今回の事件で垣間見えた。

終わりつつある自由幻想　2ちゃんねる乗っ取り騒動（二〇一四年四月一八日）

インターネットの掲示板「2ちゃんねる」に、乗っ取り騒動が起こっている。サーバー管理者ジム・ワトキンスが、サーバー代の不払いを理由に、2ちゃんねるの差し押さえを宣言。それに対し、開設者の西村博之は、自分が正当な権利者であると主張。両者とも、法的措置も辞さないことを明言している。

この件は、〝2ちゃんねる的〟なものが、新しい時代に移ったことを象徴している。

多くの方は、2ちゃんねるを、犯罪や誹謗中傷の温床であり、悪ふざけを行う空間と認識しているかもしれない。しかし、かつては希望もあったのだ。インターネットが可能にした「表現の自由」を万人が手にすれば何かが変わるという期待は確かに存在した。実際、内部告発や、趣味の連帯などで、2ちゃんねるには有益な部分もあった。

2ちゃんねるは、情報社会と遭遇した日本の言説空間が、「表現の自由」をどう扱うかについての試金石だった。良かれ悪しかれ、それは、「本音と建前」を使い分ける日本特有の言説空間やコミュニケーション作法の陰画として生まれた。事実、他の国では2ちゃんねるのような匿名掲示板はそこまで発達していない。

2ちゃんねるは、万人の万人による自由な発言により、理想的な言説空間を生み出せるはずだった。しがらみばかりで「真実」を報道できないのだとマスメディアを批判する際の担保になっていたのは、その「自由」だったはずだ（その「自由」は今ではヘイトスピーチを行う自由へと転換してしまったようである）。

今回の騒動は、マーケティング会社、広告会社などが、2ちゃんねるに支払っている多額の金銭が争点になっている。2ちゃんねるが、資本や政治のしがらみから自由ではないことが明らかになった以上、「真実」があるという幻想も失われていくだろう。

ひとつの理念が、終わりを迎えつつあるようだ。

ゲーム内でも時間が資源　大人も子どももパズドラ（二〇一四年五月二〇日）

パズドラ、ぷよクエ、艦これ。これらの名前を、テレビCMで目にしたことはないだろうか。これらはみな、スマートフォンを使って行うゲーム、通称「ソーシャルゲーム」である。今や、事業規模としても、ユーザーの数としても、社会的・文化的に無視できる存在ではなくなっている。驚くべきことに、ゲーム配信アプリ「モバゲー」を提供しているディー・エヌ・エー（DeNA）の株価の時価総額は、一時はテレビ朝日ホールディングスより高かったのだ。

電車に乗れば、かつては新聞や雑誌、文庫本を読んでいる人たちが多かった。今や、大人も子どもも、スマホをいじってゲームをしている。明るい液晶の中、パチンコを思わせる鮮やかな色彩と動きを目で見て、指で操作し、ゲームに興じる。気軽でダイレクトな快感が、脳を痺れさせる。

読書体験が、言葉を通して思考を作っていたのだとすると、スマホやソーシャルゲームで育った人々は、別種の思考や感性を身に付けるだろう。それは、即座にレスポンスを求めるこの社会に適応した人間になる、ということかもしれない。一方で、反応のない白黒の文字をじっと眺め、沈思黙考する態度は後退し、論理が脆弱になっていくに違いない。

興味深いのは、その内容である。多くはカードとして現れるキャラクターたちを、揃え、育て、戦わせるものである。プレーヤーは指揮官となる。戦いや冒険をすると、画面上のエネルギー値が目減りしていくのだが、現実に数時間単位で放置することによりそれが回復する。だから、効率よく快楽を得て、ゲームをクリアしようとすると、プレーヤーは、バイトのシフトを決める店長のように、必死にマネジメントをして、時間という資源のやりくりをするようになっていくのだ。

たかがゲームとあなどるなかれ。良くも悪くも、それは時代に応答し、新たな感性と思想をつくり出す存在なのだ。

波紋呼んだ『美味しんぼ』「風評被害」と表現の相克（二〇一四年六月二〇日）

人気漫画『美味しんぼ』が波紋を呼んだことは記憶に新しい。作中において、福島県を訪れた主人公が鼻血を出し、それが放射性物質のせいであるかのような描き方をしたことが発端だった。インターネット上で大きな批判と論争を巻き起こし、科学者やマンガ研究者などを巻き込み、さまざまな人々が「科学」や「表現」をめぐる論争を繰り広げた。

そこでは「風評被害」というロジックが前景化した。双葉町は「差別を助長させる」として版元の小学館に抗議した。さらに、石原伸晃環境相〔当時〕までもが同作を批判した。

「評判」という実体のないものが、実体にも影響を与えるのが現代社会だ。アベノミクスという経済政策もまた、強気でいることによって、日本経済の印象や評判を操作し、好景気を生み出そうとする部分がある。評判やイメージを巧みに操ることも、現代の政治の重要な仕事である。

このときに相克するのが、政治による表現の管理と、個人による表現の自由である。「風評被害」なるロジックには、あらがいがたい強さがある。福島をいじめる側には立ちたくない、かわいそうと思ってしまう。結果的に、表現が萎縮する。

こういう例もあった。過労死などが問題視され、ネット上で「ブラック企業」として批判される企業について、ある放送局が番組で「風評被害」と表現したことが議論を呼んだ。これでは、何に対する批判も「風評被害」とされる言論空間がつくられかねない。

今では右からも左からも規制を望む声が聞こえる。ネット上の右翼は『美味しんぼ』を、ネット上の左翼は「ヘイトスピーチ」を規制せよと主張する。だが結果、「表現の自由」を失うのは両者である。確かに、「風評被害」も「ヘイトスピーチ」も問題である。匿名空間の誹謗中傷やデマには、腹が立つ。それでも、「表現の自由」は守らなければならない。

さもなければ、すべての告発や批判が、善意の名の下に封殺される世界が訪れるだろう。

抗議の焼身にみるギャップ　リアルタイムに情報拡散（二〇一四年七月一八日）

新宿駅の南口で六月二九日、自身の体にガソリンをかけ、火を放った男がいた。集団的自衛権に反対の立場から演説したのち、抗議のために行ったのだ。焼身自殺による抗議といえば、一九六三年にベトナムの僧ティック・クアン・ドックが仏教弾圧に抗議して行い、その写真が世界中に流通し有名になった。ここ最近の日本では珍しい、過激な抗議行動であった。

この焼身自殺未遂の報じ方はさまざまであった。ほとんど報道しない社もあった一方、大きく報じる海外メディアもあった。ネットでは、各局と各紙がどのように報じたのかの「まとめ」が作られ、海外メディアの反応などと比較された。ネット上の意見でも、抗議活動として称賛するものもあれば、単なる迷惑行為として非難する声もあった。自殺報道についての世界保健機関（ＷＨＯ）のガイドラインを参照した、報道そのものをめぐる議論すらあった。

重要なのは、この行為が、個々人がカメラを持ち、ネット接続されている環境で行われたことである。新宿南口の歩道橋の上に乗り不特定多数の人から見える位置で実行したため、多くの携帯電話で動画や静止画が撮影され、リアルタイムに近い状態でネットに拡散した。見ている人たちの声も驚くべき早さと量で流通した。

リアルタイムの情報伝達装置を個々人が所有している環境では、感情の揺さぶられ方が、従来のメディア越しの経験とは異なる。二〇〇八年の東京・秋葉原での無差別殺傷事件も、その場にいた人が〝実況中継〟したことでインパクトが増し、韓国におけるフェリーの転覆事故も、沈むまでの間に内部から届いた言葉と映像が、生々しさと無念さを大きくさせた。

そのような情報・メディア環境での効果を計算したのか、偶然そうなったのかは、わからない。しかし、自身の体に火をつける生々しい行為と、好奇心による撮影・実況中継で駆け巡る情報との間には、なんともやりきれないギャップがあった。

議論を呼んだろくでなし子　社会運動もゲーム感覚に（二〇一四年八月二〇日）

芸術家のろくでなし子が七月に逮捕され、その後、釈放された。容疑はわいせつ電磁的記録頒布。３Ｄ

プリンターで印刷可能な、自身の性器のデータを配った。

彼女は、クラウドファンディングと呼ばれる、インターネット上での金銭支援システムを用いて作品の資金を集めていた。支援者へのプレゼントとしてデータ頒布をしたことが罪に問われた。わいせつかどうか、議論の余地はある。

ネットでの反応は興味深かった。まず肩書を「自称芸術家」と報道したマスメディアに対する反発が激しく起こった。次に、「表現の自由」に対する弾圧だとして、男性のオタクたちも味方した。フェミニズム的な主張に賛同する者たちの議論も巻き起こった。

そしてネット上で、国内外から二万を超える署名が集まった。「わいせつ」の定義は社会通念で変わる側面がある。署名は社会通念をはかる一助となるので、司法の判断を変える可能性がある。

しかし、ネット署名のサイトを作った人間は、彼女と報道以前は面識もなく、思想に強い賛意があるわけでもなかった。

本人はブログで「一言でいえば『カッとなってやった』です」とした上で、「選挙支援のアルバイトを行っていたので、どの程度拡大するものなのか社会実験としてやってみたいと思った」「東京都議会での女性差別やじやレイシズムに対する違法判決等があったので、時勢から『勝てそうだ』と思った」などの理由を挙げている。

「社会実験」「勝てそう」という、ある意味でドライなゲーム感覚。政治運動・社会運動の側面を持つ行為が、かなりライトな理由で行われていた。署名をした人たちの中には、この動機への戸惑いを表明している人もいる。

しかしそのクールさゆえに「実験」は成功し、ある程度の力を持ったのかもしれない。政治的に見える活動の「動機」も変わってきている。

利用される「分身」たち　クラウドサービスに危うさ（二〇一四年九月二二日）

米アップル社のクラウドサービス「アイクラウド」からハリウッドセレブらのヌードが流出し、騒ぎになっている。クラウドとは、インターネット上にデータなどを保存する仕組みのことである。パソコンの中ではなく、ネット上にデータを保存する機会はビジネスなどでも増えている。アイクラウドは信頼性が高いと思われていただけに、衝撃は大きい。

ネット上の情報流出事件は、最近何度も起こっている。二〇一一年にはソニーのゲーム機「プレイステーション」のネットワークなどがサイバー攻撃に遭い、約七七〇〇万人の個人情報が流出した。今年は、ベネッセコーポレーションの個人情報の漏洩も発覚した。

写真やクレジットカード、住所といった情報流出の被害は想像が容易だろう。だが、もっと結果が想像しにくい被害もある。現在における個人情報の価値とは、〝個人そのもの〟について知ることにある。どんな嗜好を持ち、どのホームページを見て、そこに何秒滞在したのか。何を買ったのか。年齢は、性別は、ライフスタイルは。それらの断片的な情報が、本人の自覚しないままに集積されていき、それぞれの業者が組み合わせることにより、データ上の「分身」が構築されていく。

ＪＲ東日本がＩＣ乗車券「Ｓｕｉｃａ《スイカ》」の利用データを企業に販売しようとして問題となったが、それはそれだけで「個人を特定できる情報」でなかったとしても、複数のデータを組み合わせることで実質的に個人を特定することが可能とされているからである。

これらは「ビッグデータ」と呼ばれ、マーケティングなどに用いられている。もちろん、群衆の行動予測は、社会運営や政治的な目的に使うことも可能である。電車の混雑や渋滞が解消されたり、流通が効率的になったり、便利さが向上する部分はある。だが、気づかないところで思想や行動まで管理され誘導され得る別種の手段が誕生したということでもある。注意が必要だ。

問われる「寛容」の意味　反差別主義者も差別的？（二〇一四年一〇月二〇日）

差別や排外主義が苛烈になってきている。在日外国人や障害者に対する心ない罵倒はインターネット上では数知れない。

最近では、混雑時の電車に、視覚障害者がつえを持って乗り込むことや、親が赤ん坊の乗ったベビーカーを持ち込むことが「迷惑」であるという意見があり、大きな議論を呼んだ。思いやりや寛容の精神が、著しく後退している。

排外主義と闘う「対レイシスト行動集団」という団体がある。団体を結成した野間易通《のまやすみち》は、首相官邸前での脱原発デモなどの大規模な街頭行動に深く関わってきた。彼がネット上で繰り広げている論争、もとい泥仕合は、現状を理解する一つの手がかりとなる。

彼は、レイシズム（人種差別主義）と闘うという目的を掲げて行動しているが、「キモヲタ文化は全否定します」などと、ネット上でオタクたちを差別するような発言をし、反感を買っているのだ。確かにそれは「反差別」という標語と矛盾している。その他、オタクを批判する際に用いた言葉が「精神障害者差別」ではないか、という疑問も呈されている。

それに対し、野間は、民族差別こそが重要な問題である旨を発言している。状況として民族差別が深刻なのは間違いがない。だが差別は民族に対するものだけではない。

野間は、リベラルな人々の寛容さこそが、レイシズムを野放しにしていると批判するが、それはネットの自由さがもたらした彼への「ツッコミ」の連鎖にうんざりしての発言のようにみえる。確かに、「現場」での「行動」は評価すべきだ。ネットの住人たちは現場の矛盾も知らず、きれいごとや理屈ばかり言っているようにも思える。

それでも、寛容さが根本では必要なのだ。排外主義は克服しなければならない。一方で、反排外主義者までもが非寛容になれば、この社会はますます生きにくくなる。僕たちは難しい道に立たされている。

日常に入り込む演者的精神　スマホいじるアイドルたち（二〇一四年一一月二三日）

地下アイドルと呼ばれる、東京・秋葉原の劇場を中心に活動している女性たちに会う機会があった。そこで見た光景から、インターネットが芸能のあり方を変質させていることを痛感した。

彼女たちは、時間ができるとすぐにスマートフォンをいじり、ツイッターなどをチェックし、時々自分たちの姿を写真に撮ってアップしていた。態度が悪いわけではない。ネットを通じたファンへのアピールや交流は、重要な仕事の一部なのだ。

音楽がネットで手軽に入手可能になった現在、CDはかつてほどは売れなくなっている。違法コピーもはびこる中、物質としてのCDを買ってもらうには「握手」や「会える」などの付加価値が必要である。音楽そのものではなく、コミュニケーションを提供することがアイドルの仕事になりつつあるのだ。

ファンたちのツイッターや、匿名掲示板をのぞいてみた。アイドルに一方的にメッセージを発し続ける者、生活費の大半を注ぎ込み、ファストフード店で毎晩過ごす〝マック難民〟になっている者までいた。ファン同士は互いに、自分が想いを寄せているアイドルに近づかないように「監視」し牽制し合っている。匿名掲示板では、もはやアイドル当人のライブの感想などそっちのけで、劇場に来る有名なファンたちの名前などが羅列され、容姿や性格などを話のネタにしている。客席で踊る「オタ芸」に対して演者の意識を持つ者すらいる。

ここでは、演者と観客の境界が崩れ始めている。誰もが演者的精神を持たされる一方、演者はプロのパフォーマーというよりは接客業に近づいていく。一般人が芸能人的になり、芸能人が一般人的になっているのだ。

おそらくそれは特殊な業界だけの話ではない。アイドルたちがスマホをいじり〝自撮り〟し続けている光景は、普通の女子学生たちの日常の延長のように見えた。

民主主義は終わったか　閉じる価値観と衆院選（二〇一四年一二月二二日）

衆院選が行われ、自民党が圧勝した。共産党が議席を伸ばし、次世代の党が大きく議席を減らした。共産党は若者向けにインターネット上で活動する「カクサン部！」が話題を作ったり投票を促したりする努力を行い、一定の効果があったとみるべきだろう。一方、次世代の党はネット上の右派には支持されたが、大敗した。筆者が取材した田母神俊雄の演説会場は閑散としていたが、動画サイト「ニコニコ生放送」での中継は盛り上がっており、現実とネットの乖離を感じた。

選挙後、ネットでは「自分の周りには自民党の支持者なんかいないのに」「民主主義が終わった」という大合唱が起こった。実はこれ、近年の選挙の〝風物詩〟である。

自民党を擁護するわけではないが、自分の願っていた結果と違うから民主主義が終わったなどと言いだすのだとすれば、お門違いであろう。自分自身とは異なる思想や信条、利害で動いている他者の存在を受け入れ、尊重することが民主主義の重要な成立条件である。

ネットでは、自身の価値観を追認するようなサイトばかりを見たり、似た価値観の人間とばかり付き合ったりする結果、思い込みがどんどん強化される「フィルターバブル」現象が起きる。「自分の周りには……」と思ったときは、狭い価値観の檻を自ら作っていないか疑うべきだし、選挙結果を「フィルターバブル」を割る好機と捉えるべきだろう。

そもそも、ネットで話題になっている論点争点と、有権者の多くが重視した政策のポイントが乖離していたことも重要な点である。ネット空間そのものが、特定の価値観の中に閉じ込められてしまっている部分もあるのかもしれない。

ネット民主主義などに期待をかける議論が一時期盛んであったが、この結果を踏まえ、地に足が着いた議論をやり直さなければならないだろう。

移ろいゆく「表現の自由」 ソニーへのサイバー攻撃（二〇一五年一月二〇日）

北朝鮮政府にサイバーテロの「責任がある」として、アメリカのオバマ大統領が対抗措置をとると警告した。金正恩第一書記を風刺したコメディー映画『ザ・インタビュー』を製作した米ソニー・ピクチャーズエンタテインメントが、サイバー攻撃されたことを受けてだと言われている。使われていたコードから北朝鮮に責任があると判断したらしい。

驚いたのは、オバマ大統領の毅然とした対応である。一企業の、一映画に対するサイバー攻撃から「表現の自由」を守るために、ＦＢＩと大統領が動き、一つの国に警告をしたのだ。果たして日本で、このような対応が考えられるだろうか。国家として、「表現の自由」を守ろうとする姿勢を見せられるだろうか。

このギャップの背景には、テロへの認識、サイバー攻撃への対応能力の差、「自由」という理念の価値の違い、アメリカという国の軍事的優位などがあると考えられる。

しかし、アメリカを手放しで称賛もできない。なぜなら、アメリカは多民族国家であり、差別などの歴史的経験を克服しようとする努力ゆえに、ポリティカル・コレクトネス（政治的正しさ）への配慮が行き過ぎる部分もあるからだ。

たとえばルイ＝フェルディナン・セリーヌのような歴史的に重要な文学者の一部の作品は、反ユダヤ主義的な記述がアメリカでの出版の障壁になってきた。それを是とするかどうか、賛否が分かれるだろう。

政治的正しさからの文学作品への制約という点では、日本の方がより「自由」であろう。その代わり、「ヘイトスピーチ」なども、「表現の自由」の名の下に野放しになっている。痛しかゆしである。「表現の自由」を守りながらも、差別や攻撃などは許さないような社会を、どう構築したらよいのだろうか。

これはひとつの象徴的な事件である。インターネットの出現が言論の世界を大きく変えた今、全世界的に「表現の自由」を新しい概念に鍛え直す必要に迫られている。

人質事件と「クソコラ」現象　テロへの不謹慎な抵抗（二〇一五年二月）

「イスラム国」を名乗るテロ組織が、湯川遥菜さんと後藤健二さんを人質に取り、その後殺害するという痛ましい事件が起きた。その間にインターネット上では特異な現象が起きていた。

イスラム国は、インターネットを駆使するテロ組織である。「ハリウッド映画みたい」に編集した動画をユーチューブなどに公開し、脅迫に用いるとともに、勧誘にも利用し、先進国からもメンバーを集めている。ツイッターを広報で活用し、日本語も使う。

さて、日本のネット空間は。ユーザーたちは人質の映像が合成ではないかと疑い、解析。その後、その映像を用いたコラージュ画像がものすごい勢いで作成され、「イスラム国クソコラグランプリ」と呼ばれる〝遊び〟が発生した。内容は、不謹慎でナンセンスなギャグ。それを見て、イスラム国メンバーらしき人物がツイッターで怒った。

これを、フランスのメディア「フランス・インター」電子版が、「ユーモアで対抗」と評価。風刺週刊紙「シャルリーエブド」襲撃事件をめぐって問われた表現の自由の観点から「日本人もまたシャルリだ」と伝えた。

もちろん単純に肯定できる話ではない。嫌悪感を示した人も多い。想像力の欠如も否定できないだろう。だが、そこに一定の意義は見いだし得るのではないかとも思う。

テロは、恐怖により目的を達成する手法だが、笑いは恐怖を破壊することがある。国内で起こるさまざまな議論や対立は、それ自体がテロの悪しき効果である。イスラム国や日本政府をめぐって、時には安直とも思える原因の追究がなされた。一方で「無意味な笑い」は、単純な因果や条理が成立しないことを伝える効果を持つ。「クソコラ」は、この対立そのものへの暗黙の批判とも解釈できるのではないか。

想像力を超えて展開する「現実」。泣きながら笑うような、抵抗。この不謹慎なる抵抗を自発的に生み出す場所が、良くも悪くも、現代日本のネットなのだ。

Ⅶ　ネット方面見聞録（『朝日新聞』二〇一九年四月－二〇二三年一二月）

選ぶのは秩序か自由か（二〇一九年四月）

新元号「令和」の「令」を、諸外国では「order」と訳す報道があった。それに対し、外務省は英語表記は「beautiful harmony」であると発表した。「秩序・命令」なのか「美」なのか。ネットの動向を思い出した。

初期のインターネットは「自由」を志向する空間だった。コンピューター産業が発展したのは米西海岸。ヒッピー的な気風を受け継ぎ、「カリフォルニアン・イデオロギー」と呼ばれる自由で反体制的な志向がネットやそのユーザーに共有されていた。その象徴が、わいせつ画像を規制する法への抗議としてジョン・ペリー・バーロウが記した「サイバースペース独立宣言」（一九九六年）だ。国家統制を嫌う、自治的なアナキズムが理念としてあった。

インターネットの自由さは、「アラブの春」を代表とする近年の世界的な大衆運動に力を与えたと言われる。「真の民主主義」を求める運動の結果、いくつかの国では政権が転覆すらした。この一〇年は、民衆が自由と権限の増大を感じ、それに賭けた時代だったと言える。もちろん、日本もその波の中にいた。

しかし現在、良くも悪くもネット空間はさほど「自由」ではなくなり、むしろ秩序や規制が強化される流れにある。例として、海賊版への接続遮断とダウンロード違法化がある。

昨年、漫画の海賊版サイト対策として政府がプロバイダーによる接続遮断を打ち出すと、日本インターネットプロバイダー協会などが「通信の秘密の侵害」だと反発するなどして頓挫。すると今度は文化庁が、「スクリーンショット」も著作権侵害物が映っていると知っていた場合には、違法にする方針を出した。スクショは誰もが日常的に行うので情報収集が萎縮するうえ、恣意的な摘発もありうるとの懸念からネットでは猛反発が起きた。まだネットでの抵抗が有効だと示すように結局見送られたが、ギリギリの状況だった。

ネット規制が厄介なのは、それを求め実行しているのは統治権力の側だけではないことだ。ネットではデマを真実のように流す「フェイクニュース」や、差別発言を繰り広げる「ヘイトスピーチ」が流行しているが、これを問題とする左派やリベラル派も規制を求めることが多いのだ。

九〇年代の無法地帯に近かったネットでは、児童ポルノや遺体の画像が大量に流通し、無料でソフトウェアをダウンロードし放題だった。多くの人は過激な画像の規制を良いと感じるだろう。デマや差別発言の規制を求めたくもなるだろう。ぼくもそうである。

そしてネットは浄化され、美しく調和的になるのかもしれない。しかし代償として、自由は後退する。どちらを選ぶのか、困難なせめぎ合いが今もネットで続いている。

ダーク思想、対抗するには（二〇一九年五月）

ダークな思想がインターネットではやっている。その名も「暗黒啓蒙（Dark Enlightenment）」と「インテレクチュアル・ダーク・ウェブ（Intellectual Dark Web）」。欧米で強まっている思想だが、日本でも着実に影響力を増している。

「暗黒啓蒙」とは、「新反動主義」の代表的論客であるニック・ランドがまとめた思想だ。人権や平等や公平などの近代的な思想やヒューマニズムを欺瞞と見なし、啓蒙に反発し、「暗黒時代に戻る」ことを目指しており、アンチリベラル、反民主主義、反フェミニズムである。その思想においてリベラルな価値観は「大聖堂」と呼ばれ、無意識にそれに支配されている人々を目覚めさせることが目的となる。人々を洗脳しているのはジャーナリズムだという。

その思想は、資本主義や科学技術をより加速させイノベーションを続けることで、既存の価値観からの「解放」を目指す。コンピューターの指数関数的に発展する勢いに触発されたとおぼしい。シリコンバレーの起業家たちに支持者が多く、アメリカ版ネット右翼「オルタナ右翼」の哲学的基盤だとか、トランプ政権で首席戦略官だったスティーブン・バノンが信奉者だとか言われている。

イノベーションや資本主義の加速と、暗黒啓蒙は、リバタリアニズム（自由至上主義）において両立する。技術や資本主義を加速させる自由こそが重要で、だからこそ、それを妨げる民主主義、人権、倫理、リベラルな価値観は邪魔なのだ。IT時代の「強者」の思想である。

「インテレクチュアル・ダーク・ウェブ」は、アメリカにおけるある特定の思想傾向を持つ知識人、学者、コメンテーターを指す呼び名だ。彼らは科学的なエビデンスをベースにして、リベラルやフェミニズムの欺瞞を撃つ。

議論で用いられるのは、進化論、認知心理学、行動経済学などだ。多くの人々が信じているリベラルな価値観に、科学的な「真実」を突き付けて世界観を変えようとする。「科学」や「エビデンス」で「論破」したがる人々は、ツイッターをしていれば毎日嫌になるほどたくさん出会ってしまう。このスタイルは、科学啓蒙書や人文書などで広範に見られるようになっており、ネットに限らない支持を得ていると思われる。

「暗黒啓蒙」が感情的な運動だとすると、「インテレクチュアル・ダーク・ウェブ」は科学的で理性的な装いの運動である。この両者とも、「民主主義」を虚構だと感じ、そこから目覚めさせるという目的を抱いている。そして今や、リベラルな価値観は挟み撃ちになり、支持を減らしつつあるように見える。

このリベラルの危機に、保守的・防衛的に対応することも重要だ。しかし、原因の一端は、明らかに、我々を取り囲む科学技術的な環境の変化である。だから、必要なのは、変動に対応した「リベラル」思想の更新ではないか。

市民VS.当局、サイバー戦争（二〇一九年六月）

香港で起こっているデモの画像や映像が、SNSでひっきりなしに流れてくる。二〇一四年に起こった民主化を求めるデモ「雨傘革命」を思わせるように、傘を持って集まった市民たちの姿が印象的だ。しかし圧倒的に多いのは、催涙弾を撃つ警官隊と衝突している場面である。見た人は、思わず警察に憤りを感じ、市民にシンパシーを感じるはずだ。

それこそが、二一世紀のデモの戦術だろう。雨傘を持つのは、安価にカラフルで視覚的にキャッチーな印象を作れるからだと思われる。日常的に皆が使うので平和的に見えるし、地続きに感じやすい。共感や同情の誘い方も計算されているのではないか。スマホとSNSが普及し、誰でも撮影し発信できる状況を前提とした抗議行動であり、それにより国際的な世論を動かすことを狙っているはずである。

デモ側がネット戦術を駆使する一方、中国側も様々な対処を行っている。中国はインターネットを統制しており、今回のデモの際にも、中国のSNSであるウェイボーでは、「香港加油（がんばれ）」などが書き込めなくなり、「香港」の検索結果も公式見解に近いもの以外は表示されないようになった。さらにはグーグル翻訳で「香港が中国の一部になるのはとても悲しい」と英語から中国語に翻訳しようとすると「うれしい」と誤訳される現象も報告されている。

抗議者たちは、逮捕を避けるために、テクノロジーによる監視・管理をかい潜らなければならない。監視カメラでの顔認証を避けるために顔を眼鏡とマスクで覆ったり、SNSやメッセージアプリの使用を控えたり、携帯電話の位置情報を切ったり、交通系のICカードを使うのをやめて現金を用いたりしている。

市民は、暗号化がしっかりしており盗聴・検閲されにくいメッセージアプリTelegramを用いた。それに対抗してか、このアプリに中国本土からDDoS攻撃（無数の端末からアクセスなどを行い、過剰な負荷をかけて機能不全にさせる）が行われたと創業者がツイートした。ほとんどサイバー戦争である。

今回のデモの直接的な理由は「逃亡犯条例」の改正がきっかけとされる。しかし潜在的には、特別行政区であり自由と民主主義に慣れている香港と、中国本土との、政治思想上の対立がある。中国本土ではグーグルやフェイスブックが規制されているが、香港では使えるなど、ネットのあり方の差もある。問題の本質は、ネットも含む「自由」と「体制」を巡るものなのだ。

日本も対岸の火事ではない。最近「中華未来主義」と呼ばれる思想が現れている。民主主義も自由も制限された中国こそが経済的にも科学技術的にも発展していることを根拠に、民主主義や自由の価値を低く評価する思想である。中国の成功は、全世界的に民主主義よりも全体主義を統治の方法として選ぶインセンティブを高めている。日本も例外ではない。香港のデモを他山の石にするべきだ。

善意の声に、感じた救い（二〇一九年七月）

京都でアニメーション制作会社への放火事件が起こり、三六人もの尊い人命が失われる痛ましい事件が起こった。

被害に遭った京都アニメーション（京アニ）は、「日常系」「空気系」と呼ばれる、キャラクター同士の関係性や空気感、日常的なコミュニケーションを描く作品でムーブメントを起こした。殺伐とした競争社会を反映しているような戦いや脅威を描くのではなく、優しく明るく仲良く日々を過ごす内容が多い。

学生に話を聞くと、これらのアニメを現実の困難に立ち向かう糧にしている者が実に多い。この事件で多くの者が精神的な支えを失うのも、容易に想像できる。

そのせいだろうか、SNSは悲痛な悲しみに包まれ、殺意や憎悪が渦巻いた。恐怖と不安と怒りの中で、人は理性的な判断力を失いやすく、往々にしてデマが横行する。大きな事件が起こったときには必ず起きることだが、容疑者についての勝手な推測や特定が表れた。そして「こんなことをするのが日本人であるわけがない」と決めつけ、人種差別的な過激な意見が匿名掲示板などで飛び交い、まとめサイトが作られた。京アニの資料が焼失したのは、国立メディア芸術総合センター構想を民主党が潰したからであるというデマも選挙直前に流れ、ツイッター上で拡散した。容疑者への殺意を表明したり、社会に適応できない人は危険なので排除すべきだと根拠のない優生思想を公言したりする者も多かった。

ネットでは、何か事件が起こる度に繰り返される光景だ。いわゆる「フェイクニュース」や「ポスト・トゥルース」（真実や事実より、感情や情動こそが世論を動かす状況）という言葉が象徴する、ネットの常態だ。

ただ今回は、善意の呼びかけが多かったことに、変化と救いを感じた。デマを拡散しないように、勝手な臆測を語ることを控えるメッセージもまたいち早くSNSで数多く拡散され、差別的発言には即座に批判が行われた。事件や災害のニュースを見続けると心が疲れるのでネットから離れるようにとの忠告も。不安や恐怖に駆られることこそが「テロ」の目的であるから、落ち着いて日常を楽しむべきだとの意見も数多く拡散され、賛同された。

前者は、ここ何年か続いたヘイトスピーチやデマとの戦いや、それに関する議論の成果であろう。後者は、昨今の災害などの経験からネット上で共有されるようになった知恵である。SNSは、どうも自浄作用を持ち、成熟してきているようである。

もう一つ。怒りをぶつけるよりはむしろ、支援のために自発的に作品やグッズを買う運動が起き、支援のためのクラウドファンディングを立ち上げるなど、ポジティブな傾向も目立った。

SNSやネットの問題性を改善しようとしてきた人々の努力と、人々の優しく明るい協調行動を描いてきた京アニの精神。その両者の交わったところに、ネットの成熟の可能性が垣間見えた。

情報と体感のギャップ（二〇一九年八月）

あいちトリエンナーレで「表現の不自由展・その後」が反日的だと炎上し、抗議の声が殺到して脅迫まであった。さぞかし現場は騒然としているのではないかとネットを見ていて想像したが、実際に足を運んでみると全く異なる状況だった。会場は穏やかで、ゆったりと観客たちが展示を観ていたのだ。ネットや報道での印象では「表現の不自由展・その後」があいちトリエンナーレのイメージのほとんどを占めてしまうが、それは会場のほんの一角でしかなかった。他の一作家と同じ程度のスペースでしかなく、ネットでの印象とそのサイズ感の差に、まず驚くことになる。

特に印象的だったのは、まちなか展示の「四間道・円頓寺」エリアだ。戦前からの情緒的な街並みに残る町屋の中などに作品が展示されており、街ぶらをしながら作品を観ることができる。人間らしいサイズの古い家並みや街路に囲まれながら、ゆったりとした時間を味わいつつ、道に迷いながら優雅に作品を観ていくことができた。「アート・プレイグラウンド　もてなす　ＩＮＴＥＲＡＣＴ」という展示では、現地のスタッフの人たちと観客が対面で話し、協働する。生身の人間の交流は、ネットとは大きく異なる。

ネットは物質性がないし、身体性がない。対面の人間の手ごたえもない。ゆえにいくらでも感情的になるし、過激になるし、自我も肥大化する。だが、等身大の人間らしさを体感すれば、世界の見え方が変わるはずではないか。あいちトリエンナーレは、このギャップの「体感」を多くの人にさせることで、ネット時代の問題性を乗り越えようとしてはいないだろうか。

実際、作品数が最も多い愛知芸術文化センターの入り口に近い展示は、アート・ユニット「エキソニモ」のメディアアートであった。巨大なスマホのようなものが二つ向かい合わせになっている作品からは、この国際美術展が「スマホ」「ＳＮＳ」「ネット」を主題にしていることへの意思表示を感じる。

あいちトリエンナーレ２０１９のテーマは「情の時代」である。会場の一つである名古屋市美術館の「ごあいさつ」には、津田大介芸術監督の言葉が掲載されていた。『情報』によって我々の『感情』が煽られ、それによって翻弄された人達が、今世界中で分断を起こしている」「人々の『情け』に訴えることによって、問題解決の糸口を探っていきたい」と。

意図したのかしていないのか、今回の炎上は、その「分断」を可視化した。そして、芸術祭の志をくみ取るならば、展覧会全体や個々の作品が提示している「問題解決の糸口」にこそ注目するべきだろう。個別の作品は、異質な他者と共存する困難さ、イデオロギーが異なる相手同士が手を結びうる可能性などを、アートならではの技法で提示していた。炎上によってそれが見えなくなるのは、残念である。

ドラクエが変える「現実」(二〇一九年九月)

スマホでプレーする位置情報ゲーム『ドラゴンクエストウォーク』が九月一二日に配信開始され、早くも五〇〇万以上もダウンロードされている。スマホの画面上にグーグルマップと連動した現実世界の地図が表示され、プレーヤーが歩くと、画面の中のキャラクターも地図の上を動く仕組みになっている。現実世界を国民的RPG『ドラゴンクエスト』の世界に見立てて遊ぶようになっており、たとえば近所のお店や公園が、「悪戯の洞窟」や「ハイルの村」になり、そこまで歩いて冒険することになる。小さい頃に多くの人が「想像力」を使って行っていた「ごっこ遊び」を、現在ではスマホの支援のもとで、大人がやっているのだ。

いつもの風景がまるでドラクエの世界のように見えてきて、冒険の気分になると普段は見過ごしていた道や施設を思わず探索してしまう。そのことで日常の景色が変わり、新鮮に捉えなおすことができる。芸術分野でよく使われる「異化効果」に近いものを、私たちが生きているこの現実に施してくれることが、このゲームの魅力である。

ドラクエはかつてはゲームの世界であり、現実世界から切り離された別世界のように感じられていた。

それが、「現実」の上に重ね合わされるということの快感もある。スライムなどのモンスターも、スマホのカメラ越しに道路などにいるように表示できる。虚構の存在であるキャラクターたちが、確かな実在の手応えを得たように思われるのだ。それはドラクエに熱狂した世代、ゲーム世代の人々が「この世界」を生きることを勇気づけてくれるものであり、だからこそ大ヒットしたのだろう。

スマホを使った位置情報ゲームは、ARゲームとも呼ばれる。AR（Augmented Reality）とは「拡張現実」のことで、この現実世界になにがしかの情報を上書きしたり追加したりするものである。先行作として『Ingress』、『ポケモンGO』などがある。私たちは、キャラクターたちがいる世界で、まるでゲームのような冒険をしているかのように、この現実世界を感じたいのだ。もはや、デジタル世界と現実世界は、二項対立ではないかのようだ。

これらのゲームは人々を外に連れ出し、見知らぬ人々と出会わせ、協調行動をさせる。行動や世界との関わり方をも大規模に変える。運動の習慣がつき健康にも良いと、良い点はたくさんある。

しかし、懸念もある。ながら運転や、歩きスマホでの事故はそのひとつだ。そして、もっと深く静かに進む「想像力」の変化が気になる。現実の上に何かを「重ね書き」するという感覚が当たり前になっていくと、私たちの世界の感じ方は変わらないか。「現実」を確固としたものと見なさず、いくらでも上書きできると感じるようにならないだろうか。新しいメディアが生み出す新しいリアリティーの行方を、注視したい。

YouTube世代との分断（二〇一九年一〇月）

YouTuber《ユーチューバー》が人気である。ソニー生命保険が実施した「中高生が思い描く将来についての意識調査2019」によると、今や男子中学生のなりたい職業ナンバーワンはYouTuberなどの動画投稿者である。二位がプロeスポーツプレーヤーで、三位はゲームクリエーター。遊戯的かつデジタルなエンターテインメントやコンテンツに関わるものが多い。

同調査によると、「将来、こういう大人になりたい」と思う有名人は、人気YouTuberのＨＩＫＡＫＩＮと、明石家さんまが同率一位だった。ところで、本紙読者で、ＨＩＫＡＫＩＮを知っている人、見ている人は、どのぐらいいるだろうか？

台風一九号の襲来に際し、ＨＩＫＡＫＩＮが警戒を呼び掛けた動画は、四〇〇万回以上も再生された。ツイッターでは、父や母がいくら台風への備えを呼びかけても聞かなかった子供が、ＨＩＫＡＫＩＮらYouTuberの動画を見て、初めて本気で警戒したという書き込みがなされていた。従来のメディアではリーチできなかった層に、YouTuberの言葉だったからこそ届いたのだろう。

「ＮＨＫから国民を守る党」が参議院の議席を獲得したが、それもYouTubeの影響力を抜きにしては考えられない。党首の立花孝志はYouTuberであり、あまり編集されていない素朴な動画を連日アップし続けている。これは人気YouTuberと同じやり方である。そして、「ＮＨＫをぶっ壊す」という決め台詞とポーズは、ネット上で「ネタ」にされ、数多く流通した。嘲笑をわざと誘い、広まることで、知名度を上げ、得票する戦略だったのだろう。

マスメディアを巻き込んで過激なことをすれば報道され、立花孝志のYouTubeの視聴者数は増える。現在五三万人の登録者がおり、本人曰く、一〇〇〇万円以上の広告収入をYouTube側から得た月もあったという。

総務省の『情報通信白書』平成三〇年版によると、二〇一七年における一〇代の新聞を読む時間は平日一日平均わずか一八秒である。それに対し、六〇代は二五・九分も読んでいる。これがネットでは逆転し、一〇代が一二八・八分見ているのに対し、六〇代では三八・一分となる。年配の方々はYouTuberを知らないだろうし、若い世代は新聞に書いてあることに触れていない。メディアの分断があり、認識や思考に大きく隔たりができてしまっているのだ。

人々は、世界に起こっていることを認識し、考えをまとめる際に、メディアの影響を受ける。新聞・テレビによって「常識」が形成された世代と、ネット・YouTubeによって形成された世代とでは、いまこの世界で何が起きていて、どうなっているのか、どうあるべきなのかの認識も、大きく異なってしまっているのだろう。

だからこう言うべきだ。若者よ、新聞を読むべし。同時に、年長者よ、YouTuberを見るべし。

普及の遅さは知恵なのか（二〇一九年一一月）

Uber《ウーバー》やDiDi《ディディ》をご存じだろうか？　日本では配車アプリとして活用されている。スマホなどにダウンロードして使うと、車が来てくれる。ちょっと使ってみただけでは、タクシーを呼ぶアプリと大して変わらない。だが、米国や中国では、交通の概念を根本的に変えると期待されているものなのだ。

「ライドシェアサービス」と呼ばれるこれらは、ビジネスモデルとしてはマッチングサービスである。海外ではタクシーに限らず車を持ち時間のある人が運転手になり、乗りたい人を乗せて稼ぐ、そのための仕組みなのだ。だから、短い時間で仕事をしたり、休眠している資産を活用したりするための新しいシステムだと理解した方がよい。

東南アジアではＧｒａｂ《グラブ》という配車サービスが非常に普及している。ＤｉＤｉは中国では一日平均の乗車回数が二〇〇〇万回を超え、ユーザー数も五億人を超えているという。基本的なインフラに近いサービスになっているとすら言えるかもしれない。日本では規制や既得権益などにより、幸か不幸か、ポテンシャルを発揮できていないのが現状だ。

これらは単なる便利なアプリということを超えて、労働のあり方や、交通インフラなどのあり方を更新し、より効率よく色々な物事を回すために世界を改造する大プロジェクトのようでもある。

例えばＤｉＤｉ。彼らは実に壮大なビジョンを持っている。ＡＩやビッグデータを駆使して都市交通を最適化しようとする「ＤｉＤｉスマート交通ブレーン」という実験が中国の都市で行われている。一言で言うと、政府などの協力も得て様々なデータを収集し、ＡＩが計算を行い配車をすることで、交通の無駄を徹底的になくす計画である。便利で効率よく環境にも優しくなるかもしれないが、一方で個人情報などが収集されＡＩに管理・制御されるディストピアになる可能性は大いにある。この危険性は、決して無視できない。

これから、ＩＴやＡＩを駆使する「第４次産業革命」の時代が来ると言われている。その技術において、日本は米国や中国に何周も遅れており、東南アジアにも抜かれつつあるとも言われている。ライドシェアサービスを見れば、確かに遅れは著しく感じられる。だが、「遅れ」は「慎重さ」だとも言える。

半ば皮肉で言うのだが、「科学」「技術」に夢を見て痛い目に遭い続けた経験において、戦後日本は経験豊富である。性急に技術を社会に実装してしまうと、取り返しのつかない何かが失われるかもしれない。過渡期の痛みやひずみも無視できないだろう。「遅さ」によって、世界に取り残されるデメリットは大きいが、しかしそれは大衆の中に眠る知恵であると評価することもできるかもしれない。

どちらにしろ、技術をどう実装し未来社会を構想するのか。メリットとデメリットを議論し、自覚的に選び取ることが必要な時期が来ている。

女性の反旗、変容と反発（二〇一九年一二月）

伊藤詩織さんが、望まない性行為の被害を訴えていた民事訴訟で勝訴した〔その後、二〇二二年に最高裁で確定〕。この勝訴は、二〇一九年のネットを象徴する出来事の一つである。

彼女は、日本における#MeToo運動のシンボルと見なされていた。一七年にアメリカの映画プロデューサーのハーベイ・ワインスタインへの告発をきっかけに始まった、世界的なセクハラ・性被害告発運動である。世界中で多くの人々がツイッターで#MeTooを付け「私も被害に遭った」と投稿した。

このような女性による運動が、最近のネットで非常に活発だ。俳優の石川優実さんは、職場での不要なハイヒール強要を告発する#KuToo運動を行い、一定の成果をあげた。これまで泣き寝入りするしかなかった卑劣な行いや、特定の人にだけ強いられる生きづらさを白日の下にさらし、生きやすい社会に変えるための偉大な闘いだ。その結果、確かに社会は前進した。

もちろん、声をあげた女性たちの勇気と、支援した人々の義侠心が運動を推し進めた一番重要な力である。しかし同時に、スマホとSNSが普及したことで促された運動であるという側面も、見逃すことができない。

スマホは、簡単に録音・録画できるツールである。SNSは、誰にも発言の機会を与える。両者が広く普及した結果として、不当なことが行われればすぐに記録され、公表され、周知できるようになった。それは個人や企業や組織の評判に関わるので、避けなければならない。かくして、私たちの社会では不正や暴力が減った。良かれ悪しかれ、技術が変えたのだ。

変化はネット文化そのものにも及んだ。ネットは、ゼロ年代は、男性的な文化であった。女性は男性のフリをして書き込むのが普通であった。掲示板「2ちゃんねる」に象徴される悪辣で猥雑な悪ふざけが横行する空間だった。今もそれは残っている。

そのネット文化に女性たちは反旗を翻した。男性向けのアニメやマンガ、大衆雑誌の内容などが、性差別でハラスメント的で偏見を助長するのではないかとの問題提起も連日行われ、ネットカルチャーやそれに親和性の強いサブカルチャーになじんだ人たちから「表現の自由」、「オタク差別」、「ポリコレ」「フェミナチ」というお決まりの反論が延々と続いた。

今年はツイッターを開けば、ほぼ毎日、女性やフェミニストたちの問題提起と、それに対する感情的な反発と攻撃、その応酬ばかりであった。ほぼ同じようなパターンの「クソリプ」（ろくな内容がない、当人宛ての公開メッセージ）が殺到している様を見て、何が男性をこんなに刺激して行動に駆り立てるのかもよく分からず、同じ男性ながら、うんざりすることが多かった。

この運動は、社会の価値観と文化を大きく変えた。特にネットでそれが顕著である。前進と反動、その衝突による混乱と抗争に満ちていたのが、二〇一九年のネットだった。

AIひばりが問う死生観（二〇二〇年一月）

「AI美空ひばり」が話題だ。昨年末のNHK紅白歌合戦にAI（人工知能）の美空ひばりが登場し、生前に歌われなかった新曲を披露した。これを実現したのはヤマハの「VOCALOID：AI」という技術で、深層学習（ディープラーニング）が用いられている。深層学習とは、一言で言えば高度な統計処理である。生前の美空ひばりの歌や話し声のデータを大量にコンピューターに与え、「美空ひばりらしさ」のパターンを抽出させ、それを再現させることで、あたかも美空ひばりが歌っているかのような新曲を作ることができたのだ。

感動する人や技術の発展を喜ぶ人々がいる一方で、死者への冒瀆だと批判の声も多く出た。

この議論は、ＡＩによる死者との関係の変化を鋭敏に捉えたものだと解釈できる。亡くなった人が「新曲」を歌えるということは、生前のように「話す」ことも技術的には可能である。映画やゲームの世界では、亡くなった俳優をコンピューターで再現して演技させることが既に行われている。この技術が大衆化し普及すれば、遺影の代わりに、生前のように動いて話す立体映像が置かれる日も遠くない。大量に蓄積されている生前の発言や行動のデータを深層学習させれば、生前のような思考も再現できるかもしれない。

そのとき、死者との関係はどう変わるだろう？　死の観念、死者のイメージはどう変化するだろうか？　ＡＩの本質は単なる統計マシンなのだが、それに生命や意識、魂や霊的なものがあるものとみなすようにならないだろうか？　「冒瀆」という言葉の背景には、このような死生観の変化への直観があるはずだ。

ＡＩは、私たちの生命観・死生観を大きく変える。とはいえ、冷静に、大局的に捉える必要もあるだろう。科学技術で死者や死の捉え方が変わるのは、今に始まったことではない。写真が発明され生活に現れたとき、「魂が抜かれる」と当時の日本では言われていた。「心霊写真」の言葉ができたように、霊魂のイメージも変わった。

そもそも、私たちが思考の糧にする古典の名著も、ほとんどが死者の言葉なのだ。文字と活版印刷の発明で死者の思考や言葉が残せるようになり、読む行為によっていつでもよみがえらせることができるようになった。その恩恵によって、私は思考し、書くことができる。活版印刷技術によって可能になった

「本」の存在は既に違和感がなく、科学技術の産物であると意識されることもない。従って冒瀆であるとは感じにくい。だが、口伝えが当たり前だった時代の人たちには、どうだっただろうか。

ＡＩによって死者のあり方が変わるとしても、それは人類の発展に伴って起こるいつものことに過ぎない、とも言える。人はなじんだ技術を、科学技術だとは感じず、自然に思ってしまう。次世代にはＡＩも、「自然」なものになっているのだろう。

身体からの自由という欲望（二〇二〇年二月）

「ムーンショット目標」が一月に発表された。人類が月に到達したような、独創的かつ飛躍的なイノベーションを目指し、内閣府が主導している研究開発プロジェクト「ムーンショット型研究開発制度」で、二〇五〇年までを達成の目安にした六つの目標である。

その目標(1)「人が身体、脳、空間、時間の制約から解放された社会を実現」に、ネットが沸いた。「霊体になるということか」と問う者もいれば、人間が身体を捨てて情報の存在となりインターネットの中に飛び込むＳＦアニメーション『攻殻機動隊』の世界だと喜ぶ者もいた。

ネットの人たちがこの目標に喝采するのは、分かる気がする。というのも、ネットは、基本的に「身体のない」空間だからだ。そこを好む者たちに、潜在的に身体から自由になりたいという欲望があってもおかしくはない。

目標の内容をもう少し細かく見ていくと、具体的な例として挙げられているのは、そこまでとっぴな内容ではない。一人で複数のロボットを遠隔操作するなどの組み合わせで、作業や労働などを効率化・高度化したり、高度な義肢のようなものを発明したり、身体改造を行おうという話である。身体から自由になるというよりは、サイボーグ化して身体を強化、拡張していく未来のイメージに近い。

目標(2)は「超早期に疾患の予測・予防をすることができる社会を実現」、目標(4)は「地球環境再生に向けた持続可能な資源循環を実現」などと、現実的かつ重要な内容だが、ネットで話題になったのは目標(1)ばかりだった。

映画『GHOST IN THE SHELL/攻殻機動隊』を監督した押井守は、この映画を「身体のない」現代日本人を念頭において作ったと発言している。たとえば、ゲームやネットに夢中になり、没入しているとき、人は自分自身の身体の存在を忘れ、見ている画面のモニターの中に、まるで意識だけの存在になったように感じる。そのメタファーとして、制約の多い現実に拘束されている身体を捨て、情報と精神だけの存在となる主人公を映画で描いたという。

疾患や地球環境・資源の問題は、この現実の身体に関わる。一方で、多くのネット住人が反応した目標(1)は、身体性を忌避し現実世界から逃れようとする欲望に親和性がある。この二つの志向は矛盾するはずで、この分裂は現代日本における身体感覚の違いを反映しているように思う。

どういう未来を目指したいかは、言語によって表現可能な思想だけでなく、身体感覚によっても異なる。特に身体イメージは、接しているメディアによって大きく異なるはずで、ネット世代とそれ以前では差異があると思われる。

身体からの自由は古来、宗教などでも夢見られてきた。しかし、その憧れが、現実に生きている存在を無視させることもある。身体を軽視し、そう簡単に自由になれると思うべきではないだろう。

新型コロナ、「集合知」再び（二〇二〇年三月）

新型コロナウイルスで、ネットも騒然となっている。このような緊急事態では、新聞やテレビ、雑誌などのマスメディアと、ネットとの違いが大きく浮き彫りになる。

ネットは双方向であり、誰もが発信できる。そして世界中のニュースや情報にアクセスできる。SNSで、それぞれの専門家が知見や意見を持ち寄り、各国の報道などと照合しながら皆で事態を解釈していく光景が目立った。中国・武漢市のデータや、世界保健機関（WHO）の発表、様々な国の政策や報道などと照らし合わせて、ウイルスの性質や日本政府の対応などへの検証が起こっていた。

象徴的な例が、クルーズ船ダイヤモンド・プリンセス号に乗り込み、その実態を告発し批判する動画をYouTubeに公開し、Twitterでも発言を続ける神戸大教授の岩田健太郎医師だろう。

これは、初期のネットの理想の一つを髣髴とさせた。かつて、ネットの「集合知」への期待があった。多くの人たちが意見を持ち寄って議論をし、知見を生み出すことだ。ネットが普及したばかりの頃には、確かにオープンで生産的な態度と雰囲気があった。しかし、この文化は日本では姿を消しつつあった。

日本でのSNSの普及は、二〇一一年の東日本大震災が一つのきっかけだった。この年にTwitterが日本で大きく普及し、LINEがサービスを開始。リアルタイムでそれぞれの安否が確認でき、全国各地の様々な生の声にアクセスできるSNSは、未知の緊急事態に大きな威力を発揮した。

ただ新規流入した多くの人々には、初期ネットユーザーが掲げた理想や理念は共有されていなかった。それも一因で震災後のSNSは、イデオロギー対立、ヘイト、フェイクニュースに満ちた、すさんだ言語空間になっていった。

だがこのパンデミック下で、インターネットやSNSと民主主義の未来に対し、明るい希望も見え隠れした。かつて、民主主義に必須の「公共圏」を支えてきたのは、報道の自由を持つ新聞やテレビだった。ネットの登場で、民主主義が融解の危機にあると言われる。だが、ネットが生み出すより良い「公共圏」もありうるかもしれない。そして、オープンな討論で生産的な意思決定をする態度は、政治のあり方をも変えうる。

容易に告発や調査ができるネット時代において、「集合知」的な動き方をする有権者が多くなると、何かを隠蔽したり改竄したりするような国家の運営は、合理的ではない。オープンでフェアな政府であることが、もっとも効率的なはずだ。

パンデミックというグローバルな災厄は、一つの国だけで対処できるものではない。予防するために全世界的な協力体制が必要となる。新型コロナウイルス禍の終わった後の世界では、政治や民主主義のあり方は、きっと大きく変わらざるを得ないだろう。生き残るために必要な新しい社会の方向性が、ネットの世界から見えてきたようである。

偶然の出合い生む試み（二〇二〇年四月）

新型コロナウイルスを蔓延させないように「社会的距離」を維持しつつ、これまでの文化の果たしていた役割と機能的に等価なものをオンラインで実現させようとする実験が、今ネットで盛んになっている。たとえばその一つが「Ｚｏｏｍ飲み会」だ。オンラインでの会議や授業に用いられるＺｏｏｍというアプリケーションを用いて、遠隔で複数の人間が参加する飲み会を開催している。Ｚｏｏｍは、カメラとマイクを通じ、複数人で映像と音声を共有するテレビ電話のようなものだ。それを仕事や教育だけではなく、コミュニケーションや楽しみにも使ったのが「Ｚｏｏｍ飲み会」だ。

社会的距離を取ると、会議や授業のついでの雑談や、飲む機会が失われる。親密さや信頼感を醸成する機会がなくなると言ってもいい。それをオンラインで補う効果が「Ｚｏｏｍ飲み会」にはある。

ライブイベントや演劇、コンサートなど、同じ空間に、物理的な身体を伴って集まるタイプの文化活動も大きな打撃を受けた。これらはネットで「無観客配信」を行い、なんとか文化を維持しようとしている。もちろん、オンライン演劇を行ったある劇作家が言うように、生身の身体と現実の空間を前提とする演劇の醍醐味は、オンラインでは伝わらないだろう。そのように、人々は、代替できるところとそうでないところを、必死に確かめつつ、様々に試行錯誤を続けている。

ある古書店は、本棚の背表紙をひたすら映していくという動画を公開し、注文を募った。ここで回復しようとしているものは、「偶然性」である。オンライン書店では、欲しい本の名前を入力して、単に買うだけである。だがリアルの書店では、自分が探していた本以外の本とも出合う。本好きなら、そのような偶然の出合いが世界を変えることは、よく分かるだろう。本棚の背表紙をだらだらと映す動画は、そのような偶然を求めて書店に行く人たちの目線を再現し、ネットでは失われてしまう偶然性と出合いを回復させる効果があるだろう。

外出を「自粛」するようになって改めて気付くのは、実は私たちは、日常で知らず知らず、様々な偶然の出合いをしていたということだ。街でも、学校でも、仕事先でも、店でも、飲み屋でもバーでも、あるいは旅行でも。それが失われると、様々な知的生産にマイナスをもたらし、その人を囲む世界は狭く小さくなる。恋人も見つからなくなる！　だからこそ、ランダム性、偶然性、遊び、揺らぎによる出合いを敢えて生み出すような仕組みが、ネットにも必要なのだ。

新型コロナウイルスの終息には年単位の時間がかかる可能性を専門家が口にするようになった。「社会的距離」の時代を私たちは何年も生きなければならないのだとすると、新しい文化の発明は必須だ。ネットでは、いままさにそれが生み出され続けている。危機の中の、たくましさと創造性だ。

コロナで変わるデモの形（二〇二〇年五月）

ツイッター上で、検察庁法改正案への「抗議デモ」が起こった。ツイッターには「ハッシュタグ」という仕組みがあり、「#〇〇」などと書き込むと、話題を多くの人間で共有できる。今回、「#検察庁法改正案に抗議します」というハッシュタグで一挙につぶやきが集まり、最終的にはリツイートを含めて五〇〇万を超えたという。

この現象は「ツイッターデモ」と呼ばれる。一八日には検察庁法改正が「国民の理解なしでは進められない」との理由で「見送り」になったが、ツイッターデモが一定の役割を果たしたのではないかと評価されている。これは根拠のない話ではない。

自民党は元々、ネット上での動向に敏感である。SNSで情報を収集し分析、PRに生かすマーケティング手法「ソーシャル・リスニング」を選挙に使おうという目的で、二〇一三年にIT企業からノウハウ提供を受けて特別チーム「Truth Team（T2）」を立ち上げた。現在でもおそらく、情報収集や介入などは行われているだろう。だから、ツイッターなどのSNS上でのデモは有効なのである。

そしてこれは、ソーシャルディスタンス時代のデモである。直接人が集まるのが難しい状況で、しかしそれでも民意を示すために、オンライン上で新しいデモの形態が模索されているのだ。

アーティストの藤嶋咲子は、国会とその周辺の３ＤＣＧモデルを作ってツイッターにアップし、リツイート一回ごとに、国会の周りに3Dの人物を一人ずつ増やしていくというアクションを、ツイッターデモの最中に行った。最終的にリツイートは四万を超え、国会を取り囲む群衆がどんどん増えた。人々が国会を囲んでいる絵は、実感を伴うインパクトを生んだ。

「遠隔デモ」も現れた。「週刊SPA!」編集部が行ったもので、一人がiPadを持って国会前に赴き、ビデオ会議のアプリを立ち上げ、オンライン上の参加者と景色を共有する。ネットの向こうでは、パソコンの前に座りながら拳を振り上げ、シュプレヒコールをあげ、それが現場のiPadを介して拡声器から発せられる。

逆に、リアルで集まってデモをすることは別種の意味を帯びた。四月二六日に、六〇人近くが集まって、安倍晋三首相の私邸前でデモが行われた。緊急事態宣言の最中、新型コロナウイルスの感染のリスク覚悟で敢行されたそれは、一部から「バイオテロ」との非難を浴びた。

インターネットは、政治文化を大きく変えた。SNSは人々に自由な意見の発話を促し、自分が参加し状況に影響を与えるという感覚をもたらした。ツイッターデモもその帰結であり、実際に政治状況を大きく動かした。同じようにソーシャルディスタンス時代に発明されつつある新しいデモの仕方も、私たちの政治文化を大きく変えるのかもしれない。

「公」にしない美術展（二〇二〇年六月）

『ダークアンデパンダン展』という、オンラインとリアルにまたがった美術展が開催され、アーティストたちの公には出来ない作品が展示された。筆者はその展示を観る機会に恵まれたが、内容も場所も他言しないという誓約書に署名したので、詳細に語ることは出来ない。普段見ることのできない刺激的な展示だったことだけは言える。

本展はアーティストの卯城竜太（Chim↑Pom）、キュンチョメ、松田修、涌井智仁らによって企画された。その動機にあるのは、ネットとリアルの両方で「公」が支配的になり「個」が消えることへの強い問題意識だ。卯城と松田は書籍『公の時代』（朝日出版社）で、本展の前提となる認識を話している。

公園などの公共空間は民営化され、「多様性」を謳いつつマジョリティーや資本にとっての快適さだけが優先され、真の多様性は実現しない。政治は私物化され、公権力による「検閲もどき」が露骨に起こる。かつては自由なアンダーグラウンドだったインターネットもクリーンになり、そこでは右も左も、市民たちが思想信条や趣味に合わないものを抑圧・弾圧している。

これにより、前衛的な表現や、いまここの価値観・美学に合わない表現、それを追求する「エクストリームな個」は居場所をなくしていく。岡本太郎や山下清が、現在に活動していたらどうだっただろうか？戦後日本は、民主主義を前提として、そのような行き過ぎる「個」を称賛し受け入れる時代であったが、今は、そのような個性の発露が志向されない「公の時代」になってしまったと卯城と松田は分析している。

彼らは、現在は、戦後日本よりも大正時代に近いと考えている。様々な自由な実験が弾圧され、創作物が国策に沿ったものばかりになり、「滅私奉公」をする人間が増えていき、やがて戦争に突入していく時代である。

それに対する抵抗が『ダークアンデパンダン展』である。全体主義的になっていく世の中で、アーティストたちは、表現すべきものを、美術館でも、ネット上でも、もはや公開することはできないと感じている。だから、一部の観客だけに作品を見せ、「公開しないこと」自体を突き付けた。

企画の背景には、ネット右派からのクレームで展示が中断された「表現の不自由展・その後」、公権力による助成金などを用いた「忖度」の要求、特定のトピックに触れると展示しない公立美術館や芸術祭の姿勢、ネット上でのポリティカルコレクトネスに基づいた表現規制の要求や炎上などがある。その先に、「個」が消失する全体主義的なディストピアが幻視されている。

もちろん、誰かを傷つけたり、差別や偏見を助長したりするおそれのある表現を行うことには慎重でなければならないことも、理解されている。この深刻なジレンマをどのように克服するべきか。二〇世紀的な芸術、自由、民主主義の価値観が失効しかけていることを自覚しつつ、彼らは次の手を模索している。

「日本沈没」＝「反日」の感情論（二〇二〇年七月）

湯浅政明監督『日本沈没２０２０』（以下「２０２０」）が、ネットで大きな毀誉褒貶にさらされている。本作は、一九七三年に小松左京が書いた大ベストセラー小説『日本沈没』を原作とし、Ｎｅｔｆｌｉｘから配信されたアニメーションだ。日本列島が丸ごと沈んでしまう大災害に巻き込まれた人々を描き、想像したこともない事態で様々なものを喪失しても前向きに生き続けることを寿いだ快作だと筆者は感じたのだが、ネットでは感情的な反発が激しく起こった。

多かったのは、本作が「反日」作品だという非難だ。それがまとめサイトを中心に広がり、見てもいない人々が口々にそう言うようになった。デマやフェイクニュースが広まりやすい、現在らしい光景だ。一部のニュースサイト、まとめサイトは意図的にそれを仕掛けていた。

根拠は短絡的なものだった。たとえば、「日本沈没」というタイトルが、日本の衰退を願っているという主張があった。あるいはアニメを制作した「サイエンスＳＡＲＵ」の代表取締役チェ・ウニョンが「韓国人」で、プロデューサーの中に「中国人」がいるから日本を貶めるプロパガンダをしているのだと、まことしやかにささやかれた。

日本人描写にも怒りは向いていた。災害時にはおとなしく行列を作り助け合う素晴らしい「日本人」を、逆に悪辣に描いていると言うのだ。さらに、作中には排外主義の日本人集団が外国人を見捨てる場面があるのだが、日本人を「差別主義者」に描いたのは「韓国人だから」「中国人だから」という意見も目立った。

さらに「小松左京への冒瀆」という意見も多かった。『日本沈没』は、日本を救うために奮闘する為政者や技術者、自衛隊員たちを描き、「一丸となる」ナショナリズムの魅惑を放っていた。それに対し「2020」は批判的に挑戦した作品である。「2020」は被災する一般市民に焦点を合わせ、多様な国籍や民族の人々が助け合うこと、ゲームやYouTuberやクラブやヒップホップなどの国を超えたサブカルチャーやテクノロジーを全面的に肯定し、その先に新しい日本を構想している。この内容に異論があるのは分かる。しかし、それならそう主張し議論するべきであって、陰謀論と差別的発言に短絡してしまうのは現代の病ではないか。

新型コロナウイルスのパンデミックや、水害が起こっているこの時期に不安をあおる作品を流すべきではないという意見も多かった。実際に、作品を見て、不安で悲しく鬱になるという人もいた。

高度成長期の一九七三年とは異なり、二〇二〇年の日本は、「沈没」の不安を真に抱えている人が多いのかもしれない。生きるためには前向きになるしかなく、ポジティブなビジョンで頭を満たす必要がある。だが今はそれがあまりに脆弱だから、ネガティブな表現に過剰な反応をするのではないか。そう感じ、悲しく、切ない気持ちを抱いてしまった。

「共感」の原理が動かす世界（二〇二〇年八月）

逮捕された香港の民主活動家・周庭（アグネス・チョウ）さんが保釈後の会見で、支援の声が日本のSNSにあふれたことに感謝し、「拘束中（日本のアイドルグループ欅坂46の）『不協和音』の歌詞が頭に浮かんでいた」と明かした。広東語、英語で取材に応じた後、日本メディアに日本語でこう語った。

そこに、国際的な「共感」を狙う戦略を読み取ることもできる。彼女は「リーダー」ならぬ「スポークスマン」だ。普通の女性で、アニメやアイドルが好き。等身大で共感できる彼女が強圧的な中国と戦う。これは絵になるし、人々の関心を惹き、同情が喚起され、世論が動く。

ネットでは、こうした構図への批判もある。彼女を「民主の女神」と呼んでもてはやすのは、美しい女性を広告のアイキャッチに使う「性の商品化」と同じなのではないかと。その通りだろう。

背景には、短文や写真・動画でコミュニケーションできるSNSの普及がある。SNSは当事者の発信もしやすい。世論が動くモードが「共感」にシフトしたのだ。その反動もある。ネットでは「かわいそうランキング」という言葉がある。子どもや女性の方が、中年男性に比べ、同情や支援が多いことを批判する概念である。これは「共感」の原理が強まったことへの抗議の声だとも言える。

「共感」は、運動がリーダーのいないクラウド型であることと密接に結びつく。いわゆる組織的動員ではなく、ネットなどで共感した人たちが自発的に参加するものだ。香港の民主派だけでなく、米国の反ファシスト集団「アンティファ」も、一部の白人至上主義者たちもそうだ。

銃を乱射し多数の人間を殺害した犯人の動機や背景を調べると、ネット上に拡散している様々な情報に勝手に触れて排外主義や人種差別に「感染」し、単独で過激化しテロを実行していることが多い。

イスラム国（IS）の同調者の一部もそうだ。指令系統と鉄砲玉の間に、「共感」がある。クラウド型は、誰かが捕まっても組織全体が犠牲にならない利点がある。裏返せば、鉄砲玉になる実行犯をネットを通じてノーリスクで調達する方法でもある。

この「共感」の手法を使うのは「反政府」側だけではない。政権すらも「野党に責められてかわいそう」な体裁を利用する。人種的な多数派が、自分たちは権利を侵害されアイデンティティーを剝奪されている「被害者」だとアピールする傾向と通じる。

だから、ネット上の表現こそが、争いの最前線になる。中国政府はネットを統制しているし、周庭さんの逮捕も彼女によれば「SNSで国際社会と連携した容疑」だ。

相対化するのではない。私は民主派を支持し、排外主義を憎む。だが、引いて考えれば、これらは新しいメディアのもたらした新しい条件が引き起こした事態であることも見えてくる。国際政治は、「共感」の原理の影響を受け、ダイナミックに再編成されている。

パンケーキと支持率（二〇二〇年九月）

自民党の総裁選で、インターネットを駆使した広報戦略が目立った。たとえば岸田文雄氏は、ツイッターで呟くときには「#キッシー」という愛称をハッシュタグで使っていた。政策も、「分断から協調へ」という分かりやすいキャッチコピーを作り、紹介スライドも、画像に大きな文字で内容を記していた。人々が断片的に情報に接するSNSの環境を意識した戦略だ。

家族のアピールも行われた。YouTubeチャンネルに妻子が登場し、応援した。どんな暮らしをしているのか、家族はどういう人かという、プライベートへの興味を満たす内容はSNS上では好まれる。実際、確かに他の議員からの応援コメントよりもはるかに多くのアクセスがあり、成功と言えるだろう。

だが、炎上も起こった。スーツ姿で食卓に座る岸田氏に妻が夜食を出す画像が、「昭和的」「家父長的」「女性差別的」と受け取られたのだ。私は岸田氏がそうだとは思わないが、その印象が生じる構図であることは否めない。岸田氏が手前で、妻が奥にいるので、大きさの差によって威圧的な印象が出てしまうのだ。イメージによって民意の支持を得ようとする時代では、発信したいメッセージと図像が醸し出す印象のズレには注意しなくてはならない。

一方、石破茂氏は、任天堂の人気ゲーム『あつまれ　どうぶつの森』を活用した選挙運動を展開しようとした。「じみん島」という島で「いしばちゃん」というアバターのキャラクターが生活し、それぞれのプレーヤーが自分の島に石破氏のポスターを貼ると「いしばちゃん」が訪問するという内容になるはずだった。ゲーム世代にアピールしようとする画期的でユニークな戦略だと思うが、規約違反の可能性がネットで指摘され、中止になってしまった。ゲームを使った選挙活動は諸外国では例があり、米大統領選では、ジョー・バイデン候補が同ゲームを用いて、バーチャルな応援看板をそれぞれの島に立てられるようにした。

対照的に、菅義偉新総裁は、目立ったネット上でのPRはなかった。ツイッターにはTV出演の報告が多く並ぶ。私見では、TVでの露出は菅氏が一番多いように見えた。そして新内閣の支持率は六－七割で、支持の理由は「人柄」である。TVのほうがいまだに強いということか。

スマホの普及により人々が活字から離れ、断片的に判断する傾向が強まり、沈思黙考しなくなる。これらの広報戦略は、それに対応したものだ。TVも含め、内容に対する理性的判断ではなく、あくまで印象だけで判断する傾向は強まっている。だから「やってる感」さえ出せば十分になるし、前面に押し出すのは人柄やパンケーキになる。それはメディア環境の変化に伴う民主主義の必然的な変容だと理解されるべきかもしれないが、私には、政治的な詐欺が横行しやすい危険な状況であるようにも見える。民主主義と、それが前提とする主体の変質を、注視する必要がある。

デマ入り乱れる学術会議批判（二〇二〇年一〇月）

日本学術会議の任命拒否問題で、ネットが大荒れだ。「学問の自由」への侵害だ、学者に忖度させる恫喝的な権力だ、政権批判に圧をかけようとしているなど、様々な論点が挙がっている。もちろんそれは非常に大事な論点なのだが、本稿ではネットに論を絞る。学術会議側に不利になるフェイクニュースやデマの蔓延が、特に目立ったのだ。

たとえば、橋下徹・元大阪府知事は、米国や英国の学者団体には税金が投入されていないとして、「学問の自由や独立を叫ぶ前に、まずは金の面で自立しろ」とツイッターでつぶやいた。公共セクターを民営化してきた彼らしい煽り方だ。だが、米英のアカデミーも、運営資金のかなりの割合が公的資金であることが判明した。指摘を受け橋下氏は「説明不足だった」と釈明したが、説明不足ではなく、端的に「誤り」である。

デマを広めるのはたやすく、訂正は広まらない。一度印象が形成されれば、覆すことが難しく、言ったもの勝ちになりがちだ。だから、デマが世論誘導には有効になる。ネット上では元々、知識人や学者に対する憎悪が存在していた。SNS上で発言を注意したり、説教したりしてくるので、不満が鬱積したことも原因の一つだろうし、生活が楽で優雅に見えるからでもあろう。このような、デマを用いて情動を操作するポピュリズムのテクニックが、国内外での現実の政治に大きな影響を与えている。

気になったのが、自民党の甘利明・税制調査会長の「千人計画」に関する発言だ。彼は、日本学術会議が中国の「千人計画」に協力し、軍事研究を支援しているという趣旨のブログを八月に公開していた。それが今回の件で掘り起こされ、まとめサイトが拡散し、かつての橋下・大阪市政の特別顧問であり新しく内閣官房参与になった高橋洋一・嘉悦大教授が、SNSで紹介していた。事実ではないと、学術会議の関係者や内閣府は否定しているが、ネットでは「反日組織」「共産党に支配されている」との非難の声がとても高まっている。

「反日」「左翼」への憎悪や、中国への警戒心はネットではもはや定型化した感情である。これはそれを利用したポピュリズムだろうか？　甘利氏の一連のブログを読むと、中国を仮想敵とする新冷戦状況における諜報戦・情報戦を強く意識した発言であることが分かる。発言は問題だが、懸念そのものは理解できる。その発言に乗っかり拡散した多くの人々も、似た認識を共有しているようだ。

「冷戦」という言葉を生み出したジョージ・オーウェルは、スペイン内戦で、新聞などを利用した党派的なプロパガンダ合戦を経験した。危機感や恐怖心が募ると、疑心暗鬼になったり、邪推しすぎたり、強引なことを正当化する心情になりやすい。フェイクニュースの蔓延や分断、強引な施策などは、あらゆるものが「情報戦」「世論戦」であると警戒せざるを得ないこの不幸な状況の副産物なのかもしれない。

陰謀論の根底に宗教的伝統（二〇二〇年一一月）

アメリカ大統領選が終わった。バイデン候補の勝利だが、トランプ大統領は不正選挙だと言い募っており、それを信じるアメリカ人は陰謀論を唱えている。さらに、なぜか日本のトランプ支持者もＳＮＳで陰謀論を叫び続ける異様な状況だ。

　実は、二〇一六年の大統領選のときも、トランプは不正選挙疑惑を言っていた。大統領就任中も、事実ではないデマをたくさん吐いていた。デマや陰謀論が有権者の支持を集める状況なのだ。この状況は「ポスト・トゥルース」と呼ばれてきた。

　人々は、信じたいものを事実や証拠に反して信じようとする。その方が気持ちが良いからだ。証拠に従って信念を変えるのは屈辱で、心理的な負荷が大きい。陰謀論を生み出し、支持する方が楽なのだ。特定のイデオロギーを支持するフェイクニュースや陰謀論のサイト、インフルエンサーが影響を与えてきた。中には、ロシアの世論工作や、マケドニアの人々が広告費を稼ぐために開設したものがあるとされている。ではインターネットやＳＮＳが原因だろうか？　確かに加速させたことは疑い得ない。だが、それはもっと深いレベルに原因があるのかもしれない。

　政治史学者リチャード・ホフスタッターは、アメリカは伝統的に「パラノイド・スタイル」の政治文化であったと分析している。常に脅威の存在を感じ、被害妄想（パラノイド）的にその対象を名指す傾向があるのだ。たとえば、フリーメーソンが政府機関を乗っ取ろうとしている、カトリックがアメリカを侵略している、エリートたちが支配しているなどと。そして大衆の熱狂を生み、エリートたちへの戦いを煽る。

　パラノイドの対象は、黒人や先住民などマイノリティーにも及ぶ。これは日本のオンライン排外主義者の主張と構造は同一だ。アメリカの右翼にこのスタイルは顕著で、アメリカが「奪われている」と感じ、取り戻すために戦っているのだという。これは一九六五年に発表された分析だが、現在にも当てはまる。

　パラノイドの人々が守ろうとしたものは、「民衆の秩序」や、プロテスタントにおける「個人主義と自由の原則」だと言う。エリートも、メディアも、知識人も、権力者も信用できない。であれば、何を根拠にして判断するのか？　自分の心である。心が神とつながっている、だからそれが正しいと考えられる。このような、宗教的伝統と結びついた個人主義や自由の感覚こそが、ポスト・トゥルースや陰謀論の淵源のひとつである。プロテスタントの伝統がない日本でなぜ同様の現象が見られるのかは、改めて分析が必要だろう。

大変厄介なことに、これは民主主義や自由と骨絡みになっていて、簡単に悪魔祓いできるものではないのかもしれない。問題性を和らげる思想が処方箋として必要なのだが、どうもそれは宗教的な深いレベルに作用しなくてはならないようだ。

空気・ぬくもり……VR進化（二〇二〇年一二月）

VR（仮想現実）が、盛り上がっている。新型コロナウイルスによるパンデミックで「遠隔」の需要が高まり、多くの人々がVRによるコミュニケーションの本格的な実用化に期待をかけるようになり、多くの資金も投入されて活発に研究・開発が行われているのだ。

昨今では、3Dの世界に没入できるゴーグルが非常に安価に普及したので、インターネットで接続した人々が仮想空間を共有し、そこに自身のアバター（仮想身体）として参加し、交流することが可能になっている。

対面でのコミュニケーションが行えなくなった分、私たちは双方向の動画などの映像を用いて代替してきた。しかし、対面と遠隔では質的な差が大きい。これまではさほど意識されていなかったような、非言語的な情報の伝達・共有が、遠隔では失われやすい。空気、雰囲気、呼吸を合わすことなど、まだまだ数値化できないような部分が、実は言葉で伝えられる情報以上に重要だったりもするのだ。

最近のVRで驚いたのは、このような両者の差を、技術やデザインによって解決することが試みられていることだ。筆者は、VRの研究・開発者でもある学術系アイドルユニットVTuber「Holographic」に誘われ、VR-Chatを用いたオンライントークイベントに登壇した。トークをする場所はまるでスタジオのように設計されており、立ち位置まで細かく決められていた。それだけでなく、スタジオに至る廊下までデザインされ、出演者は「歩いて」いかなければならなかった。「登壇する」前に集中力を高めるための場が、わざわざ用意されているのだ。

現実空間に近づけることだけが価値ではない。バーチャル固有の可能性も追求されている。Holographicは、国際会議で日本のアバター文化についての研究を発表した。そこで彼女たちはVRやアバターの技術は、より自由なアイデンティティーを獲得するための手助けになると主張した。

たとえば、性同一性障害を抱えている人なら、生得的な性別とは異なる仮想的な身体によって、理想的な、あるいは「本当の」自分に近づくことができるかもしれない。自身の身体に嫌悪感のある男性が、美少女の肉体をまとうと（「バ美肉」と呼ばれ、頻繁に起きていることだが）自己肯定感が向上するようだ。ぶしつけな視線にさらされたり、様々なハラスメントを受けたりすることで、異性の立場を身をもって理解したというケースもある。

既にVRでのコミュニケーションは実用化されており、このような新しい文化が生まれている。現実の身体と仮想の身体を使い分けることで、複層化した身体感覚・自己感覚も生じているようだ。それは新たな問題も生むだろう。

個人的には、出演した際に聞いた、登壇者の一言が印象に残っている。バーチャルでも、ハグをされると「あったかい気持ちになる」のだと。

画面の中の友達と陰謀論（二〇二一年一月）

企業でバーチャルユーチューバーの運用をしながら日本映画大学で学ぶ澤木悠紀奈さんという学生がおり、その卒論指導を担当した。バーチャルユーチューバー現象を鋭利に論じた卒論に、陰謀論が蔓延する今の政治的な状況との関連で、色々と思うところがあった。

バーチャルユーチューバーとは、デジタルで作られたアニメ調のキャラクターを着ぐるみのように使ったユーチューバーである。動きと声は別々の人が付けることが多く、いわば、人形浄瑠璃の現代版のようなものだ。

キーワードは「親密さ」である。映像的な特徴は、演者が画面の向こうの視聴者に向かい合い、話しかけるところだ。これは映画やテレビとは大きく異なる。卒論によると、ユーチューブのチャンネル登録は、友達の家に行く感覚に近いのだという。ゲーム実況は、友達の家に招かれて一緒にゲームをしている気分を味わうのだと説明されて、初めて腑に落ちた。

画面の向こうから、友達扱いされ、歓待されることを、若い世代は欲している。それは若いからなのか、現実世界での親密な経験が減少しているからなのか、ＳＮＳなどにより「つながり」を希求するように消費傾向が変化したからなのか、それは分からない。だが、重要な変化だと留意するべきだ。

先日、マスメディアを信じず、ネットに書かれているデマを信じる若い人と出会った。どうしてそう感じるかと聞くと、ネットの人たちは「親しい」から信じられると言っていた。科学とか論理とか証拠とか正しさではなく、「親密さ」の原理が、信憑性を生むのだ。フェイクニュースが蔓延するわけである。

陰謀論との関連では、バーチャルユーチューバーを用いた「物語」のスタイルも気になる。例えば「現実と仮想が交錯する不可逆性SNSミステリー」と銘打たれた「Project::COLD」という参加型エンターテインメントがある。現実の神奈川・平塚を舞台にした動画にバーチャルのキャラクターが現れ、同時にSNSではキャラクター名義でのアカウントが展開され、実時間・空間とフィクションをシンクロさせ混濁させる。

参加者は、作り手がネットにばらまく様々な謎の「断片」を集め、ツイートに返信して物語に介入し、力を合わせて真相に迫る。このようなエンターテインメントに、現在の多くの若い人は慣れている。

私見では、Qアノンなどの陰謀論者は、この物語の消費形態とよく似た思考パターンを持っている。ネットのあちこちから情報を持ち寄り、みんなの力でついに「陰謀＝真相」にたどりついた時の快感が、彼らの信念と団結を強固なものとする。

このような物語を作り出し誘導できる天才的なゲームマスターと、親密さを演出する技法が手を組めば、ナチスドイツのように人々を動員できるのではないか。二一世紀の新しいメディアによるファシズムは、もう始まっているのかもしれない。

「科学」「感情」対立ではなく（二〇二一年二月）

福島在住の朝日新聞記者が、福島第一原発のトリチウム水の海洋放出へのニュースに接し「科学を振りかざしてこれが真実だと言われても」と呟き、炎上している。多くの者は、科学的な見解を受け入れない感情的な人を批判し、不安を広め風評被害を起こすメディアを非難している。反ワクチン運動が世界的に活発化しているので、公益の観点からこの懸念はよく分かる。

「科学」と「感情」という対立項が作られ、「科学を分からない」人々が感情的なヒステリーだと馬鹿にされる。国や地域の公益を考えていないと非難される。この構図は、東日本大震災から延々とＳＮＳ上で続いてきたものだ。もちろん、おおむね科学的かつ合理的な方が正しいのだろうが、不安に思う人や、反発する人たちを軽蔑し、一方的に断罪する論調がＳＮＳでは多すぎる。それは、分断と対立をより深め、こじれさせる。

福島に限らないが、土地と祖先が結びつき、自然と人間が密接で、神話的・宇宙論的な死生観で生きている人たちは少なくない。自己の存在や、生死を説明する「物語」の中で生きてきた人々に、科学や公益の原理のみを押し付けるのは、暴力にもなり得る。少なくとも、文化や個人の尊厳を尊重した態度ではない。

科学と政府が、科学的にも道義的にも誤ったケースもある。水俣病、サリドマイド、薬害エイズなど、当時に書かれた文章を読むと、科学者や知識人が被害を訴える人々を攻撃しているのが確認できる。歴史的経緯からすると、科学や政府は、常に信用できるものではないのも事実だ。

だから、科学や政府を常に信用してはいけない、批判的な態度を持つべきだ。科学も、民主主義も、批判と検証によってこそ信頼が担保される――こう言うことはたやすい。だが、現在では難しいのは、これを言うことが科学や政府への信頼を損ね、反ワクチンなどの陰謀論を広める効果も持つことだ。

たとえば、歴史修正主義者は、実証的な歴史学を疑って批判しているつもりだろう。ナチスを肯定する者らやホロコースト否定論者が専門家に食って掛かり、「論破」しようとする事態は頻繁に起こる。科学や報道における批判や懐疑の方法論や存在意義を共有していない者たちがそれをまねして、発信出来てしまう。

歴史修正主義者の中には、ロマンや神話を擁護したい者もいる。陰謀論も、生に意味を与える現代の神話であり物語である。政治的正しさやジェンダー平等に反発する者にも、ローカルな文化を守る使命感を抱いている者は少なくない。彼らも、「科学」や「正しさ」に暴力性を感じているかもしれない。

単純な解決はおそらくありえない。一方的に断罪し攻撃すれば、分断や対立は深まる。まずは、互いに敬意を持ち、信頼を構築するところから始めた方がいい。他者の異質性を理解する努力をし、社会の多元性に謙虚になり、柔らかく丁寧に心に訴えかける対話が必要なのではないか。

SDGs、カッコよく社会変革（二〇二一年三月）

「サステナブル・ブランド国際会議」というイベントに登壇した。企業がSDGs（持続可能な開発目標）に貢献することを消費者にアピールするブランド化戦略についての会議である。ここで、新しい時代のうねりを感じた。

SDGsは、「Z世代」と呼ばれる、一九九五年以降生まれのデジタルネイティブたちと相性がいいと言われている。マーケッターによると、Z世代は日々ネットやSNSを通じ社会問題に触れる機会が多いからか、社会的・倫理的な意識が高いという。双方向性のメディアに常に接しているので、書き込みやリツイートなどでこまめにアクションしコミットする経験も蓄積している。

そのような感性に対応し社会の課題を解決する戦略という側面が、SDGsにはある。「サステナブル・ブランド」は、顧客の良いイメージを獲得するという利益追求が、結果として社会的な善行につながる仕組みになっている。

社会変革の方法としては、旧来の「社会派」や「社会運動」のイメージとは随分と異なっている。実際、Z世代の起業家たちが登壇するパネルを見たが、そこでは大学生たちが、プラスチックを減らすために植物由来の原料で出来たストローを開発し事業化していたり、空気中の二酸化炭素を吸収する装置を発明し起業したりしていた。資本主義と社会変革が結びついているのだ。

そしてZ世代たちは、快活でポジティブで、カッコいいように見えた。これも、旧来の運動とは雰囲気の異なることである。アカデミック・プロデューサーの青木茂樹さんに話を伺ったところ、SDGsはシリコンバレー精神と関係があるという。自由に開放的にフロンティアを探して挑戦していく精神で、米グーグルなど「GAFA」の発展の背景にあるマインドだ。

SDGsがその新しいフロンティアだ。そこにチャレンジし、自分の能力を試し、成功し、世界を変えるという明るく開放的なノリがここにはあった。閉鎖的で憂鬱なトーンではなく、自分の力で未来を切り拓いていく者のエネルギーが確かに輝いていた。

思えば、Z世代は、資源不足や環境問題、人権侵害や経済的な不況など、様々な課題を聞かされ続けて育った。普通に考えれば、未来に希望が持てず、憂鬱になり、無力感に陥ってもおかしくはない。しかし、課題こそがチャンスで、未来を変えられるのだと信じられれば、マインドはよりマシになるだろうし、多くの者が前向きに動くことで、本当に未来が良くなる可能性が上がる。

SDGsは、日常で小さなアクションが可能なので、自分には何か力があり、ほんの少しでも世界や未来を変えられるという手応えが感じられ、前向きなマインドを生む。そういう効果も期待されるのではないだろうか。

挑戦的で開放的なマインドを涵養し、それを許容する社会にならなければいけない。そうすれば、日本の未来はきっと暗くはないはずだ。

現実社会をも攻撃しはじめた「ぺぺ」（二〇二一年四月）

『フィールズ・グッド・マン』というドキュメンタリー映画を見た。アメリカでヘイトのシンボルに利用されているカエルの「ぺぺ」というキャラクターを追い、白人至上主義者やトランプ支持者たちの生態に迫る。

舞台の中心は、4chanというアメリカの匿名掲示板で、ここはオルタナ右翼や陰謀論者の巣窟だと言われる。元々は日本の「ふたば☆ちゃんねる」を踏襲したシステムを使っていたこともあり、日本の匿名掲示板文化の影響がかなり色濃い場所だ。

4chanは画像を使ったレスポンスのやりとりが特徴で、非常に多くの「インターネット・ミーム」を生み出してきた。インターネット・ミームとは、ネット上で多くの人々が模倣する意匠のことで、あちこちで皆が使う画像や言い回しを想像してもらえば分かりやすい。画像掲示板では、大喜利のように高速で様々な「ネタ」が提供され、それにアレンジを繰り返すという形でミーム（文化的遺伝子）の変異と進化が恐ろしい速度で進む。その中から淘汰が起こり、人気を得たものが自然と掲示板の外にも広がっていくという仕組みだ。

それは創造的で、ネット時代らしいユニークな遊びだ。だが、ぺぺの場合は白人至上主義者、ネオナチなどのシンボルに利用され、実際に銃撃事件や脅迫などに用いられた。トランプがヒラリー・クリントンと戦った大統領選ではトランプがぺぺと重ねられていき、トランプの髪形をしたカエルがたくさん作られ、トランプも公式ツイッターでＲＴ（拡散）した。

ペペは惨めさや悲しさを表現しているキャラクターで、だから匿名掲示板に来る「負け犬」たちの自画像として機能していたと映画は分析する。明るい女性たちがペペを使って「童貞」を罵ったり、ヒラリーがペペを攻撃したりしたことで、いわゆる「リベラル」「リア充」たちへの彼らの鬱屈が爆発した。トランプには破壊者として支持が集まり、ヒラリー陣営に対しては、児童買春などのデマや陰謀論がたくさんばらまかれた。

これはインターネット・ミームの力である。インターネットで流通しやすいミームは、人々が高速で即座に反応するメディアの性質を反映し、思考を要さず感情を駆動させるものになりやすい。理性的で批判的な思考は、ネットのゲーム的なやり取りの中では働きにくい。だから、屈辱や惨めさに理由を与え、「あいつらが悪い」と示してくれる思想に飛びつきやすくなる。そして、デマや陰謀論が流通する。

匿名掲示板の文化や、新しいメディア・テクノロジーによって、これまでにない政治的な感性が形成されている。生きる上での苦悩、絶望、羨望、怒り。それらとテクノロジーが複合したうねりは、注目に値する。めちゃくちゃにしてやりたい衝動が、ネットから現実に出てトランプ現象が起きたと映画は分析する。その衝動は世界の破滅すら望む。そんな悲しい姿を映画は捉えていた。彼らへの理解と救済も必要だろう。

自己の解放へ向かう、新しい「弱者男性」論（二〇二一年五月）

「弱者男性」がネットで大きな議論になっている。「弱者男性」論とは、フェミニズムの隆盛へのカウンターとして登場した議論で、マジョリティーであり強者であるとされる「男性」の中にも、「弱者」性を持つ恵まれない者や不幸な者たちがいることを提示するものだ。その具体的な論拠は、男性の自殺、ホームレス、殺人の被害者数が、女性に比べて多いことにある。「ネット論客」と呼ばれる人たちが議論を展開し、少なからぬ支持を集めていた。

その議論は、これまでは、反フェミニズムやミソジニー（女性嫌悪）色の強いバックラッシュと見られてきた。たとえば、女性の上昇婚志向によって結婚や恋愛ができない男性が出るので「女をあてがえ」という主張。このような女性への人権侵害的な発想は、そう見られても仕方がない。あるいは、マジョリティーである男性としての加害性に無自覚で、自らの特権性を奪われることの危機意識が、反フェミニズムや女性差別の形で出てきているとも見られていた。

だが今回のブームには、それとは異なる部分が目立つ。一つはマイケル・サンデルの近著『実力も運のうち――能力主義は正義か？』の議論が大きく影響していることだ。サンデルは本書で、ポリティカル・コレクトネス運動の問題点を指摘する。それは、白人男性のうち、学歴がない層に対して、あまりにも侮蔑的で攻撃的な態度を「リベラル」のエリートたちが取ることだ。

侮蔑されている中には、障害者や貧困層も含まれているのだが、白人で男性であるというだけで「強者」扱いになり、いくらでもバカにしていい存在であると見なされる。この鬱憤が、トランプ支持につながったと、サンデルは言う。「弱者男性」も、同じ構図だ。

もう一つの大きな変化は、フェミニズムへの揶揄や攻撃をいさめ、男性の辛さや、それが表出しにくく不可視化されている構造を言語化する方向性が強まっていることである。たとえば、非正規雇用の辛さ、助けを求めると弱い者と見なされること、女性からの「キモい」という言葉、恋人や友達ができない辛さ、店員の粗雑な対応、平日に公園に行くと通報されること、福祉とのつながりにくさ……。そのようなミクロな傷つきや苦しみを言語化する努力が行われている。

これらを表現することは「男らしさ」に反する。その規範があるから、表出できず、したとしても、共感されるよりは嘲笑され黙殺されることが多かった。だからこそ、存在があまり理解されてこなかった部分があるのだろう。とすれば、これらは、男性が「男らしさ」の呪縛と戦い自己を解放するための一つの社会運動だと見なせる。

生の複雑で多様な有り様を理解し共感する解像度の高さを皆が持つようになれば、繊細でより優しく丁寧な社会になっていくことが期待できる。それは、分断し、対立と憎悪をあおり、資源を奪い合うような世界像にあらがい、皆が生きやすい世界に変えていくための戦いでもあるはずだ。

「セレブバイト」炎上、悲しい他者への鈍感さ（二〇二一年六月）

とある大学教授の発言が炎上した。約二〇年前のこと、地方出身の彼が、東京で国際的な学術会議での同時通訳という高度なスキルを持つ女性たちに出会った。その彼女たちが、「東大やＩＣＵ（国際基督教大学）を卒業した専業主婦」でキャリア志向のない「セレブバイト」で驚いた、とツイッターに書いたのだ。

ネット上では、これがミソジニー（女性嫌悪）で女性差別だという論調がかなり高まった。確かに、「セレブバイト」という言い方には、高度な技能を要するプロフェッショナルに対する無理解があると言われても仕方がない。さらに、これらの女性が「ガラスの天井」によって正規雇用でなく非正規を強いられていた可能性だってある。ネットでは、両方の当事者たちからの強い非難が起こった。

基本的にそれは正しいと思う。思い出話であるにせよ、現代に必要な配慮は足りていなかった。とはいえ、気になる点もあった。つぶやきの前後から、自分の生まれ育った地方ではそのような女性の存在が想像できなかったという、地域格差や文化資本の差にまつわるショックの表現なのは明らかだった。にもかかわらず、この点を見落とし非難する者も少なからずいたのだ。

筆者は北海道出身なので彼の「ショック」はよく分かる。そして、このつぶやきを「ジェンダー」の問題としてだけしか読めない人たちは、地域格差や文化資本の差に打ちのめされたり屈辱を味わったりした経験はないのかと、悲しい気持ちになった。

差別について、「足を踏まれた者はそのことに敏感に気付くが、踏んでいる者は気付かない」ということがよく言われる。「マジョリティー」とは、「気付かずにいられる人々」のことだという定義もある（ケイン樹里安）。自分が傷つく立場ではないからこそ気付かないでいられ、鈍感でいられる。それが「特権」だ。

女性たちの境遇を想像できない鈍感さ。地域や階層にまつわる屈折やルサンチマンを経験しないで済むことの特権性。ぼくには、ネット上で衝突し合っている両者は、互いに、自分自身には敏感だが、他者には鈍感であり、被害には過敏で、加害には無感覚なように見えた。

恐れるのは、互いに「中央のブルジョア」「女性差別主義者」といったレッテルを貼り、「敵／味方」の構図と「分断」が生じる事態だ。いったん「敵／味方」の構図ができると、人は想像や共感を麻痺させることを正当化しやすい。

しかし、せっかく様々な個々人の多種多様な背景、経験、個性を表現し交流できるインターネットを、このように使うのは、もったいない。

公民権運動の指導者キング牧師は「汝の敵を愛せよ」と言った。差別や抑圧の被害者が、敵を許し、愛するのは不可能に近い困難なことである。しかし、当事者として、彼はそう言った。憎悪は憎悪を呼び、結果として生まれる新しい社会が良いものにならないと考えたからだ。愛することは難しいにせよ、理解し共感する努力ぐらいは、互いにしてみてもいいのではないか。

「トランス差別」論争に見る排外主義の構造（二〇二一年七月）

トランスジェンダーについて、SNSで大きな議論が起きている。六月二六日、ロサンゼルスのとあるサウナで起きた騒ぎがきっかけだ。身体は男性だが女性を自認している客が男性器を少女たちの前で晒している、と訴えた女性客がいた。彼女は店員を問いただしたが、従業員は「性別、宗教、人種を問わず、いかなる差別もしてはならない」というカリフォルニア州法にのっとって対応していると答えた。女性は、この様子を撮影し、インスタグラムにアップした。

LGBTの団体は、抗議した女性の「トランスジェンダー差別」を批判した。一方、キリスト教福音派やQアノンたちは、このサウナや、カリフォルニア州の法律、その背後にある価値観を攻撃した。

日本のSNSでは、少なからぬ女性たちが抗議者側の主張に賛同した。それに対し「トランス差別」ではないかという批判が巻き起こり、論争が続いている。

抗議者は「女性の権利」の侵害を訴えた。女性たちが安心して過ごすためのスペースや権利が男性たちに侵害され、未成年の少女たちが性器の露出の被害に遭っているという文脈を作ったのだ。

銭湯や温泉や女子トイレに、男性の性器を持つ「性自認が女性」の人が当たり前に入ってくるようになったらどうなるのか？　性自認が本人の自己申告で決まるなら、男性がトランス女性のフリをして痴漢やのぞき目的で入ってくるのではないか？　安心できないのではないか？　そのような不安と恐怖が巻き起こり、トランス女性は入れるべきではないという反応が起こった。「トランス女性は男性に過ぎず、男性は性暴力の加害者である」という主張まで現れ、これに対しても、トランス差別だという批判が高まった。

男性器を持っている人間に入られたくない、見せられたくないと主張する者の中には性被害のトラウマを抱えている者もいた。このような不安や恐怖心の表出が「差別」なのか。「差別だ」と言われた当人たちは戸惑っているようだ。

不安や恐怖心には寄り添うべきである。しかし、それが差別や偏見と結びついているケースがあることも事実だ。排外主義は、異質な民族や人種に対する不安や恐怖と結びついており、侵略の危機を煽る言説で広められてきた。

筆者の、トランスジェンダーの人たちと接してきた乏しい経験で言えば、彼らは決して悪魔的な存在ではない。どちらかと言えば、深くアイデンティティーに悩み、混乱し、精神的な病や脆弱性を抱えている人が多いように感じる。統計的にも、ＬＧＢＴは自殺率が高い。

「トランス女性」と偽って制度や価値観を悪用しようとする者は存在するだろう。しかし、その少数への怒りや憎悪が、そうではない大多数に向く状況は、マイノリティーの心に深刻な被害を与えかねない。侵略と剝奪の物語によって恐怖と不安を煽られ、二項対立思考になるよりは、冷静に、どちらのニーズも満足させる方策を探るべきだろう。

ＳＮＳが生み出す、新しい共同体意識（二〇二一年八月）

ＳＮＳを見ていると、世界中で起こっている様々な出来事の映像を目にする。ここ数日では、政権が崩壊したアフガニスタンの首都カブールから脱出する人々が空港に押し寄せる映像がたくさん流れてきた。

脱出するために飛行機にしがみつき、離陸後にふり落とされ死亡する人までいた。普段の日常と懸け離れた現実に触れて、様々な思いが去来する。

カブールだけではない。ここ数ヵ月に限っても、コロナ禍は言うまでもなく、ハイチでの大地震、西日本を中心とした豪雨、ミャンマーでの市民弾圧、ヨーロッパやアメリカの山火事などの衝撃的な事態を、何度も目にした。

このような映像の流通は何をもたらすだろうか？　あまりにも世界中の災害や悲惨な事件を目にし過ぎることで、鬱になったり、過度な不安がかき立てられたりすることもあるだろう。しかし、そこには、共感を生むというポジティブな面もあるのではないか。

アメリカの奴隷解放や南北戦争に大きな影響を与えたのは、ハリエット・ビーチャー・ストウの小説『アンクル・トムの小屋』だと言われている。小説を読むことで、黒人奴隷を同じ人間として共感的に理解できるようになった人々が増えたのだ。印刷技術の発明は、共感によって人々の倫理観や共同意識を変えたのだ。同じことが、インターネットでも起こらないだろうか？

インターネットによって、世界中の様々な人々の日常や生活、そして事件や災害などへの発信が増え、その結果、具体的な理解や共感の総量は間違いなく増えているだろうと推測される。

その兆候は、あちらこちらに見える。一つは、差別や暴力が「炎上」という形で問題にされることが増えてきたこと。もう一つは、ケア意識が増大してきていることである。たとえば、デジタルネイティブである「Z世代」と接していると、病気や障害をオープンに認め、互いにケアし合うような文化がある。分かりやすく言えば、オリンピックでも、少なからぬ選手が精神的な病や不調を告白していた。自他の弱さ、もろさを認め合い、ケアをし合うべきであるという価値観が広がっていると感じる。

一時的なのか、人類史的な進歩なのか、見極めることは難しいが、人々の倫理的な感覚はより鋭敏かつ繊細に、共感的に変わっていっているようである。

かつてベネディクト・アンダーソンは、印刷技術こそが、人々の共感や認識のあり方を変え、「想像の共同体」としての国民意識を形成したと述べていた。であるならば、この世界中とつながり共感を生むインターネットは、国民国家を超えた共同体意識をも生むはずである。

確かに、若い世代は地球環境の未来を憂えて怒りの声を上げている。掲げられているのが「気候正義」「環境正義」なる概念である。バックミンスター・フラーが「宇宙船地球号」という言葉で考えたような、新しい共感と共同性の感覚がどうも一般化・大衆化してきているようである。これは人類の未来を変えるだろうか？　楽しみに注視していきたい。

マトリックス新作「目覚め抵抗せよ」の先は（二〇二一年九月）

映画『マトリックス』（一九九九年）シリーズ一八年ぶりの新作『マトリックス　レザレクションズ』の予告編が公開され、ネットが盛り上がっている。ウォシャウスキー兄弟（当時）が監督したこのシリーズは、コンピューター・シミュレーションの世界で生きていると気付いた人々が「現実」に目覚め、世界のシステムに対してレジスタンスし、最終的に革命を起こすという内容である。この物語は、非常に広範な影響を与えた。

「レザレクションズ」の予告編が公開されたＨＰでは、「赤い薬」と「青い薬」のどちらかを、ユーザーが選ぶという演出が行われた。これは作中で主人公ネオに与えられた問いである。登場人物たちが暮らしている世界は実はシミュレーションで、赤い薬を飲むと、「真の現実」が開示される。青い薬を飲むと、

「真の現実」に気付かないまま生活が出来る。どちらを選ぶのか?

政府や既存のシステムへの不信と、「真実」に目覚め抵抗せよという点においては、『マトリックス』的な認識は政治的に右にも左にもなり得る。また、この認識の構図は選民意識や有能感を刺激すると言える。

現実には、「レッドピル(赤い薬)」という言葉は、英語圏でオルタナ右翼や反フェミニズムの人々がネットで頻繁に使い、その影響は日本にも及んでいる。例えば、世界はリベラルやフェミニズムの価値観に支配されているが、自分たちは「レッドピル」を飲んでおり、真の現実を知っている、と彼らは主張している。陰謀論と同様の構造である。「ネットde真実」などと揶揄されるネット右翼や、YouTubeなどで「真実」に目覚める現代の陰謀論者たちも、同じ「物語」の魅力に耽溺してしまっているように見える。

ウォシャウスキー兄弟は『マトリックス』後の二〇〇五年に『V フォー・ヴェンデッタ』を公開したが、それは、全体主義国家になったイギリスに対し、民衆がガイ・フォークスという男の仮面を着けて匿名で抵抗する作品だった。ネットではそれに呼応し、匿名のハクティビスト(政治的活動をするハッカー)集団アノニマスがこの仮面を用いるようになり、二〇一一年の「ウォール街を占拠せよ」運動でも使われた。物語が、感性・認識を作り、人々の政治行動も形作ったのだ。

これら、既存のシステムを信じるな、自由と解放を求めよという思想には両義性がある。それは全体主義や独裁への抵抗になるが、同時に、政府や専門家を信じずワクチンを打たない人々や、トランプ再選を信じて議会を襲撃した人たちとも論理構造は近しい。このような『マトリックス』構図を、現在ではどのように受け止め、反省したらよいのか。コロナ禍後の世界に生きている私たちは、そう簡単に「目覚めよ」との叫びやレジスタンスを称揚できそうにない。

サイバーアナーキズムやリバタリアニズム(自由至上主義)の残骸のような思想がネットに蔓延する今、新作は何を私たちに突きつけるのか。楽しみだ。

個人装ったツイッター、権力が利用したら（二〇二一年一〇月）

「Ｄａｐｐｉ」というツイッターアカウントに対して、発信者情報開示請求が行われた。結果、相手が法人だったことが明かされ、ネットが沸いている。Ｄａｐｐｉは「日本が大好きです。偏向報道をするマスコミは嫌いです」とプロフィールに掲げ、与党を擁護し野党を批判する投稿を繰り返す、フォロワー一六万人のアカウントである。立憲民主党の小西洋之参議院議員らが名誉毀損で民事訴訟を提起し、裁判所が開示命令を出したのだ。

投稿に使われたインターネット回線の契約者である法人は、ウェブ制作や広告を請け負う会社で、主な取引先に自民党がある。これは、政府与党が、一個人に見せかけながらプロパガンダをしていた可能性を疑わせる。

ＳＮＳやネットにおける政治権力の働きかけや介入は、珍しいことではない。例えば自民党は「党公認の応援団」として「ネットサポーターズクラブ」を作り、広報・宣伝に利用している。ＳＮＳには、政治家の言動や事件に対し一字一句全く同じ発言をするアカウントが大量にあり、背後に何らかの企業・組織があるのでは、とも指摘されてきた。「陰謀論」の域を出なかったが、今回のような開示請求でその裏付けとなる証拠が出るかもしれないことが、注目に値する。

個人ではなくそれを装ったアカウントが、スパイのように「広報」「宣伝」をすることには、どんな問題があるだろうか。まず、多数派を装えば、多くの者の考えに影響を与えられるだろう。潰したい相手に「炎上」を仕掛けたり、職場などにクレームを送り付けたりすれば、あるトピックについて人々が議論しにくい言説環境を作ることができる。会社や行政などで、ネットでの意見や発言を「ソーシャルリスニング」し、得られた統計的なデータを意思決定のエビデンスにする際にも、元の数字を操作することができる。これに対して、民主主義の破壊だとの声が上がっている。そうだろう。

このようなことが横行すると、人々が互いを信じられなくなり、素直に感情や考えを吐露することもできなくなる。そうなると、民主主義のメリットがそがれ、今後の日本の創造性や生産性を低下させる可能性が高い。人々が分断され、疑心暗鬼になり、憎悪を高め合うと、協調行動によって発展し高度化してきた人類の強みも損なわれるだろう。

志垣民郎著・岸俊光編『内閣調査室秘録　戦後思想を動かした男』にある通り、知識人や言論人に内閣調査室が接近し、金銭を渡したり勉強会を組織したりする「世論戦」「世論操作」はこれまでも行われてきた。Ｄａｐｐｉの真相はどうあれ、現在はネットのメディアに適した方法で、似たようなことが行われているのだろうと推測される。

法的な規制が必要ではないか。少なくとも、そのような行為が本当に行われていると認識し、批判的な視座を持たなければ、権力側にとって不都合なことは隠され、有利になるよう世論を操作できるようになり、権力の腐敗と暴走は食い止められないのではないか。そのとき損をするのは、我々である。

メタバース　仮想の新世界か、現実の拡張か（二〇二一年一一月）

メタバースという言葉が大流行している。フェイスブック社が一〇月二八日に、会社名を「Ｍｅｔａ《メタ》」に変え、メタバースを事業の中心に据えると宣言したことが、大きな理由である。メタバースは、ＳＮＳ

の次のインターネット上におけるプラットフォームになるかもしれず、様々な人々が関心を寄せている。メタバースとは何かというと、インターネット上の3D空間のことである。多くの場合、ユーザーは3Dのアバターを使ってその世界を探索する。その形態は、ほとんどゲームと等しい。既に知られたものだと、セカンドライフや、VR-Chat、フォートナイトなどがある。

SNSとの大きな違いは、疑似的な空間と身体が存在していることである。この空間で、互いにコミュニケーションをしたり、ビジネスをしたり、ファッションを楽しんだり、集団でライブに参加したり、ときには恋愛や性行為（バーチャル風俗嬢やAV女優が既にいる）まで、現に行われている。

一方、ナイアンティック社の最高経営責任者（CEO）ジョン・ハンケは八月、これに真っ向から対立するようなビジョンを提示した。彼はブログで「メタバースはディストピアの悪夢です」「仮想の世界に逃避するような世界にならないことを願う」と述べ、SNSなどのテクノロジーにより人々の負担が増えたり社会が分断されたりする方向になっていることに危惧を表明。自分たちは「現実世界のメタバース」を目指すと述べた。

ナイアンティック社は、イングレスやポケモンGOなどの拡張現実（AR）ゲームを展開してきた会社だ。彼らは、この現実の上に、情報を重ね書きしたような世界を技術的に実現させようとしている。「現実世界のメタバース」は、メタバースと違い、現実、社会、共同体、家族などとのつながりを大事にするものだと主張している。一一月八日にはARプラットフォーム「Niantic Lightship」の開発者向けツールを発表した。翌日にはソフトバンクが採用を宣言し、AR体験を提供していくと述べている。

これら、真っ向から対立する二つの未来についてのビジョンが、民間企業から提案されている。これらのプラットフォームは、本当に実現するならば（ある程度はするだろう）、人類の未来の行方を大きく変えるものであり、二〇世紀における「イデオロギー」「社会思想」などに匹敵する力を持っているが、私たちがその行方を議論し投票して決められるわけではない。実際には、アプリを使ったり課金したりすることで企業を栄えさせることが、実質的な「投票」になる。私たちは、どのような未来を選ぶべきなのか、メリットとデメリットを議論し、自覚的に対応した方がいいだろう。

個人的には「現実世界のメタバース」に共感する。この現実世界の課題から目をそらさせず、他者との共存の感覚を養うことの方が、これから先の気候変動や環境危機などが激化するであろう世界に生きる子供たちに必要だと思うからだ。

嫌われる「斬る批評」、伝え方どうすれば（二〇二一年一二月）

動画投稿アプリ「TikTok」で数多くの小説を紹介してきた動画クリエーターのけんごが、活動を控えるようになった。原因は、書評家の豊崎由美に「わたしはTikTokみたいなもんで本を紹介して、そんな杜撰《ずさん》な紹介で本が売れたからって、だからどうしたとしか思いませんね」「あの人、書評書けるんですか?」と揶揄されたことだ（豊崎は後日謝罪）。これをきっかけに、議論は、現代における言説のあり方にまで及んだ。

けんごは、筒井康隆の一九八九年の小説『残像に口紅を』を紹介し、一一万五〇〇〇部増刷のヒットに導いた。まだ二〇代の本を愛する若者であり、高校生ら若者に大きな影響力を持っている。飯田一史はじめ、ネット上で出版関係者は、高校生に読書の楽しみを気付かせ読書習慣をつけてきたけんごの活動を擁護し、豊崎をいさめる声が多い。背景には、インフルエンサーの活動がなければ若い世代は読書自体から離れるという危機感がある。

それに対し、栗原裕一郎は、「書評」には広告と評論の機能があるのだが、TikTokでの本の紹介は現状、宣伝に特化してしまっていて、教養に基づき文化を語り分析する機能などが失われている側面は確かにあるのだと、豊﨑に理解を示す発言をしている。確かにこのことは、真剣に考えるべきことである。

栗原の指摘を受けて、ネット論客の「CDBと七紙草子」は『推す批評』が『斬る批評』を駆逐していく状況」にあると分析した。批評家が「斬る」、すなわち、否定したり、批判したり、上から目線で評すことや、昭和の批評でよくあったように毒舌芸を見せたりすることは、現在のSNSでは好まれないのだ。

二〇一七年に、参議院議員の今井絵理子が「批判なき政治」を目指すと言っていたが、言説空間において、対立や否定や吟味や比較や評価それ自体が嫌われる傾向にあることははっきりと体感される。商業誌にもその傾向は出ていて、対立や論争を生むものよりも、褒めるような宣伝的なものが好まれるようになってきているとも指摘される。民主主義の基本は対話にあるのだから、この変化は政治にも反映されるだろう。

しかし、親としても、教員としても思うのだが、当人が聞いて気持ちいいことだけでは、本人のためにならないことはある。喜んで聞かないとしても、教えておかなければならないことも厳然としてある。だがマスメディアや学校が権威を背にして一方向的に行うような「啓蒙」は、ネット空間では機能しにくい。だとすると、何かを伝えるためには、その方法を工夫する必要があるのではないか。

ネットは、共感を重視する。誰でも自由に意見の言える、民主的で水平的で双方向的な空間である。人々は否定や批判に耐えられないほど自己肯定感を失い繊細になっているのかもしれない。だとすると、友達のように寄り添ったり、対等な対話から大事なことを理解し合ったりするような方法に変わる必要があるのかもしれない。既に鋭敏な発信者たちは、そのような方法論を試し、開拓し続けているようである。

現実と仮想で身体が自在になる未来とは（二〇二二年一月）

「自在化身体」が研究されている。東京大学の稲見昌彦教授を中心として、ロボットやアバターを用い、物理・情報空間の両方で身体を自在に操れるようにするプロジェクトである。コロナ禍を機に人々の意識や関心が変わり、実現に弾みがついたのだという。テレワークやＶＲ（仮想現実）上のコミュニケーション、メタバースなどを想像すればよいだろう。

稲見、北崎充晃らの著作『自在化身体論――超感覚・超身体・変身・分身・合体が織りなす人類の未来』で興味深いのは、「心と身体を分離して設計」した後に「分身」させ「合体」させる研究である。この場合の身体とは生身の物理的な身体だけではなく、ロボットやゲーム内の操作キャラクターにまで拡張された身体をも指すのだが、一人の人間が同時に複数の身体を操ったり、あるいは一つの身体を複数人で扱ったりする研究が行われているという。

「分身」の例として、無意識に歩きながらスマホ（の中のアバターなど）を操作して複数の身体を同時に動かすことを我々はしている。ゲーム『ウイニングイレブン』（一九九五-）では、ＡＩ（人工知能）の支援を受け一一人の選手を一人で操作することができる。一方「合体」の例としては、アバターの右半分と左半分を別々の人間で動かす実験がなされている。

このような、「身体の輪郭」と「個の意識」が一致しないのが当たり前になる世界が到来したら、何が起きるだろうか？　北崎は、複数人で一つの身体を扱うようになっていくと「人々の向社会性や公平性が高まり、集団や公共の利益を優先するように社会のあり方も変わる」かもしれないが、近代社会で前提となっている個や自由意志の前提を覆すので、「社会システムや倫理感の毀損」や「全体主義」に陥る危険もあるとしている。

共同体の感覚も変わるだろう。「祭り」とは、人々が身体を伴って時間と空間と経験を共有することで、集団としての意識を育む行為であるが、原初的な共同体を想像すれば分かるように、おそらくはそれは政治を行うために必要なことでもあった。近代以降では、共同体のサイズが大きくなったため、例えばナチスは党大会を利用したし、多くの国家はオリンピックなどを用いて国民意識・共同体感覚を醸成した。卑近な例になるが、初期のインターネットの匿名掲示板でも「祭り」と呼ばれる書き込みの殺到がよく起こっていた。あれは身体のない文字だけの世界で集合的・共同的な感覚を得ようとしていたことなのかもしれない。

身体と政治は密接に結びついている。メタバースが普及し、情報化された身体や、複数化し共有される身体を持ったとき、我々はどう変わっていくだろうか？　全体主義の危険はあるが、多くの人々で何かを分け合ったり、共有したりするのを好む感性になる可能性だってある。身体を自在にする自由は、身体に違和を感じる多くの人々を解放するだろうが、一方で、思い通りにならない老いや死、妊娠や出産などへの感覚の変化を起こすことも確実である。そのとき起こる総合的な変化を今のうちに予測し、必要な手を打っておいた方がいいのではないか。

機能不全の「批評」、新しい方法論を探る（二〇二二年二月）

ＳＮＳでは、日々「批判」「批評」「人文学」が嫌われ、攻撃の対象になっている。それを、単に反知性主義や無教養だと切り捨てるのはたやすいが、もっと大きな言説の構造変動の中で理解する方法があるかもしれない。手掛かりとなるのが、「ポストクリティーク」という概念である。

ポストクリティークとは、従来の「批判」「批評」「人文学」の機能不全を問題視し、新しい批評のあり方を考える動きのことだ。日本では、英文学研究者の勝田悠紀が雑誌『エクリヲ』などで紹介に努めている。ヨーロッパやアメリカなどでは二〇〇〇年代から一〇年代に言説が積み重ねられてきた。

そこで問題になっているのが、代表的論客リタ・フェルスキが「懐疑の解釈学」と呼ぶ批評・人文学の思考パターンである。一般の人々が当たり前に信じている常識などが、実は幻想であり、構造や無意識などの産物である、などという暴露を批評や人文学は好んできた。そして、テクストなどの中に家父長制や帝国主義の痕跡を見つけ、暴き出すことで、社会を変えようとしてきた。

しかし、今や、わざわざテクストから暴くまでもなく、政治家が堂々と家父長制や差別を振り回しているのに、止められない。であれば批評に一体何の意味があるのか、というのが問題視される理由の一つ。批評をする人間が自己を絶対化し他者に懲罰的になり、シニシズムや否定性や陰気さを広めることになるというのがまた一つの理由。そして最も重要なのが、そのような「懐疑」「皆はだまされているが真実を暴く」という態度は、今や通俗化し、陰謀論などの構図に蔓延しているということである。

例えば、ある種の権威とされてきた日教組や朝日新聞が「GHQ（連合国軍総司令部）の手先」「共産党である」というカッコつきの「真実」を暴露する話法は、ネットにあふれかえっている。弱者とされるマイノリティーこそ「真の強者」であり、マジョリティーこそが弱者であるという物語もそうだろう。

自らのアイデンティティーに基づき結束して政治運動を行う「アイデンティティー・ポリティクス」は、マイノリティーが社会における不利益や不平等をはね返すためのものだったが、男性や白人らマジョリティー（日本においては日本人）に利用されるようになった。Qアノンらオルタナ右翼も、左派のものだったカウンターカルチャーの右翼版である。科学的な事実が「構成」されたものだと主張するのも左翼だったが、今では気候変動否定論者がそれをやる。人文学や批評が好んだ方法論が、右派に簒奪され、非常に通俗的にネットに出回っているのである。

このような状況にどう対処したらよいだろうか。PC（ポリティカル・コレクトネス）の観点からより厳しく右派を糾弾するのも、一つの回答であろう。だが、新たな方法論はないのか。メタレベルに立たない、肯定や信頼や愛を軸にする、インターネットの仕組みそのものを批評する、ケア的な対話を行う、言語以外のメディアを使う、などなど、様々な提案と実践が「ポストクリティーク」にはある。私たちはもう一度、批評を再発明せねばなるまい。

飛び交うデマ、SNSの「認知戦」（二〇二二年三月）

SNSを見ると、ほとんどウクライナでの戦争一色である。戦争の惨劇を撮影した動画が次々と流れて来る。ロシアなどからのプロパガンダやフェイクニュースが飛び交い、アメリカの諜報機関などが情報を公開し、プロや素人がそれらの真偽をただちに検証し、専門家たちの見解も次々と共有される。

今回の戦争は「ハイブリッド戦争」だと言われている。通常の物理的な兵器だけでなく、サイバー攻撃や世論操作などと組み合わせた戦争のことで、その意味ではSNSなどの情報空間はそれ自体が一つの戦場なのだ。

情報戦の一部は「認知戦」と呼ばれる。たとえば、今回のウクライナへの侵攻において、プーチンは、ネオナチに支配されているウクライナを解放するのだという大義を掲げているが、そのように自国や国際世論を説得し、自分の有利にことを進めようとするのが「認知戦」である。

それに対して、アメリカは、様々な諜報機関が集めた情報を公開していくという戦術を採った。SNSが普及し、あらゆる場所ですぐに撮影され、世界で物事が共有される時代においては、どちらが嘘を言っているのかは、すぐに検証できる。デマや嘘に基づいた政治と、真実に基づいたそれとの対決でもあるのだ。

そしてこの認知戦は、いわゆる武力による戦争ではない平時においても行われ続けていた。今回の戦争でフェイクニュースでプロパガンダを発信しているロシアの国営ニュースメディア「RT」や「スプートニク」は、二〇一六年のアメリカ大統領選のときにもアメリカにデマを流し、トランプ当選という選挙結果に影響を与えたと分析されている。米国家情報長官室は、プーチンがトランプ当選工作を承認したと結論づけた。デマや陰謀論に感染させ、相手の国の体制をガタガタにしてしまうことも、攻撃の一種であろう。

ハイブリッド戦争では、戦時と平時の区別、攻撃とそうでないものの区別も曖昧である。そのような観点から振り返ると、ちょっとだけ気になるナラティブ（物語・認識のパターン）がある。

ウクライナが「ディープステート」に支配されており、プーチンが解放のために戦っている「光の戦士」であるという陰謀論が出回っているが、これはトランプ支持者が信じているものとそっくりだ。アメリカや世界はディープステートと呼ばれる「影の政府」に支配されていて、マスメディアやリベラルはそれに支配されており、トランプはそれと戦う戦士であると彼らは主張していた。

「リベラリズム」を否定し、力による現状変化を支持し、国家や民族のかつての栄光に訴えかけ、被害者と加害者を逆転させるナラティブのあり方は、トランプ支持者と、今回のプーチンの主張に共通している。これは偶然なのだろうか。ロシア側からの、西側陣営に対する「認知戦」だった可能性はないだろうか。

同様のパターンの、日本国内における様々な議論や論争も、検証し直す必要があるのではないだろうか。

ナラティブ戦、「共感」が世論を動かす（二〇二二年四月）

ナラティブ戦という言葉が、にわかに脚光を浴びてきた。物理的な兵器や軍事ではなく、情報やイメージの流通により国際的な世論を味方に付ける戦い方のことである。ウクライナとロシアの戦争において、ロシア側は「ネオナチにウクライナが支配されている」「ロシア人が迫害されている」などの物語を世界に発信し正当性を主張した。一方、ウクライナは子どもたちの被害や虐殺の現場をＳＮＳなどで発信し、大統領自ら動画で語るなどの対抗策をとってきた。

これは今に始まったことではない。二〇一四年のクリミア危機の際には、ロシア側のフェイクニュースが国際的な世論に大きな影響を与えていた。

デイヴィッド・パトリカラコス『１４０字の戦争――ＳＮＳが戦場を変えた』によると、同じ年のイスラエルによるガザ侵攻において、イスラエル軍がナラティブ戦を大々的に採り入れ始めたという。

イスラエルから空爆を受けているガザ地区の一六歳の少女が、恐怖と不安を伝えるツイッターを投稿し、それが世界中で共感を生み、マスメディアにも引用され、イスラエルを非難する国際的な世論を形成した。彼女は青い目をした、見た目のきれいな若い女性であった。

軍事力で勝っていたイスラエル軍は、虚偽を含むパレスチナの主張が世論や政治状況に影響することに脅威を感じ、カウンターのナラティブ戦を行った。担当したのは二五歳の女性。当初は上層部の頭が固く、ほぼ独断でブロガーに広報映像をばらまくなどしたという。

私たちは、軍事や戦争のイメージを変えなければいけない。物理と情報の二層で同時に行われる現代の戦争においては、若い人間がデジタルに精通しているがゆえに強く、そして、世論を味方に付ける「共感」を喚起しやすい見た目や属性が武器になる。それは、スマホとSNSの普及で、誰でも簡単に動画を撮影し発信できるようになったからだ。文字と違い、動画は感情を動かしやすいのである。だからナラティブ戦では、赤ん坊の遺体の写真や、自身を「被害者」であると主張する戦術が頻繁に使われる。

メディアの変化で、理性より共感が大きく世論を動かすようになった。おそらくそれは戦争だけでなく、様々な運動にも影響を与えている。同じ戦術が有効だからである。例えばフェミニズムは、このメディアの恩恵を大きく受けている。弊害として、証拠に基づく論理的な思考の後退、「ポスト・トゥルース」の問題、炎上とリンチ、共感されにくい見た目や属性の者の不利益などもあるだろうが、共感の力で残酷さや不正・暴力の減少に世界を向かわせることも期待できる。

オンラインゲームで培った集中力と粘りと統率力で公開情報を分析し、ロシアとウクライナのナラティブ戦に多大な影響を与えた男性が『140字の戦争』には登場する。おそらく、有事の際には、インスタ映えを気にしTikTokに自撮りを投稿している若い人たちや、YouTuber、ゲーマーたちが、ナラティブ戦で活躍するのだろう。それが二一世紀の戦争か。

情報工作の歴史、表現の自由とリスク（二〇二一年五月）

ジョンズ・ホプキンス大学教授トマス・リッドの『アクティブ・メジャーズ——情報戦争の百年秘史』（作品社、原著は二〇二〇年刊）を読んだ。KGB（旧・ソ連国家保安委員会）とCIA（米中央情報局）を中心に、情報工作の歴史を、証拠に基づいて一〇〇年分記した大著である。

ロシアがフェイクニュースやSNSへの書き込みなどで他国に攻撃を行っていることは既に周知だと思われる。ロシアは一六年の米大統領選にも介入しており、ヒラリー・クリントン陣営にハッキングを仕掛け、選挙対策本部長のメールをリークしている。それはトランプ当選に寄与したと考えられており、民主主義を危機に陥らせる工作であった。もちろん、日本にもこれに類した攻撃が行われ続けてきていると考えなくてはなるまい。

ロシアのプーチン大統領が属していたKGBの作戦のうち、本書で紹介されている興味深いものを挙げる。一九五九年、西独ケルンのシナゴーグ（ユダヤ教礼拝所）跡に「ユダヤ人は出ていけ」と落書きし、分断と対立をあおった。これは、西独でなおナチズムが活発だと印象づけ、北大西洋条約機構（NATO）の軍備に反対する国際世論をかき立てるためだった。

エイズが流行した時には、それが米の生物兵器であるという陰謀論を流布した。アフガニスタンにおけるソ連軍の化学兵器使用に対する非難をそらすためだったという。総じて、民族、人種、宗教などの対立を激化させ、混乱を引き起こし、民主主義を機能不全にさせ、国際的な世論をソ連側に有利にするためにこれらの工作は行われた。

ネット上での自由や解放を求めるサイバーリバタリアニズムの精神も、ロシアの工作に利用されてしまった。リークサイトには偽リークが大量に出現、それをロシア国営放送が翌日に大々的に報じるなどのことが起こっていた。そして、匿名で活動するハッカー集団「アノニマス」もまた、「工作のための強力な隠れ蓑」（三六〇頁）にされていった。ネットにおける理想主義的な活動は、「政府や大企業による統制からの自由」という動機とは裏腹に、それよりもはるかに過酷な権威主義と独裁の体制に奉仕させられることになったのだ。その一部が陰謀論者のQアノンたちであろう。

これらの攻撃は、自由民主主義の弱点を巧妙に利用している。規制をあまりせず、「表現の自由」を認めているからこそ攻撃にさらされるリスクがある。だからと言って法的な規制などを強めていくと、それこそ権威主義陣営と変わらず、自由と民主主義を毀損してしまいかねない。SNSで日々行われている論争の核心部分にはこれがあるように思われる。

トマス・リッドは言う。「積極工作に過剰に反応することは、開かれた社会を閉ざされた社会にするということだ。開かれた社会を守る反応と、閉ざされた社会を助長する反応とをどう区別するかというのはさらに難しい問題だった。それを教えてくれるのは未来だけだろう」（二七一‐二七二頁）。このジレンマの中で、私たちは何を選ぶべきだろうか。

SNSが生んだ、インスタントな共感の先（二〇二二年六月）

キャンセルカルチャーの是非が、議論されている。キャンセルカルチャーとは、不適切だと見なされる発言をした者に対して炎上が起こり、辞任や解雇などにまで至る現象である。日本では、東京オリンピック開会式の音楽担当だった小山田圭吾が辞任した件が有名であろう。『中央公論』五月号や、『情況』春号が、相次いで特集を組んだ。

差別や不平等は解消されるべきである。法によって裁き切れない問題があることも確かである。辞任や解雇を求める側に「正義」があると個人的に感じることも多くあるという大前提の上で、キャンセルカルチャーの問題点を指摘する。(1)ネットによるリンチであるので、事実か否かが判断されないまま、恣意的な罰が与えられてしまう。(2)表現の自由、思想信条の自由が萎縮してしまう。(3)民主主義が成立する前提となる寛容さや対話の機会が失われてしまう。

こうした問題点に基づく非難は左派に浴びせられやすいが、ネットでの炎上をベースにし、勤め先や講演先、展示先などにクレームをつけるという手法は右派も行っている。あいちトリエンナーレ2019の「表現の不自由展・その後」などがそうだろう。右も左も、保守もリベラルも使う手法であり、結果として全体の表現の自由が狭まり合ってしまう非寛容さが生じている。

これは、SNSに適合したラディカル・デモクラシーが必然的に招いていることだと考えられる。リベラル・デモクラシーは、理性的な主体による討議を前提としていたが、ラディカル・デモクラシーは、必ずしも理性的ではない声をも重視する。これまでの議論のテーブルから排除されていた声が表に出ていき、理解と共感が増えていくことは大いに価値があるが、弊害として、ポピュリズムやファシズムに近づいてしまう。SNSのように、短文を用いて、感情や情動で反応し拡散してしまいやすいメディアが生み出した政治的な状況だとも言える。

感情で参加できる政治手法の流行は、オタク文化の中心概念に「推し」が躍り出たことと並行している。現在のオタクは、教養主義的でヒエラルキーにこだわる一九九〇年代までと違い、好きで育てたいという対象への「推し」の感情をベースに、水平的なファンコミュニティーを形成する傾向があるという。主観と感情でつながり、参加のハードルが低い大衆文化のあり方と、好悪で反応するSNSの参加型民主主義は、よく似ている。

伊藤昌亮は『炎上社会を考える――自粛警察からキャンセルカルチャーまで』で「今日の新自由主義的な風潮のもとでは、共感は市場主義の中に繰り込まれ、ときにそれを暴走させるものとなってしまっている」と指摘している。共感は、誰かを救い、世界を良くする一方で、ネット時代には大きな弊害も生む。現在のインスタントな共感は、基本的にはネットやSNSの仕組みから生み出され、商業的に促進され利用され搾取されている可能性がある。私たちは、それを一歩引いて考えてみたほうがいいのではないか。

票集めの手法がはらむ、分断の危うさ（二〇二二年七月）

参院選では、左右問わずネット戦略のたくみなポピュリズム政党が躍進したように見える。目立つのは数多くのユーチューバーの立候補であり、参政党からは当選者も出た。他には、「表現の自由を守る」と訴えるマンガ家の赤松健氏が、ネットなどを駆使したPR戦術で約五三万票を集め、自民党の比例区で初当選を果たしたことも注目だ。ネットではあまり存在感のない立憲民主党の低調を見ると、今後、選挙においてネットがより重視されるのは必至だと思われる。

とはいえネットは、感情で動きやすい世界なので、ナチスのプロパガンダと同じように、人々を感情的に動員してしまう懸念が存在する。そのような人々に迎合するような政党・政策が伸長していくことも容易に想像できる。左右問わず、ポピュリズムがファシズムにつながっていく危険は少なからずあるだろう。

現に、ネットでは、様々な集団に分断された人々が、相互に憎悪をぶつけ合っている。自分たちが不遇なのは「あいつら」のせいだという扇動的な物語がバラまかれ、それを信じ込んだ者たちの嫌がらせの攻撃が連日続いている。精神や状況が極限に追い詰められ自暴自棄になった者が、障害者を狙うのか、在日コリアン居住地区に放火するのか、小学生を殺害するのか、政治家を射殺するのかも、ただ単に「確率の問題」であり、いつ起こっても仕方がないという、すさんだ空気すらそこには感じられる。

安倍元首相が殺害されたとき「反安倍の人たちが、アベシネと言い続けたせいではないか」という声がインフルエンサーから上がった。その真意はさておき、いつ暴発してもおかしくない相互憎悪の空気をたしなめる意見として受け止めることもできる。政治家たちへの激しい非難が「分かりやすい敵」を作り、「確率的な殺人」の向かう先になるかもしれない、という危惧は当然生じるだろう。それに対する、「権力者への批判は違う」という反論も正当なものであるが。

この、いつ火がついてもおかしくないような、様々な「集団」の分断と憎悪の応酬を目にしていると、ポピュリズム路線には大変懸念を抱くというのが正直なところである。「あなたは悪くない」と肯定し慰撫し、仲間や集団を与え、「あいつらが悪い」とけしかけるのは、原初的な政治の手法である。そうすると、状況はより悪化するのではないか。

赤松氏は「表現の自由」を掲げ、マンガ・アニメ・ゲームなどのサブカルチャーへの規制に反対し、それに愛着を持つ者たちに支持を呼びかけた。立候補にあたって発表したマンガなどを見ると、規制派を「リベラル」と名指しし、「敵」として悪魔化することで、サブカルファンであることをアイデンティティーとする集団を結束させる手法を使っているように見える。これはネット時代の、組織化されていない人々から支持を得る手法の、一つの鮮やかな成功例だと言えるだろう。しかし、その成功は、憎悪と分断の激化を副作用として伴う。彼には、その社会全体の危険にも対処することを願ってやまない。

AIが描く驚愕の絵、呪文が導く可能性は（二〇二二年八月）

ＡＩ（人工知能）に絵を描かせるのが流行っている。キーワードを入力するとそれに応じてＡＩが絵を出力する「Midjourney」「DALL.E2」「Craiyon」などのサービスを使って、「こんな面白いものが出た」とＳＮＳで見せあっているのである。「ＡＩはここまで出来るようになったのか」と、直感的に理解できるきっかけになっている。

出来は、驚愕するレベルである。たとえば「犬が大量にネパールのお寺に集まっている」などと指示すると、そのような絵が出力されてくる。さらに瞠目させられるのは「ミュシャ風」や「水彩で」「ミニマリズムで」などと指定すると、本当にその画風の絵になるのだ。これが、頼んでほんの数分で出来上がるのだから、イラストレーターや画家の一部が失業を懸念するのは当然だろうと思われる。ちょっとした挿絵や、ネット記事に挿入する画像などに使うのであれば、十分に商業的に実用可能なレベルなのだ。

ただ、実際に使ってみて思ったのだが、「既存のイメージにないもの」を創造することは苦手にしているかもしれない。というのも、AIが「絵を描く」というとき、そこで行われているのは、既存のデータからの統計的な学習の結果を出すことだからだ。だから、前例の乏しいものはうまく作れない弱点はある。

とはいえ、「創造性」がないわけではない。「創造」とは、既存のものを組み合わせることだという説もあるが、人間が打ち込むキーワードの組み合わせを工夫すれば、これまでに見たことのない画像も作れる。その方法論は、いわゆるポストモダンにおけるコラージュや引用の方法論に近いのだが、技術に習熟したり発注したりせずともAIによって誰もがそれを行いうるようになったのが大きな変化である。

ネットでは、AIに入力する言葉のことを「呪文」と呼ぶようになっている。色々な「呪文」をAIに与え、AIの癖を見抜いていき、どんなキーワードの入れ方をすると面白い結果になるのかを人間が学習し習熟していく過程が存在しているのだ。これは、AIと人間の「対話」であり「共同作業」だと言っていいだろう。AIが当たり前に使える道具になったとき、「創造」「オリジナリティー」の概念は、近代の天才的な画家をモデルに考えられていたものとは全く異なるものにならざるを得ないのではないか。

呪文によって何かを召喚する魔術と類比して語る者もいる。確かに、入力する言葉次第では、人間がこれまでの歴史の中で考えたことも作ったこともないような怪物的な画像が生成されてくるし、理由は分からないが、ホラー的なテイストの画像が出力されてくることが多い。

ビデオやコンピューターが登場したとき、そのメディア固有の、人間がそれまで生み出せなかった造型を面白がるアーティストたちがいた。そこには、機械の能力や癖を利用し、人間の経験や感覚、美意識を拡張し超越する可能性が見いだされていた。ＡＩによる芸術も、今その手探りの段階にあるようである。

その違和感は、どこから来るのか（二〇二二年九月）

ディズニーの実写映画『リトル・マーメイド』の予告編が公開され、ネットがちょっとした騒ぎになっている。ヒロインのアリエル役に黒人俳優のハリー・ベイリーが選ばれたことに、違和感を表明する向きが多かったのだ。一九八九年に公開されたアニメ映画版のヒロインは、赤毛の白人を思わせる見た目であり、そのイメージと違うと思った者が素朴にそれを表出し、行き過ぎた「ポリコレ」に苦言を呈する書き込みが目立った。

もちろん、これに対して、すぐに「差別である」と反論が始まる。なかでも、説得力を感じたのは、ディズニーのプリンセスに黒人女性が選ばれたことを見て喜ぶ、黒人の女の子たちの笑顔の動画だった。自分たちもこうなれるかもしれないという、憧れと同一化を生み、エンパワメントの機能があることを、その動画群は実に雄弁に語っていた。

啓蒙が即座になされるのは、基本的に良いことだと思う。しかしながら、日本の場合、違和感を表明した者に差別の意図があったのかどうかは、必ずしも即断できない部分もある。というのも、日本は、「キャラクターの同一性」にこだわる特性を持った文化だからだ。アメコミでは、同じマンガであっても、絵の描き手が次々に交代していき図像的同一性が少ないが、日本はそうではない。仮に役者がアフリカ系ではなかったとしても、アニメやマンガの実写版は、元のキャラクターのイメージと違った場合に叩かれることが多い。それは必ずしも差別ではなく、日本の「キャラクター文化」に慣れた者の、感じ方の問題である。それを「差別である」といきなり糾弾しても、そのつもりはないのだろうから、言われた側も戸惑い、敵意を生みかねない。

違和感を覚えた人たちは「原作を改変するな」という声を上げた。これも同様の「キャラクターの同一性」にこだわる価値観の表出である。これに対し、『リトル・マーメイド』の原作はアンデルセン「人魚姫」であり、人魚姫が泡になってしまう結末を改変されているのだと指摘するのは、正しいのだが、どこかすれ違っている。そもそも原作は北欧らしき海が舞台で暗い雰囲気だが、『リトル・マーメイド』はそれをカリブ海のような陽気な南国ムードに改変してしまっているので、それはいいのか、との疑問も呈されたが、多くの者は自分が愛着を持ったバージョンのことを素朴に「原作」と呼んでいるのであり、アンデルセンの「人魚姫」やその元となった民謡の起源や「オリジナルとは何か」ということを真剣に考えているわけではないのだ。

ただ気になるのは、アニメの方を原作と感じてしまう感性の「素朴さ」だ。己の感覚を信じ、愛着を肯定する。それは、この二〇年ほどのオタクカルチャーの中で形成され学習されてきたものだ。だが、歴史認識やナショナル・アイデンティティーの問題にもその感覚が侵食してきてはいないか。愛着を持っているという理由だけで、起源としての正統性があるかのように語るロジックが、色々なものに敷衍されてはいないか、点検してみてもいいのではないか。

止まらぬＡＩ、巨大企業が変えていく世界で（二〇二二年一〇月）

ＡＩの進化が著しい。八月に「Midjourney」などの画像生成ＡＩを紹介したばかりだが、そこからの展開が異様に速い。八月二九日に、特定のイラストレーターの絵柄を学習させると似た画像を生成する「mimic」が公開され、ネットでは大反発の炎上が起こり、翌日にサービスが停止された。

産業革命期に労働者たちが機械を壊したラッダイト運動と同じことが繰り返されたわけだが、しかし、ＡＩの進歩は、良くも悪くも、このような「運動」で止めることは出来ないようである。機械学習のためにデータを収集することは、現在の法律上は合法だからでもあるし、多少の脱法行為であっても技術的に可能なことは行ってしまうリバタリアニズムをＩＴ企業は採るからだ。

実際、日本のアニメ風のイラストを生成できるＡＩ「NovelAI Diffusion」のサービスが今月三日に始まった。開発元の海外企業がＡＩの学習に使ったのは、ネット上の大量の画像を無断で転載しているアーカイブ的なサイトだ。そしてより深刻なのは、六日に「NovelAI」がハッキングを受け、データが流出したことである。「プロ並みの絵が描けるＡＩがタダでばらまかれる」という恐怖でイラストレーター界隈は騒然となった。

彼らの一部は、「職人」の誇りやアイデンティティーを懸けて、ＡＩに対する反対の波を作っているように見える。多くの者の修練と創意工夫の果てに蓄積された文化を軽々しく扱うことへの嫌悪も感じる。一方で、ＡＩを道具として活用する道を探すイラストレーターもおり、彼らは裏切り者のような扱いを受け、攻撃されている。更には、事態を俯瞰し、写植工などテクノロジーの発展で消えていった職業を思い出し、それが必然だと受容しようとする者もいる。ＡＩに反対するから日本ではイノベーションが起こらないのだ、と批判する者もいる。

もっともな議論である。そう認めつつも、その議論の全てが、無意味でむなしく感じられる部分もある。ルールや法律、常識を破り、出し抜いてしまった人間（やプラットフォーム）が勝者となり、ルールを決める権利を持てるという世界に私たちは生きているからだ。それは、自分たちで自分たちの行方を決められるという民主主義への信頼や、議論や対話の価値を損なう感覚であり、勝者になれば何をしてもよく、弱者が淘汰されるのは「自己責任」であるというニヒリズムと通じるような諦念である。

このような世界では、既存のルールを無視して効率よく成功するのがスマートだと感じても仕方がないと思う。若い人たちが、そのようなメンタリティーになっていくのも、頭ごなしに否定するのではなく、現代の環境への適応なのだと理解すべきだろう。

その上で、このニヒリズムとどう対峙できるか。言い換えれば、「ビッグテック」と呼ばれる巨大ＩＴ企業が世界を変えていくという「現実」の中で、主権者である実感を取り戻すにはどうしたらよいのか。難問である。

「つぶやき」の自由、一個人に委ねる危うさ（二〇二二年一一月）

ツイッターが、イーロン・マスクに買収された。マスクは米電気自動車大手テスラの最高経営責任者（ＣＥＯ）で、なんと時価総額で世界一の資産を持っている。買収額は四四〇億ドル（約六兆五〇〇〇億円）。さっそく大規模なリストラなどの大改革を断行し、これが賛否両論を呼んでいる。

快哉を叫ぶ者たちは、これでＳＮＳが自由で民主主義的になると主張している。いわく、これまでのツイッターは朝日新聞やハフポストなどが過大に紹介され、話題になるように「トレンド」が操作されていた。あるいは、特定のアカウントに「シャドウバン」と呼ばれる措置がなされ、検索などで見つからなくなるようにされていた、と。

ツイッターが「キュレーション」——ある種の選別・編集——を行っていたのは事実のようである。そして、マスクによるリストラの結果、キュレーション担当者がいなくなったらしいことも、タイムラインなどの現状から推測される。

重大なことは、マスクの改革が国内的・国際的な政治の行方、ひいては民主主義のあり方に大きな影響を与えるということである。彼は、買収の理由に「言論の自由の擁護」を挙げている。彼はツイッターを「公共の広場」と呼び、「人類の未来」を議論する場としての重要性を強調している。

一方で、懸念を示す者たちもいる。「表現の自由」は、今や差別表現や憎悪扇動を正当化するための盾として使われてもいるからだ。ツイッター上のヘイト表現が三倍に増えたとの報道もある。またマスクの措置は共和党を有利にすると目されている。彼自身、共和党への投票をツイッターで呼びかけてもいる。「キュレーション」していた人たちにも、言い分はあるだろう。SNSでは、「表現の自由」や「思想の自由市場」がうまく機能しにくいのだ。人々は自分の見たい意見ばかりを見て、同質の集団とばかり接して過激化していくという「集団分極化」現象がある。分断の原因そのものなのだが、これを改善し互いを理解し民主主義を促進するために、それぞれに異質な見解をあえて表示させて議論を発生させていたとも考えられるだろう。

そしてそれは同時に、プラットフォームの利益にもなっただろう。議論が活発化すればするだけ人々はSNSに夢中になり、書き込みが増えるからだ。しかしその代償として対立は激化し、ネットに限らず、世界はギスギスしていった。果たして、どのようなバランスを取れば民主主義のために、そして人類の未来のためになるのか、まだ誰もはっきりしたことは知らない。

これほど重要な、民主主義の根幹に関わるような「ルール」が、一個人の考えに委ねられている現実に、恐ろしさを感じる。仮にマスクが高度な知性を持っており、本当に世のため人のために貢献しようという志を持っていたのだとしても、たった一人の人間に世界規模の世論形成が左右されるのは危うい。独裁者と同じように、誰も制御できなくなった場合のリスクは、あまりにも大きい。安全装置が必要である。

「からかい」という日本文化の罪（二〇二二年一二月）

「からかい」が問題になっている。ここで言う「からかい」とは、親密な間柄で行われるそれではなく、オンライン上で徒党を組んである対象に向かって行われる集団的な嫌がらせ行為のことを指す。「ネット論客」と呼ばれる、アンチフェミニズムを掲げる集団のそれが特に著しい。女性だけではなく、少なからぬ男性もその被害に遭っている。

「からかい」については、一九八一年に「からかいの政治学」を発表した社会学者の江原由美子による昨年の記事「フェミニストはなぜ『からかわれる』のか？」（現代ビジネス）の記述が参考になる。筆者なりに言い換えるならば、それは真面目な議論に対して「遊び」として振る舞うことで、真剣な応答などを避けようとする卑劣な行為である。そして、「遊び」の感覚を共有する「観客」「共犯者」の共同性を利用する、内輪の悪ノリ行為だ。それは「他者の人格を否定し侮辱する行為にもなる。人を孤立に追い込み絶望させる『いじめ』にもなる。相手の主張を『取るに足らないもの』として否定する、政治的行為にもなる」（同）。

真面目なものをちゃかし、遊びやネタの文脈に引きずり込む文化は、日本において2ちゃんねるなどの匿名掲示板が育んだネットカルチャーである。その「ノリ」は、八〇年代のバラエティー文化などの影響で形成されたと言われることもある。政治的・社会的な問題を直視せず皮肉る態度は「冷笑系」と呼ばれる。

筆者の理解では、その「ノリ」や「文化」が、九五年以降の日本で顕在化した長期不況などの様々な問題を糊塗《こと》し、あたかも八〇年代のような気楽な社会・世界であるかのような錯覚を維持するものとして機能してきたことに問題がある。

この「からかい」は、「文化戦争」と呼ばれるイデオロギー対立における武器となり、政治的な影響力を持っている。「フェミニスト」の真面目さ、硬直性を攻撃する際には「リベラル」「インテリ」批判とセットになることが多く、「からかい」を行う人々は保守的な思想を開陳していることも多い。客観的には女性らへの有害な嫌がらせ行為なのだが、当人たちの主観としては「インテリ」「リベラル」の支配に対抗する階級闘争であり、「伝統的家族」を守り共同体を維持しようとしているると感じているらしい。「知識人」「インテリ」「リベラル」批判において、彼らの「ノリ」は、六〇年代の学生運動やカウンターカルチャーの心情と類似したものを持っている。ただ、当時は左派が用いたその情動的な動員の技法を、今では右派が利用しているのだと考えられる。

このネットでの「からかい」を用いた政治運動は、ルサンチマンに訴えかけ、デマや陰謀論を駆使したポピュリズムに近い。教室のからかいが深刻ないじめと化すように、「遊び」「ネタ」は、やがてその距離感が失われ、本気になり、過激化していく。「からかい」が幼稚で反知性的な行為であると認識し、一時の鬱憤晴らしより真面目な対話を志向する。社会の抱えた問題を解決し対立を解消していく道は、それしかない。

集団で攻撃、ゲーム的運動の危うさ（二〇二三年一月）

虐待や性被害などに遭った女性を支援する一般社団法人Colaboが、暇空茜《ひまそらあかね》というハンドルネームの人物によってネット上で攻撃を扇動されている。この事件は、現代日本における「ゲーム的政治」の大きな分水嶺になるかもしれない。

暇空は、Colaboの東京都からの委託事業などについて、「補助金の不正受給、生活保護不正受給、未成年誘拐あたりは普通に問題」と、YouTubeなどで拡散した。それを信じた多くの人々が、ネット上で非難を繰り広げている。背景には、「萌え」的なイラストが性差別や性搾取を助長するのではないかと問題提起してきたフェミニストたちと、それに反発する「〝表現の自由〟戦士」と呼ばれる人たちの対立がある。

Colabo側は昨年一一月、デマや誹謗中傷を繰り返したとして損害賠償を求め暇空を提訴。一方、暇空による住民監査請求は昨年末、都監査委員によってほとんどの指摘が「妥当でない」と結論が出た。ただし、一部の精算には「不当な点がある」として都に再調査を勧告した。どちらの言い分が一〇〇パーセント正しいとも言い切れないようだ。

注目すべきは、暇空らのゲーム的な運動方法である。彼はゲーマーであり、ゲーム会社で働いていたと言っている。監査請求に至るネットの盛り上がりは不正を探すオンラインゲームを集団でプレイしているかのようであり、自身も「ラスボス」という表現を使っている。

このような「巨悪の陰謀を暴く」集団的な政治的ゲームは、米国に先行例がある。二〇一四年のゲーマーゲート事件である。ゲームの女性表現を巡る対立を土台として、匿名掲示板のユーザーが集団化し、デマ、陰謀論、フェミニストへの嫌がらせを繰り返した。これは、オルタナ右翼やQアノンの前身と言われる。

筆者の目から見ると、暇空が行っていることはゲーマーゲート事件やQアノンとよく似ている。フェミニストや共産党などがつながっている「ナニカグループ」という巨悪についての暇空の主張は、いわゆる「ディープステート」陰謀論と同じ構図である。当人や周囲の人間が「敵」の組織図を勝手に作り、「推理」「考察」ゲームを繰り広げて「戦う」ところも同じである。

世界の秘密を暴き、巨悪と戦い、国を守る「戦士」になるゲームはさぞ気持ちがよく、酔うだろう。自己肯定感、有能感や、スリルを与えてくれるだろう。だが、往々にして、酔っているときには、現実や事実を把握しそこなうものだ。

筆者は歌舞伎町でバイトしていたので、貧困や虐待や障害などで苦境に陥る女性たちがいて、性搾取があること、精神疾患や自死に至る痛ましい事例も少なくないことを知っている。第一にその現実に目を向け、その上で、都の再調査や訴訟の経緯を見守るべきではないか。

暇空に六〇〇〇万円以上のカンパが集まり、少なからぬ知識人が主張に賛同しているこの現状。Qアノンの熱は連邦議会襲撃事件を引き起こした。日本で国会襲撃や都庁占拠などの光景は見たくない。いささか心配である。

「正論」すぎるAIと、人間の生きる道は（二〇二三年二月）

AI（人工知能）の発展が著しい。論文の要約、プログラミング、エクセルの処理など、既に多くの仕事をＡＩにさせ始めている。報道によれば、コロンビアでは判事がＡＩの助けを借りながら判決を下した。ある調査によれば、ＡＩは、医師、公認会計士、弁護士などの試験には合格できるレベルであるという。

いま注目されているのが「Ｃｈａｔ《チャット》ＧＰＴ」という対話型のＡＩである。質問を入力するとＡＩが文章で答えを返してくれる。多くの人が指摘するように様々な間違いはあるものの、筆者が「宇宙の果てには何があるのか」「進化に目的はあるのか」「神は存在するのか」などの質問をした際の回答は、まずまず妥当なものであった。「人類は人工知能という神を生み出すために存在していました」のようなＳＦじみた回答を期待していたのだが、むしろあまりの「正論」が返ってきて驚いた。

「ＡＩ時代に批評家は失業するか」を聞いてみると、「批評家が失業するかどうかは、個々の批評家の技術やスキル、そして市場ニーズによって異なります。批評家は、ＡＩ時代において必要とされるスキルを身に付け、市場ニーズに応えられるよう努力することが大切です」。

ごもっとも。でもどこか、「気持ち」に寄り添ってもらえないさみしさも覚える。科学技術の発達で産業構造が転換していく歴史を人類は経験してきたが、仕事や文化を失う人々の心情や社会の動揺にＣｈａｔＧＰＴは目もくれず、冷静に「リスキリング」を勧めてくるのだ。

マイクロソフトは、検索エンジンのＢｉｎｇと、ウェブブラウザーのＥｄｇｅに、ＡＩを搭載した。対話しながら提案しインスピレーションを与えていく機能を強化すべきと考えているのだろう。

既に大学生たちはリポート執筆などにＡＩを「活用」しており、それをどう見抜くかが議論になっている。ＡＩを補助に用いて思考し創造するのが当たり前の社会になっていくのであれば、「不正」と見なすべきなのかどうか。未来を生きるために必要な教育はどうあるべきかということから考えざるを得ないだろう。

自分の息子を見ていて、これからを生きる子どもたちは、音声認識でＡＩに質問し対話しながら育ち、創作や仕事でも支援を受けることは間違いないように感じる。そんな社会を受け入れながら批判的にも見るような視点が、おそらく私たちには必要だ（とChatGPTは私にアドバイスしてきた）。

経験からすると、学生がAIに書かせたリポートはすぐに見抜ける。悲しいことに、AIは平均的な大学生よりも明晰《めいせき》な論理と構造で書けるので、きれいで正確すぎるリポートはAIによるものの可能性が高い。逆に言えば、「間違い」「崩れ」「下手さ」などが、「人間性」の指標になっているということである。

――と書きつつ、AIが出来ない「心情」や「人間性」の部分に寄り添う役割が人間の批評家に残っているというのも、ChatGPTが教えてくれたことである。嫌になってしまう。

「ひろゆき」に頼る者を非難できるか（二〇二三年三月）

「ひろゆき論」が話題である。ひろゆき（西村博之）は、匿名掲示板の2ちゃんねる（現・5ちゃんねる）の創設者で、若い世代にはYouTuberやインフルエンサーとして知られている。彼の発言を精査した論が成蹊大教授の伊藤昌亮によって書かれ、岩波書店『世界』三月号に掲載され、ウェブでも公開された。

ひろゆきが「論破」芸で人気を得ている原因として、伊藤は「プログラミング思考」と「優しいネオリベ」というキーワードを挙げる。イーロン・マスクなど、現代社会の成功者たちにはプログラミングにたけた者が少なくない。プログラミングは、ひろゆきいわく、「論理的思考力、創造性、問題解決能力」を身に付けさせてくれる。いいことである。

「優しいネオリベ」とは、弱肉強食のネオリベラリズム社会でうまくいかない「コミュ障」「ひきこもり」「うつの人」などの（ひろゆきの表現で言う）「ダメな人」に対し、プログラミング思考を身に付け自助努力で稼いで成功することを指南する態度のことである。「リベラリズム」の福祉の網の目からこぼれ落ちたと感じやすい人々が、ひろゆきに希望を見いだし支持していると伊藤は分析する。

東京・赤羽の団地で育ったひろゆきは、「ダメな人」は周りに当たり前にいたし、「太古からずっといた」ので気に病む必要はないと言う。ここには彼らをエンパワメントし助けようとする善意があるようにも見える。だが、彼が体現している大きな問題が二つある。

一つは、世代の断絶だ。ゲームやネットに慣れ、社会や人間に「プログラミング思考」を当てはめる癖がついている世代にとって、それ以前の世代の感覚や認識は古く、それこそ時代遅れの「オワコン」に見えてしまう。しかし伊藤が指摘するように、その思考は浅く単純であり、人間や社会にある複雑さを捉え損ねるという欠点がある。

そしてもう一つの大きな問題は、ひろゆき的な「論破」や「ライフハック（生活や仕事を効率化するテクニック）」に救いを求める「ダメな人」が生み出される社会そのものである。知識社会を生き抜き、ＡＩ（人工知能）などによる産業構造の変化に適応し続ける能力が求められる現在、「普通」に生きるだけでも本当に大変で、そこに届かない「負け組」の絶望にはすさまじいものがある。

結婚や子どもを持つことは昭和の頃には「普通」と思われていたが、非正規雇用も多い今の若い世代にはとてつもなく難易度が高い。子どもを大学まで行かせる費用を計算すると「とても無理」と諦める人が続出するのも理解できる。自殺率が上がったり、「人間は生まれてこない方がよい」と考える反出生主義が流行ったりするのも、よくよく理解できる。

そういう社会にした元凶こそがネオリベラリズムだとは思うのだが、しかしそこでなんとか生き延びるために、ひろゆき的ネオリベに頼る者を、頭ごなしに非難できるだろうか。そうではなく、「ダメな人」でもそこそこ幸福に生きられる社会に変えていくのが、必要なことではないのだろうか。

ＡＩ新時代、どう使うか決断の時（二〇二三年四月）

ＣｈａｔＧＰＴ《チャット》で知られる米オープンＡＩのＣＥＯ（最高経営責任者）サム・アルトマンが来日し、岸田文雄首相と面会した。アルトマンのプレゼン資料は「自民党ＡＩプロジェクトチーム」のｎｏｔｅに公開された。同チームは「ＡＩホワイトペーパー（案）～ＡＩ新時代における日本の国家戦略～」と題する資料も公開している。

そのペーパーで検討されているのはＡＩ導入のメリットとデメリットである。特にデメリットとして人権侵害、安全保障上のリスク、民主主義への介入を挙げている。実際、ＣｈａｔＧＰＴはイタリアをはじめとする欧州の各国が規制を実行したか、検討している。欧州連合（ＥＵ）は二〇一八年に一般データ保護規制（ＧＤＰＲ）を施行した。欧州は政府による規制が比較的多く、米国では政府などの規制を排し民間の自由を認める傾向が強かったが、その米国でも、連邦レベルのデータプライバシー保護法（ＡＤＰＰＡ）成立に向け議論が進んでいる。

日本は、「信頼性のある自由なデータ流通（ＤＦＦＴ）」という構想を二〇一九年にダボス会議で提唱した。ＡＩが威力を発揮するためにはビッグデータが必要だが、多くの人のプライバシーに関わるものでもあり、大企業や国家などによる悪用のリスクもある。とはいえ、研究や開発、行政などで、ビッグデータは計り知れない価値を持っており、自由に使えるかどうかは「第四次産業革命」で成功するか否かに大きく影響するかもしれない。ではどうするべきか、という辺りが、先進国で緻密《ちみつ》に詰められているようである。

初期のインターネットやＩＴ企業では、規制を嫌う精神が強かった。違法かグレーであっても、やってみてから、問題があれば対処する、という手法が一般的であった。だが、フェイクニュースやヘイトスピーチの蔓延、民主主義の危機やナラティブ戦（物語やイメージを駆使した情報戦）などを経験し、規制しないことが必ずしも良い方向に物事を導かないという反省のモードがある。オープンＡＩのプレゼンもそのことを意識してか、「非営利団体の管理下にある」「社会的使命を優先」「ＡＩを人間の価値観に合わせる」などが強調されている。

井上智洋著『純粋機械化経済――頭脳資本主義と日本の没落』によると、産業構造がＩＴを中心とする情報産業に転換したことが、例えばプラットフォーム企業に象徴される「勝者総取り」状況を生んだ。格差は拡大し、中間層は没落、絶望した人々による民主主義への破壊的なアクションが次々と起こった。ＡＩを所有しビッグデータを活用できるのが、ビッグテックばかりであれば、格差はますます拡大すると予測されている。

社会的使命を担う非営利団体がＡＩをオープンにし、政治的な規制などと折り合いをつけながら社会的な実装をしていく流れが実現すれば、良いことであろう。そこには、私たち自身の声、そして意見も反映されうる。ＡＩをどのように導入し、どのような未来を望むのか。私たち自身が考え、選択し、決断しなければならない。

性被害告発、受容へ変化したファン心理（二〇二三年五月）

ジャニーズ事務所創業者ジャニー喜多川（二〇一九年に死去）による未成年への性加害疑惑が、ネット上で大きな議論を呼んでいる。二〇〇四年に性的虐待についての週刊誌記事の重要部分を裁判所が真実と認定し、一九六〇年代から繰り返し告発があったにもかかわらず、大々的に報じず問題化してこなかったマスメディアの責任を問う方向に向かっている。

確かに、今回の告発に関してもマスメディアの反応は鈍かった。不倫や淫行で集中砲火を浴びせた芸能人と比較して、告発内容の重大さと対応との不均衡は、誰もが感じずにはいられない。ここに働いている権力やタブーの臭いが、「マスメディアは嘘つき」「マスゴミは真実を伝えない」「何かに支配されている」というネットの人々の不信をあおるのは当然のことだろう。「ウソの正義よりも真実の悪」というキャッチコピーを選挙で掲げた暴露系YouTuber・ガーシーに投票する人がたくさん出てしまうのも、理解できてしまう。マスメディアはこの責任を深く痛感するべきであろう。

ネットでの批判はこのタブーを破る一助になったのだと推測されるが、良いことばかりでもなかった。当初は、性被害を告白した者に対するジャニーズファンたちのセカンドレイプと否認の書き込みがあちこちで目立っていた。いわく、彼は嘘をついている、お金目当て、成功しなかった嫉妬、自分の推しに迷惑をかけるな、ジャニーズを潰したいＫ‐ＰＯＰ勢力の謀略だ、などなど。女性が性被害を告発した際に似たような反応をする男性はよく見かけてきたが、男性が被害者の場合は女性が同じようにするのだとはっきり見えてしまった。いわゆる「有害なファンダム（ファン集団）」が可視化してしまったのだと言える。

しかし、この論調は変化した。当初は混乱し否認していたファンたちの気持ちは、徐々に言語化され、共有されながら変異していった。例えば、自分は過酷な人生を生きてきて、ジャニーズがギリギリの生きる希望だったから今回の件を受け止められない、という気持ちが匿名ブログで表明された。そのような傷つきへの配慮をしながらも、自分がジャニーズにお金を落としていたことが「性搾取」「性加害」に間接的に加担した罪になるのではないかという重い問題に向き合おうとする者も次々と現れた。しばらく後には、ファン自らジャニーズ事務所に調査を求める署名運動が行われるようになっていった。否認のあと、事態を受容し、回復し、前向きに行動していこうとするプロセスが、ネットにおいて相互扶助的な言論の中で展開していったように見える。ここには希望があるかもしれない。

現在は、事実よりも「どう思いたいか」を人々が優先するあまり、デマや陰謀論が跋扈し、緊張や争いを生み出している。ジャニーズファンたちが、ここでつらい出来事から逃げず、深刻な問題ととらえ、互いに励ましケアしながら事態を改善していく姿勢を示すことが出来たならば、それは世界に対して意味のある、勇気ある美しい手本となってくるのではないだろうか。

芸能や性産業の問題、見過ごしていないか（二〇二三年六月）

埼玉県営水上公園で開催予定だった「水着撮影会」への中止要請が、大きな話題となっている。要請は今では一部撤回されているが、詳細は他の記事に譲り、ここではネットで起こっていることを記す。

日本共産党の県議会議員団が県に中止を求める申し入れをした。その上で、公園の指定管理者の団体が撮影会主催者に中止を要請したのだが、そこで根拠となったのは、主催事業者の一つが過去に水着であるが過激なポーズの写真を素人に撮らせていたことであり、それは（一つの）公園の使用条件違反であった。そして、一八歳未満のモデルが参加するとの情報もあった。水着であっても未成年の性的な部分を強調した画像（DVD）を作った者が児童ポルノ禁止法や児童福祉法違反の容疑で逮捕された事例があり、素人の参加者たちが児童ポルノであると疑われるものを撮影してしまう可能性はあり、勇み足はあろうが、県や外郭団体の懸念は理解できる。

中止要請を批判する側は、手続きの不備を指摘しており、そこには正しい部分がある。だが、ネットで目立つ論調は、「共産党」「フェミニスト」が「表現の自由」を侵害し、セックスワークなどを差別し、仕事の機会を奪い、未成年者の自由意思を否定し、キリスト教的な性倫理を過剰に持ち込んでいるというものだ。大野元裕埼玉県知事がわざわざ「特定の政治団体等の意見に左右された事実はございません」とツイートしているが、ネットでは政治や宗教などの迫害勢力が自分たちから「表現の自由」を奪おうとしているという陰謀論めいた物語が、広範に流通し影響力を持っている。

ネット時代ならではの展開だな、と思ったのは、様々な立場の人々が声を発したことである。実際にジュニアアイドルだった者、水着姿を撮影された女性、セックスワーカー、DVDなどを制作していた業者、アダルトショップの店員らだ。一〇代前半のアイドルが、水着でお客さんに密着して写真を撮る仕事をやらされ、楽屋で泣いていた話。客の撮影者に、性器に近い部分の接写をされたこと。貧困家庭の親が身売りのように子供を面接に連れて来ること。水着写真をマスターベーションに使われていると知り、死にたいと思ったこと……。

彼らの肩書や発言の真偽は分からない。だが、見たところ、共産党やフェミニズムの活動家でも、性倫理に厳しい宗教の信者でも、セックスワークに偏見を持つ者でもない。未成年のジュニアアイドルがポルノとして消費され、それが脱法的に過激化しており、親や業者に搾取され、後に深刻なＰＴＳＤ（心的外傷後ストレス障害）などに悩み、命を絶つことすら考えてしまうような事態に、素朴に懸念を持つ者のように見える。

共産党の議員が言うように「性の商品化」全てを問題視するべきだ、とは思わない。しかし、ジャニーズが典型だが、芸能や性産業の現場で起きている虐待・人権侵害を、我々はあまりに軽視してこなかったか。陰謀論的な図式にとらわれ、その問題を見過ごすようなことがあってはいけない。

マイナ問題、世代分断と完璧主義を越えて（二〇二三年七月）

デジタル庁に、個人情報保護委員会が行政指導も視野に入れて立ち入り検査する方針だという。マイナンバーカードを使った「コンビニ交付」で別人の住民票が出てきてしまったこと、別人の預貯金の口座登録がされてしまったことなどを問題視してのことだ。ネットでは、マイナカードそのものに反対する返納運動まで起こっている。

もちろん、個人情報は保護されるべきで、不利益を被る人が少ない方がいい。だが、そのことによってデジタル化（DX）や効率化が進まないことの損失も大きい。ここには、単なるシステムの不備よりも、大きな社会的・政治的ジレンマが横たわっているように思われる。

その一つ目は、世代間対立である。デジタルになじんだ世代にとって、当たり前にそれを導入していない政府や社会はフラストレーションの元であり、時代遅れで期待できないものだと感じられてしまう。だから、ガーシーや旧NHK党などのネットを使いこなしているように見える者たちを支持してしまう。

環境危機や不況を生まれた時から当たり前に感じている世代にとって、有限の資源を効率よく使うためのDXは、自身の死活問題のように感じられるのだ。インターネット元年である一九九五年から三〇年近く経つにもかかわらずいまだにネットを使おうとせず、マイナカードも登録できない高齢者たちへの怒りすら発生しつつある。政府は紙の保険証を廃止しマイナカードにその機能を持たせようとしているが、保険証を移行できなくて困るのは高齢者たちであろう。ちょうど医療や介護の負担増への怒りが若い世代を中心にネットで高まっている状況である。高齢者の「情報弱者」への同情や共感の世論が高まらず、むしろ憎悪や敵対心などが激化することを政府が見越している可能性すらある。注意が必要だろう。

二つ目は、細部にこだわりがちな日本社会の神経症的な性質と、IT業界やシリコンバレーなどの「やってみて、ミスがあったら修正していく」やり方の齟齬である。IT系のサービスは前例がないことも多いので、最初からミスなく提供することは困難である。だから、サービスを始めて、問題があったら修正していくという手法を採ることが多い。それに対し、日本は、企業や行政に最初から完璧であることを求めがちであり、組織も防衛的になりがちである。しかし、もはや日本はバブル崩壊前のように豊かではなく、人材の数にも余裕がない。産業構造も大きく変わった。かつてのように細部にこだわり完璧を求める文化を維持するだけの体力がないのかもしれないし、それに合理性もないのかもしれない。

現状の危機感を、年長世代も理解し、協力する姿勢が、分断や敵対を越えるために必要である。そして、政府が「ミスがあれば必ず補償する」と約束し安心感を醸成することを前提に、最初から完璧を求めるのではなく、多少のミスを織り込んだ上でダイナミックな改革を進めていくことに対する国民的な合意と文化を形成していく必要があるのではないだろうか。

科博クラファンの波紋、役所の言い分は（二〇二三年八月）

国立科学博物館（科博）がクラウドファンディングを行い、一週間足らずで六億円を超える支援を集めた。一見、大きな成功で喜ばしいことにも思えるが、ネットではむしろ危機感を募らせる者が多く、批判や議論を巻き起こしている。クラファンを行う理由として、「コロナ禍や、光熱費、原材料費の高騰」により「標本・資料の収集・保管」という根幹的な業務まで行えなくなったということが挙げられていたからだ。
素朴に考えて、過去最高の税収をあげた国が、国立博物館の電気代すら払えないのは異様に感じられる。東京五輪・パラリンピックの総経費は約一・四兆円、来たる大阪万博の会場建設には一八〇〇億円超かかるというのに、文化庁の年間予算は一〇〇〇億円余。国の未来を豊かにするためのお金の使い方として、国民が疑問を抱くのも当然だろう。

学者や他館の学芸員らが、クラファンが成功したら国からの交付金を減らされるのではないかと危惧したのもよく分かる。日頃から文部科学省に不満を抱き、煮え湯を飲まされたこともあったのだろう、とX（旧・ツイッター）の投稿からうかがえる。少子高齢化と不況の中で、配ることの出来る税金も少なくなり、畳まなくてはいけない施設も出てくる中で、生き残るために必死に色々やってきているのだ。

そして今回の件で特筆したいのは、これらの批判や危惧に対し、文科省の役人を自称するアカウントが反論をしたことだ。交付金は減らさないし、クラファンには別の狙いもあるのだ、と。そして炎上した。そのもの言いが、予算という生殺与奪を決める権力性を自覚せず、お金が足りない現場の苦しさを理解していないように見えたからだ。そして、あまりに官僚的でテクニカルな説明は、人々の疑問の中心から逃げているようにも感じた。

炎上したからと言って、この投稿主が必ずしも間違っているわけではない。科博への交付金はここ数年細かな増減を繰り返しているが、クラファンで資金を得ても減らされるわけではないようだ。寄付収入を増やすことに加え、新しいサービスや活動を始めるための勢い付けという側面もあったのかもしれない。政策や予算を決める過程で様々な議論や狙いがあったはずで、それを知らぬ一般市民・国民に「悪玉」扱いされるのはおかしい、という役所側の思いも想像する。

だとすれば、炎上に懲りず、もっとやったらいい。政策や予算の狙い、必然性などについて、もっと分かりやすくオープンなコミュニケーションを増やし、SNSなどで対話をすればいい。そうした方が、誤解や無理解による無駄な批判や衝突は減るし、問題や欠点にも気付きやすくなるはずだ。

極端な発想だが、税も一種のクラファンと捉え、政策に共感し賛同する人からの寄付と考えたらどうか。そうすれば、納税者たちへのコミュニケーションにも、もっと気を使うのではないか。税金を預かり予算を握る役所や役人が、もっと自分たちを開いていく方向も悪くはないはずだ。

「推し」活が陰謀論に傾くと、行き着く先は（二〇二三年九月）

ジャニーズ事務所における性加害が、ネットを騒がせ続けている。国連の人権理事会の作業部会が「憂慮」を表明し、外部専門家チームも事務所も性加害を認め、様々なスポンサーが広告に起用しないと発表。しかし、ファンと称する人たちの一部は、この事態が認められないようで、様々な陰謀論に傾斜していく傾向が出ている。

X（旧・ツイッター）では、「#ジャニーズ事務所を応援します」というハッシュタグで運動が行われているが、「K-POPが市場を奪うための破壊工作である」「被害を告発している者は金目当てである」という内容のポストが、数万から数百万人に閲覧され、何千何万のリポストと「いいね」を集めており、「慰安婦支援団体など左翼で反日の勢力が裏にいる」という話が広まっている。そして、女性の性被害告発は「ナニカグループ」なる集団の工作だと主張する、暇空茜らのミソジニー的な陰謀論と合流した。

極右の歴史修正主義者や、女性の性被害を否認し正当化するミソジニストと同型の行動が、ファンと称する人たちの一部に見られる。都合の悪い「現実」「事実」を否認したい心理的動機で、「正しいはずの私たちを攻撃する敵がいる」という妄想を作り上げ、それを韓国に投影するところは、ネトウヨと同様である。

これをどう理解すればいいのだろうか。「依存症」を補助線に引くと、見通しが良くなる。依存の状態になると、現実から目を背け深刻さを認めない傾向が出ることが、研究で分かっている。非難や忠告に耳を貸さず「自分は大丈夫、自分は正しい」という態度を脳が作り出すのだ。ジャニーズ問題に排外的で差別的な政治思想を絡めたポストがおびただしい「いいね」を得る現象から感じるのは、現実の憂さを忘れるためアイドルやサブカルチャーに陶酔する文化消費の態度の危うさだ。極端な愛国主義や排外主義も、国家や歴史と自己を同一化して酔う依存の観点から理解するべきなのかもしれない。

ここで、「偉大なゲルマン民族」に陶酔しユダヤ人やロマを「悪」として虐殺したナチスドイツのことを思い出してほしい。ナチスは壮麗な党大会やカッコいい制服という「美」でドイツ国民の自尊心を刺激し、政治的熱狂につなげた。第一次世界大戦に負け不況にあえぐ国民は、憂さを忘れる陶酔を欲していた。今の日本も、これに近くはないか。

「推し」現象が、最近もてはやされていた。アイドルやアニメキャラにたくさんお金を使う消費行動が肯定され、自尊心をくすぐっていた。しかし、行き過ぎてしまえば、人生や社会に大きなダメージを与える恐れがあるのではないか。

社会に活力がなく未来に希望が持ちにくい現在、美化された世界に耽溺したくなる気持ちはよく分かるが、過度になれば、現実に存在する被害や苦痛を都合よく無視する非倫理性に行き着く。そして、生きづらさを生み出すこの社会の仕組みそのものを温存するどころか、加担し増幅する悪循環になりかねないのではないか。この騒動を見ていて、大衆文化のあり方も再考されるべきだと感じた。

戦場映すSNS、憎悪から協調への力に（二〇二三年一〇月）

パレスチナ自治区ガザ地区を実効支配するイスラム組織ハマスによるイスラエルへの攻撃、そしてイスラエルの報復で空爆されるガザの映像が、X（旧・ツイッター）にあふれている。幼児や赤ん坊を含む一般人の遺体、空爆で建物が爆発炎上する瞬間、銃を乱射する襲撃者、裸にされ意識を失った女性が街を引きずり回され辱めや暴力を受けている動画などである。映像・画像は感覚に強く作用し、その非人道性に対する強い怒りが喚起される。

二〇一四年のイスラエルのガザ侵攻における、パレスチナとイスラエルの情報戦を扱ったデイヴィッド・パトリカラコスのルポ『140字の戦争――SNSが戦場を変えた』を思い出す。空爆を受けているパレスチナの少女が、それをSNSで実況し、国際的な世論が同情に傾いた。それに対し、イスラエル軍の若い女性が、対抗のためにオンラインで発信した。若い女性や子供など、人々の感情や共感を引き出しやすいものを利用し、国際世論を自分たちに有利なものにする「戦争」が存在している。実際、ネット上には既にたくさんの偽情報、フェイク画像などがあふれており、人々の感情をあおっている。

正直に言うと、ハマスの急襲がもたらした惨状を見た当初は、イスラエルに賛同する気持ちが強かった。映像や画像の持つ、情動に訴えかける効果にやられていたのだ。しかし、長い歴史的背景や、イスラエルのネタニヤフ政権がやってきたことの問題などについて、SNSで試みられている説明を見、様々な報道や書籍で知識を得るうちに、瞬間的な感情の沸騰は収まっていった。専門家たちはネットで「××の味方だ」「△△の側か」と罵られていたが、「どっちにつくか」という問題ではないと理解できた。

その上で、イスラエルの空爆により国連職員やジャーナリストを含む民間人が殺された被害の映像を受け止めたことが大きかった。確かに、画像や映像は直接的で、感情をあおる。プロパガンダや世論操作の危険を十分理解しつつ画像や映像を見、同時に冷静な分析に触れ多様な声に耳を澄ます。そこに、情報戦を超える可能性があるのではないか。国内外のネットでは、徐々に、どちらの残虐さ、残酷さ、人権侵害、殺戮にも与せず、両方を批判する、という立場が現れてきた。それこそが正しい道であり、SNSが可視化した戦場の残酷さに真に心を痛めた者たちが採るべき道ではないのか。

西側の都市でパレスチナ人への共感を示すデモが生まれ、イスラエル大使館への抗議も起こった。イスラエルのパレスチナ政策を批判するユダヤ人たちのアクションが拡散され、パレスチナ系イスラエル人が自身の苦悩を語った。これらも画像や映像で共有される。世界は単純な対立構造にあるわけではなく、その構図を超えた連帯と共感も、可視化され触発し合う。ここに、憎悪を扇動し増幅させ殺し合うのではなく、悲劇を回避し協調に向かう希望があるのではないか。願わくば、人類の倫理的向上が、第三次世界大戦を防ぐ力とならんことを。

身近に迫るフェイク動画、技術・制度的解決を（二〇二三年一一月）

ディープフェイクの脅威がごく身近に迫ってきた。ディープフェイクとは、生成AIで作られた、本物と見まがうような動画のことである。岸田文雄首相がまるでテレビのニュース番組でしゃべっているようなフェイクの動画がネットで公開され、二〇〇万回以上再生された。報道によると、二五歳の男が一時間程度で作り上げたという。今月六日には松野博一官房長官が記者会見で、民主主義の基盤を傷つけかねないと非難した。フェイク動画には、安倍晋三元首相や菅義偉前首相に特定の思想信念に基づく発言をさせているものも既にある。

現在、生成AIの作る動画のクオリティーは上がっており、それを一般人が簡単に使える状況になっている。これは、実写に似た画像や映像を「真実」「証拠」と感じやすい我々の認識の更新までの時間差を利用し、大きな脅威になる。

ウクライナでは、軍総司令官がゼレンスキー大統領を批判するディープフェイク動画が現れた。イスラエルとパレスチナの衝突では、パレスチナ系アメリカ人のファッションモデルの動画が加工され、イスラエル支持のメッセージを発した。空爆で血まみれになっている赤ん坊などの画像や動画でも多くフェイクが出回っていると言われている。

フェイクが蔓延しすぎたためか、パレスチナ自治区ガザ地区で起きていること全般をフェイクと見なす人々も現れてきた。役者が「被害」を演じていると主張するアカウントもあり、自己正当化や現実否認的な傾向と合わさって、認識論的な混乱が著しく広がっている。

ディープフェイクは日常でも用いることが出来る。二一年にアメリカで、ある母親がチアリーダーの娘のライバルをおとしめるため、ライバルの喫煙動画などを捏造しコーチに送り付けた容疑で逮捕されている。おそらく今後、ハラスメントなどの証拠として提示される音声や動画が捏造か否か、調査委員会が真偽を見抜く必要も出てくるだろう。

戦争や政治におけるディープフェイクも問題であるが、それほどまでには公的ではない領域の場合、真偽を調査するコストを払う主体が現れにくいケースが多いことも推測される。「ちょっとちょっと、これ見てよ」とスマホで動画を見せられ、うわさが広がっていく場合、瞬時に真偽を判断することは困難だろう。

問題は量である。民間人がこれだけ簡単に大量に、それなりのクオリティーのフェイク動画や音声を作り出せるようになってしまう状況は、かつてなかった。大量の真偽不明の情報がある状況に、人類の脳が適応できるのかも未知数である。

意識的な努力としては、真偽不明であることや、複数の見方が可能な曖昧さに耐える、ネガティブ・ケイパビリティを訓練するべきだろう。しかし、それはすぐには出来ない。私たちの感覚や思考のアップデートは、まだらに起こり、その時差を利用し多くの悪質な出来事が起こるはずだ。それを防ぐためには、技術的解決か、制度的解決のための仕組みが必要である。国際的な議論を踏まえ、日本政府の対応に期待したい。

「敵」への警戒心、陰謀論の入り口（二〇二三年一二月）

自民党の杉田水脈衆議院議員のブログへの投稿が、大阪府の在日コリアンの女性らに対する「人権侵犯」であると法務省大阪法務局が認定した。それに対し、杉田は雑誌やブログ、動画などで反論している。「これからも、まだまだ戦っていきます」（『月刊 Hanada』二〇二四年一月号）と宣言。「安倍総理に自民党に入れていただき」（同）、衆院選の比例単独（中国ブロック）で当選し続け、安倍の問題意識を継いでいると自認するこの議員は、一体何と戦っているのだろうか。

彼女は、LGBTなど性的少数者、アイヌ民族、在日コリアンとその支援者らの中に「敵」の勢力が交じっており、「差別を利用して日本をおとしめる人たちがいる」と主張している。子育て支援なども、伝統的な日本の家族観を破壊する「コミンテルン」の策謀であると投稿したこともある。このような認識を持つ者は、ネットなどでも多く見られる。

世界では確かに、他国からの工作は存在し、差別をあおって分断や混乱を引き起こしたり、国際的な威信を低下させたりしようとする戦略は実行されている。ロシアやアメリカの秘密工作は保坂三四郎『諜報国家ロシア』やトマス・リッド『アクティブ・メジャーズ』などの著作に詳しい。だから、諜略への警戒心そのものは理解できる。注意すべきは、そこに潜む陰謀論のわなだ。

マイアミ大学教授のジョゼフ・E・ユージンスキは『陰謀論入門』で、陰謀論は「とくにセンシティブな分野を監視し、潜在的な攻撃に対する解決策を準備する早期警告システム」として有益な機能もあると指摘している。だが、的外れな陰謀論で不要な敵意を向けられる者が出る副作用まで、肯定できるだろうか。

脅威を探る警戒心は、想像によって膨らみ、事実から逸脱しがちでもある。国内総生産（GDP）世界第三位に転落した日本には、陰謀論に傾きやすい条件がある。陰謀論は「序列が低下しつつある集団が、敗北から立ち直り、これを挽回し、結束を固め、敗北を食い止め、集団行動の問題を克服し、脆弱性に注意を向けるための手段」（『陰謀論入門』）であるという。自身の敗北や失敗や責任を認めるよりも、「敵」の謀略のせいにする方が心理的に楽であり、政治的責任を逃れられるがゆえに、「敵の工作」だと言い張る例も、古今東西枚挙に暇がない。「陰謀論はポピュリストによる訴えとよく似ている」（同）

アメリカでは、白人以外の人種によって白人が排除されるという陰謀論「置き換え理論」を根拠に、白人至上主義者が「自衛」と称して銃を乱射する事件が多発している。「敵」への警戒心が陰謀論につながり、差別や暴力に陥る危険は確かにあり、それもまた安全保障上の脅威となっているのだ。

見えざる工作への守りを怠らず、ポピュリストの扇動に乗らず、警戒心や不安を差別や排外でなく適切な施策に帰結させる。冷静に最善の判断を下すため、危うい谷にはさまれた尾根を渡るような思考の態度、心の態度の発明が、必要である。

あとがき――人生に意味を与える「物語」すら利用される時代に

中学生か高校生ぐらいの頃、フィリップ・K・ディックにハマり、自転車に乗って数キロ離れた書店に通い、創元SF文庫と早川文庫で当時出ていた本を片っ端から読んでいた記憶がある。

右肩上がりに人類が成長し、宇宙に飛び出して進歩していくというSFが多い中、ディックの作品は異質で、悲惨な環境で生きている未来の人類が、その現実の惨めさを忘れるために薬物を摂取して、おままごと遊びやバーチャル世界に没入してやりすごしているというような作品や、ある人が「現実」と思っている世界に別の人の「現実」が侵入してきて、「現実」の奪い合いをしていき、「真の現実」が何か分からず途方に暮れる、というような作品が多かった。

前者には、大衆的なエンターテインメントを必要とする我々の生きている環境に対するメタフィクション的な批評性がある。後者の「現実」の衝突や奪い合いという物語には、冷戦の影響が指摘されている。フェイクやハリボテや見せかけを用いて、互いの「現実」認識を奪い合い、イデオロギーを普及させていこうとする、今で言えば「認知戦」のリアリティを表現しているのだと。

まさか、二一世紀の現実が、車が空を飛んでいて宇宙に進出しテクノロジーによって快適に生きる未来ではなく、ディックみたいな方向になるとは、思ってもいなかった。あるいは、自分がディックのような作品を読みすぎているせいで、現実をそのフィルターで見てしまっているだけなのではないかと、何度も疑った。しかし、研究者やルポライターや軍事関係者たちまでもがそう言っているので、どうも現実のようである。

筆者は、早稲田大学第一文学部の卒業論文でカート・ヴォネガットの『スローターハウス5』『チャンピオンたちの朝食』『スラップスティック』を扱って都甲幸治先生のお世話になり、博士論文で筒井康隆を扱うなど、メタフィクションの研究を出発点としている。大学院での指導教官だった井口時男先生も、「物語」に批判的な視座を持つ批評家であった。ヴォネガットは、ゼネラル・エレクトリック社の広報部門で働いていたことがあり、筒井康隆は乃村工藝社に勤めており、広告やイベントなどに対する批判的意識の強い作家で、冷戦下の状況に対する批評的な作品と読みうる作品もたくさん発表していた。

文学という領域の、あまりお金を稼げるわけでもないようなマニアックなジャンルであるメタフィクションを研究していた知見が、実際の現実の政治や戦争などのようなハードなリアルポリティクスと接続してしまうことに驚いている（その分析がどの程度妥当なのかは、読者の皆様の判断を俟つしかないのだが）。「役に立つ」とは何か、「人文知」の価値とは何か、「政治と文学」「虚構と現実」の関係性、フィクションや遊びの意義とは何か、色々と再考させられている。たとえば、子供たちがかくれんぼや鬼ごっこをして遊ぶのは、実際の襲撃を想定したシミュレーションであり、生存の確率を確実に上げるのではないかと、五歳になった子供を見ていて考えさせられている。小説や映画なども、実はそのような機能を持っているのではないか。

また別の「役に立ち方」で言えば、中曽根平和研究所主任研究員の大澤淳は「文学や芸術が社会に浸透して創作活動が活発な、文化の層の厚い社会をつくることが、人々がナラティブに乗らないような多層的で寛容な社会をつくれるのではないでしょうか」（『外交』第八〇号、二〇頁）と述べているが、そのように文学や芸術が戦争における認知戦へのディフェンスに「役に立って」しまうのは、かつては文学・芸術の無用性や非有用性や無意味性を擁護しその価値を論じてきた自分自身にとって、いささか逆説的で、皮肉な感じがしているが、人生とは先の読めないものであり、何がどう使えるようになるのかなど、誰にも分からないのだろう。

さて、本書に収録した文章は、筆者の書いたものの中で「政治」「社会」に関係するものを中心にした、社会論的な色彩の強いものである。とはいえ、筆者は、根っこは文学研究の人間であり、文学的な気質を持っている。

これらの論を並べてみて、改めて文学的な問題に戻って考える必要があるようにも思った。「文学的」とは、ここでは、個人の実存のレベル、生身の身体を持った弱い一個人としてどう考えどう生きるか、というレベルで考えるということである。このような認知戦や陰謀論が蔓延している現代社会で生きる個人の実存や生き方はどうすればいいのだろうか、という課題が積み残されているように思われるのだ。

何が真実か分からず不安で混乱し、次々と世界観がひっくり返ったり信念が裏返されたり、騙されたりする状態に生きる経験をこれだけ大規模に大衆的に経験することは、人類史上初めてなのではないか。その中で、人間はどう生きればいいのか、現代社会に生きるとはどういうことか、その認識と理解と生き方のモデルを提供するのが、おそらくは（広義の）現代文学の使命だろうと思われる（この文学観は、大江健三郎『核時代の想像力』を参照している）。

騙されないでいることは難しく、信じた信念も相対化されたり、何度も裏返ったりする。人生に意味を与える「物語」すら利用される。では、「物語」のない状態、様々な信念やイデオロギーを相対化しうるようなメタポジションに立てばいいのだろうか。それで、人は心を安定させることが出来るのであろうか。では、どうすればいいのだろうか。それを、今後の課題として考えていく必要があると思う。既にそれに手をつけている書き手たちはいる。たとえば、フランスのダヴィッド・ラプジャードというドゥルーズ研究者が、『壊れゆく世界の哲学――フィリップ・K・ディック論』という本を刊行している。それは、このような認知戦の時代に生きるリアリティとロールモデルの提示者として、ディックを読み直すものである。

その本の書評を『図書新聞』に書かせていただいた。この書評の内容は、このような時代に生きるとはどういうことかという「実存」や「文学」の問題に対する何がしかの示唆をしているように思うなので、あとがきに代えて、以下に引用させていただきたい。

＊＊＊

ダヴィッド・ラプジャードはドゥルーズの弟子であり、ドゥルーズだけでなくウィリアム・ジェイムズやベルクソンについての著作もある哲学者である。これまで、堀千昌による訳で『ドゥルーズ――常軌を逸脱する運動』『ちいさな生存の美学』が日本で刊行されているが、本書はそれに続く一冊である。彼が扱うのは、哲学者ではなく、アメリカのSF作家であるフィリップ・K・ディックである。

ディックを論じる理由は何か。それは、「SFは世界によって思考する」（一三頁）ジャンルであり、「ある特定の世界の条件があたえられているとき、人物たちはどうやって適応するのか。人間の集団がいるとき、その集団はどんな異様な世界に向きあっているのか」（一四頁）を描くからだ。特に、

「世界」の条件を変えたパラレルワールドを創造し、我々の生きている世界への批判的視座を獲得し、オルタナティヴを想像／創造させるきっかけになる。だから、本書は、ディックを論じながら、この世界をも論じることになる。

この現代社会に生きていて覚える「感じ」と、ディックが描いた感覚はよく似ている。たとえばこのような「感覚」だ。

世界は既にアポカリプスを迎え、崩壊しかけている。世界が狂っているのか自分が狂っているのか分からない。気候変動が生態系を破壊し、人類絶滅の可能性すら念頭に浮かぶ。偽物と本物の区別が曖昧になり、フェイクニュースやディープフェイクが、政治思想や事実の認識について「認知」を奪い合う。陰謀論やパラノイアは蔓延し、政治的な行動に繋がってしまう。個人のデータは収集され、ビッグデータとして解析され商売や統治に利用され、人々は操作されコントロールされている。人間は機械化し、「生」が衰弱しかけている……。

確かに私たちは、一九八二年に亡くなった作家が描いた世界に似ている現実を生きてしまっているように感じられてしまう。それは、ディックが冷戦期にカリフォルニアに住み、ヒッピー文化に親しみ、後にカリフォルニアン・イデオロギーとまとめられる思想にも触れ、ウィーナーの『サイバネティックス』を読んでいたから、未来に起こるだろう問題を外挿法で考えられたからかもしれない。

ラプジャードは、現在を生きるためのヒントを、フィリップ・K・ディックの著作の中に探る。ひとつは、世界を創造すること、錯乱、妄想に期待が懸けられる。次に、結論に近い部分で提示されるのが、ブリコラージュによる修繕である。基本的に、ディックの描く世界は、既に（第三次世界大戦などが起きて）終わった「以後」の世界であり、常に崩壊しかけており、それを超越的に統御したり意味付けをする「神」のような装置は機能していない。その世界でやるべきことは、計算や理性を働かせて行うエンジニアリングではなく、ブリコラージュによる修繕（と、それによって生み出される「変数」となることで、設計や計画の全体主義に抗うこと）である。

そしてもうひとつ、本書全体を通じて重視されているのは、複数の世界・並行宇宙を横断することである。ディック世界では、「現実」だと思っていた世界が、誰かの頭の中だったという展開がよく起きる。『宇宙の眼』が典型例だが、この作品ではそれぞれの思想や信念を持った登場人物たちの視点から見た世界が、如何にグロテスクで歪んでいるのかを読者に体感させる。ウィリアム・ジェイムズは、「多元的宇宙」という言葉を使っており、それは政治学者ウィリアム・コノリーの多元主義に影響を与えているが、ラプジャードはディック作品に描かれた諸世界は多元的宇宙とみなせると述べている。

おそらく、ディックは、この現在我々が生きている多元的な世界を、先駆的に生きた作家なのだ。複数の世界の混ざり合いを描く傾向は、東洋と西洋を折衷した世界観の『高い城の男』にも見られる。ディックが浸っていた六〇年代のカウンターカルチャー自体が、そのような多元的な価値観を止揚する文化を創造するチャレンジだったとも言える。

多元性は、「この現実」を浸食し書き換えようとする存在の介入という、ディックが得意としたモチーフとも関わって来る。ディック作品では、世界や人間がニセモノに思える感覚も頻繁に描かれるが、これは冷戦下のイデオロギー工作の寓意だと解釈されてきた。

現在は、ネットやマスメディアなどで、多元的な勢力がそれぞれの世界観に相手を染めることを競い合う「世論戦」「認知戦」が日常化した。だから、多くの人が、ディック的な感覚になりやすい。「文明の衝突」どころではなく、一つの国の内部でも、それぞれの「宇宙」がぶつかり、分断と衝突は激化している。ウクライナとロシア、パレスチナとイスラエルとで、違う解釈を宣伝し合い、影響を受けた者たちは違う「宇宙」に生きている。ＬＧＢＴや女性の人権を重視する人々と、伝統的な家族を大事にする宗教右派も、違う「宇宙」に生きている。科学的なものを尊重するべきか宗教的なものを尊重するべきかも合意が取れているわけではない。「戦いは世界と世界の戦争であり、また心と心の戦争でもある」（二六頁）。

その中でどうするべきなのか。自身の「宇宙」「現実」が絶対だと思えば、相手が敵に見え、排除したくなる。しかし、むしろディック的に自身の「現実」を疑い、錯乱し、「世界」を崩壊させる方が誠実な態度ではないか。そのような相対性と多元性を眺め渡せるような――それは主観的には「終わった」「崩壊した」神や座標なき世界と感じられるかもしれない――視座の地点から、改めて、宗教的な救済も含めて、どのように生きるのか、新しく世界を作り直していけるのかを模索することが、ラプジャードが「修繕」という言葉に籠めた希望である。ある意味、ディックをケア的な作家と読み直すのだ。「ただし以前の世界を復元するためではない、なぜなら以前の世界は生きづらく、破壊をもたらすものだったのだから。修繕はむしろ、生存可能な新たな諸世界が交わる場をいくつも創造すること、共感の循環を後押ししながら、活気に満ちた連続体のかたちを創造することのためにある」（一五八頁）。

多元的な世界を調停するための処方箋としては、本書は不徹底かもしれない。たとえばオウム真理教や陰謀論者は、手近な材料でブリコラージュし、神や生の意味を作り出したのだし、世界中の「宇宙」は互いに激しく暴力的かつ軍事的に衝突しているような状況である。多元性と統治を両立するためにこそ管理社会が導入されているのではないかという懸念もある。

それでも、ディックが創造しようとした方向に、より良い世界を生み出す可能性は確かにあるはずだ、と説得させられた。その創造に人々を触発する本書は、ディック的な現実を生きている私たちに、確かに未来への希望を、かすかに回復してくれる。生には創造性があり、つまり「変数」があるのだから、まだ未来は確定していない——すなわち、絶望ではないのだと。

二〇二四年一月末日、東京にて

主要参考文献

第一部

I

赤木智弘「『丸山眞男』をひっぱたきたい——31歳、フリーター。希望は、戦争。」『論座』二〇〇七年一月号所収、朝日新聞社

麻生太郎『とてつもない日本』二〇〇七年、新潮社

阿部真大『搾取される若者たち——バイク便ライダーは見た!』二〇〇六年、集英社

石井大智編著、清義明・安田峰俊・藤倉善郎『2ちゃん化する世界——匿名掲示板文化と社会運動』二〇二三年、新曜社

伊藤昌亮『ネット右派の歴史社会学——アンダーグラウンド平成史1990-2000年代』二〇一九年、

青弓社
宇野常寛『ゼロ年代の想像力』二〇〇八年、早川書房
エルネスト・ラクラウ＋シャンタル・ムフ『民主主義の革命――ヘゲモニーとポスト・マルクス主義』西永亮・千葉眞訳、二〇一二年、筑摩書房
玄田有史・曲沼美恵『ニート――フリーターでもなく失業者でもなく』二〇〇四年、幻冬社
五野井郁夫・池田香代子『山上徹也と日本の「失われた30年」』二〇二三年、集英社インターナショナル
杉田俊介『フリーターにとって「自由」とは何か』二〇〇五年、人文書院
杉田俊介「『真の弱者は男性』『女性をあてがえ』…ネットで盛り上がる『弱者男性』論は差別的か?」『文春オンライン』二〇二一年、https://bunshun.jp/articles/-/44981（二〇二四年一月七日取得）
鈴木英生『新左翼とロスジェネ』二〇〇九年、集英社
てらまっと「【座談会】日常のゆくえ――京アニ事件から『ぼっち・ざ・ろっく!』まで」『週末批評』https://worldend-critic.com/2023/07/15/nichijo-symposium/（二〇二四年一月七日取得）
パトリシア・ヒル・コリンズ＋スルマ・ビルゲ『インターセクショナリティ』下地ローレンス吉孝監訳、小原理乃訳、二〇二一年、人文書院
フリーターズフリー『フリーターズフリー』第一号、二〇〇七年、人文書院
フリーターズフリー『フリーターズフリー』第二号、二〇〇八年、人文書院
フリーターズフリー『フリーター論争2・0』二〇〇八年、人文書院
古市憲寿『絶望の国の幸福な若者たち』二〇一一年、講談社
本田透『電波男』二〇〇五年、三才ブックス
本田由紀『多元化する「能力」と日本社会――ハイパー・メリトクラシー化のなかで』二〇〇五年、NT

T出版
マーティン・ルーサー・キング『汝の敵を愛せよ』蓮見博昭訳、一九六五年、新教出版社
マイケル・サンデル『実力も運のうち――能力主義は正義か?』鬼澤忍訳、二〇二三年、早川書房
松本哉『貧乏人の逆襲!――タダで生きる方法』二〇〇八年、筑摩書房
山田昌弘『希望格差社会――「負け組」の絶望感が日本を引き裂く』二〇〇四年、筑摩書房
ロスジェネ編集委員『ロスジェネ』創刊号、二〇〇八年、かもがわ出版
ロスジェネ編集委員『ロスジェネ』別冊、二〇〇八年、かもがわ出版
ロスジェネ編集委員『ロスジェネ』第四号、二〇一〇年、ロスジェネ

Ⅱ

東浩紀『動物化するポストモダン――オタクから見た日本社会』二〇〇一年、講談社
東浩紀『セカイからもっと近くに――現実から切り離された文学の諸問題』二〇一三年、東京創元社
井川楊枝『封印されたアダルトビデオ』二〇一二年、彩図社
伊藤昌亮『炎上社会を考える――自粛警察からキャンセルカルチャーまで』二〇二二年、中央公論新社
伊藤昌亮『ネット右派の歴史社会学――アンダーグラウンド平成史1990-2000年代』二〇一九年、青弓社
上野千鶴子『ナショナリズムとジェンダー　新版』二〇一二年、岩波書店
上野千鶴子『女ぎらい――ニッポンのミソジニー』二〇一八年、朝日新聞出版

エルネスト・ラクラウ＋シャンタル・ムフ『民主主義の革命』二〇一二年、筑摩書房
小川公代『ケアの倫理とエンパワメント』二〇二一年、講談社
川上量生監修『角川インターネット講座04　ネットが生んだ文化――誰もが表現者の時代』二〇一四年、KADOKAWA／角川学芸出版
河野真太郎『戦う姫、働く少女』二〇一七年、堀之内出版
河野真太郎『新しい声を聞くぼくたち』二〇二二年、講談社
木澤佐登志「ミレニアル世代を魅了する奇妙な音楽――『ヴェイパーウェイブ』とは何か」『現代ビジネス』二〇一九年、https://gendai.media/articles/-/59738（二〇二四年四月一五日取得）
北田暁大『嗤う日本の「ナショナリズム」』二〇〇五年、日本放送出版協会
北田暁大『終わらない「失われた20年」――嗤う日本の「ナショナリズム」・その後』二〇一八年、筑摩書房
倉橋耕平『歴史修正主義とサブカルチャー――90年代保守言説のメディア文化』二〇一八年、青弓社
グレイソン・ペリー『男らしさの終焉』小磯洋光訳、二〇一九年、フィルムアート社
グレッグ・ルキアノフ＋ジョナサン・ハイト『傷つきやすいアメリカの大学生たち――大学と若者をダメにする「善意」と「誤った信念」の正体』西川由紀子訳、二〇二二年、草思社
小谷野敦『もてない男――恋愛論を超えて』一九九九年、筑摩書房
ジグムント・バウマン『退行の時代を生きる――人びとはなぜレトロトピアに魅せられるのか』伊藤茂訳、二〇一八年、青土社
清水晶子＋ハン・トンヒョン＋飯野由里子『ポリティカル・コレクトネスからどこへ』二〇二二年、有斐閣

上丸洋一『『諸君!』『正論』の研究——保守言論はどう変容してきたか』二〇一一年、岩波書店
ジョゼフ・E・ユージンスキ『陰謀論入門——誰が、なぜ信じるのか?』北村京子訳、二〇二二年、作品社
ジョセフ・ヒース+アンドルー・ポター『反逆の神話〔新版〕——「反体制」はカネになる』栗原百代訳、二〇二一年、早川書房
杉田俊介『非モテの品格——男にとって「弱さ」とは何か』二〇一六年、集英社
杉田俊介『マジョリティ男性にとってまっとうさとは何か——#MeTooに加われない男たち』二〇二一年、集英社
杉田俊介『男がつらい!——資本主義社会の「弱者男性」論』二〇二二年、ワニブックス
竹村和子『フェミニズム』二〇〇〇年、岩波書店
田崎英明『ジェンダー/セクシュアリティ』二〇〇〇年、岩波書店
千葉雅也・二村ヒトシ・柴田英里『欲望会議——「超」ポリコレ宣言』二〇一八年、KADOKAWA
仲正昌樹『〈リア充〉幻想——真実があるということの思い込み』二〇一〇年、明月堂書店
野間易通『在日特権の虚構——ネット空間が生み出したヘイト・スピーチ』二〇一三年、河出書房新社
パトリシア・ヒル・コリンズ+スルマ・ビルゲ『インターセクショナリティ』二〇二一年、人文書院
ファビエンヌ・ブルジェール『ケアの倫理——ネオリベラリズムへの反論』原山哲・山下りえ子訳、二〇一四年、白水社
フリーターズフリー編『フェミニズムはだれのもの?——フリーターズフリー対談集』二〇一〇年、人文書院
古谷経衡『ネット右翼の逆襲——「嫌韓」思想と新保守論』二〇一三年、総和社

ベンジャミン・クリッツァー『21世紀の道徳──学問、功利主義、ジェンダー、幸福を考える』二〇二一年、晶文社
溝口彰子『BL進化論──ボーイズラブが社会を動かす』二〇一五年、太田出版
宮本節子『AV出演を強要された彼女たち』二〇一六年、筑摩書房
守如子『女はポルノを読む──女性の性欲とフェミニズム』二〇一〇年、青弓社
森岡正博『決定版　感じない男』二〇一三年、筑摩書房
森川嘉一郎『趣都の誕生──萌える都市アキハバラ』二〇〇三年、幻冬舎
山本圭『現代民主主義──指導者論から熟議、ポピュリズムまで』二〇二一年、中央公論新社、
渡辺靖『白人ナショナリズム──アメリカを揺るがす「文化的反動」』二〇二〇年、中央公論新社
『ユリイカ』二〇二〇年九月号「特集＝女オタクの現在」、青土社

Ⅲ

浅羽通明『天使の王国──「おたく」の倫理のために』一九九一年、ＪＩＣＣ出版局
麻生太郎『とてつもない日本』二〇〇七年、新潮社
東浩紀『動物化するポストモダン』二〇〇一年、講談社
大泉実成『オタクとは何か？』二〇一七年、草思社
大塚英志『「おたく」の精神史──一九八〇年代論』二〇一六年、星海社
岡田斗司夫『オタク学入門──東大「オタク文化論ゼミ」公認テキスト』二〇〇〇年、新潮社

岡田斗司夫・唐沢俊一『オタク論!』二〇〇七年、創出版
押井守・伊藤和典・上野俊哉「映画とは実はアニメーションだった（徹底討議）」『ユリイカ』一九九六年八月号、青土社
金日林『「マンガ・アニメ共栄圏」を問い直す」『グローバル日本研究クラスター報告書』第二集、二〇一九年、大阪大学
倉橋耕平『歴史修正主義とサブカルチャー』二〇一八年、青弓社
藤田直哉『シン・エヴァンゲリオン論』二〇二一年、河出書房新社
中島梓『コミュニケーション不全症候群』一九九五年、筑摩書房
中森明夫「『おたく』の研究①」『漫画ブリッコ』一九八三年六月号、白夜書房
森川嘉一郎『趣都の誕生――萌える都市アキハバラ』二〇〇三年、幻冬舎
渡辺靖『文化と外交――パブリック・ディプロマシーの時代』二〇一一年、中央公論新社

第二部

Ⅳ

イェスパー・ユール『ハーフリアル――虚実のあいだのビデオゲーム』松永伸司訳、二〇一六年、ニューゲームズオーダー
池田純一『〈ポスト・トゥルース〉アメリカの誕生――ウェブにハックされた大統領選』二〇一七年、青

土社
井上明人『ゲーミフィケーション――〈ゲーム〉がビジネスを変える』二〇一二年、NHK出版
今井晋「IGN JAPAN副編集長　今井晋インタビュウ」『S-Fマガジン』二〇一八年六月号、早川書房
奥谷海人「Access Accepted第440回――北米ゲーム業界を揺るがす〝ゲーマーゲート〟問題」『4Gamers.net』https://www.4gamer.net/games/036/G003691/20141107133/（二〇二四年一月七日取得）
ジェイン・マクゴニガル『幸せな未来は「ゲーム」が創る』妹尾堅一郎監修、藤本徹・藤井清美訳、二〇一一年、早川書房
杉田水脈「私を潰そうとしている人たちの正体」『月刊Hanada』二〇二四年一月号、飛鳥新社
セリア・ホデント『はじめて学ぶ　ビデオゲームの心理学――脳のはたらきとユーザー体験（UX）』山根信二監訳、成田啓行訳、二〇二二年、福村出版
多根清史『教養としてのゲーム史』二〇一一年、筑摩書房
津田大介・日比嘉高『「ポスト真実」の時代』二〇一七年、祥伝社
中川大地『現代ゲーム全史――文明の遊戯史観から』二〇一六年、早川書房
八田真行「オルタナ右翼とゲーマーゲートと呼ばれる事件の関係」『ニューズウィーク』https://www.newsweekjapan.jp/stories/world/2016/09/post-5865.php（二〇二四年一月七日取得）
平和博「〝ピザゲート〟発砲事件――陰謀論がリアルの脅威になる」『ハフィントン・ポスト』https://www.huffingtonpost.jp/kazuhiro-taira/pizzagate-firearm_b_13573436.html（二〇二三年一月七日取得）
藤本徹『シリアスゲーム――教育・社会に役立つデジタルゲーム』二〇〇七年、東京電機大学出版局
マーク・プレンスキー『テレビゲーム教育論――ママ！ジャマしないでよ勉強しているんだから』藤本徹訳、二〇〇七年、東京電機大学出版局

桝山寛『テレビゲーム文化論——インタラクティブ・メディアのゆくえ』二〇〇一年、講談社
松永伸司『ビデオゲームの美学』二〇一八年、慶應義塾大学出版会
安田浩一『ネットと愛国』二〇一五年、講談社
安田浩一「娯楽としての暇アノン——SNSで扇動される誹謗中傷」『世界』二〇二四年二月号、岩波書店
吉田寛『デジタルゲーム研究』二〇二三年、東京大学出版会
渡辺修司、中村彰憲『なぜ人はゲームにハマるのか——開発現場から得た「ゲーム性」の本質』二〇一四年、SBクリエイティブ
Alfie Bown「How video games are fuelling the rise of the far right」『The Guardian』https://www.theguardian.com/commentiSFree/2018/mar/12/video-games-fuel-rise-far-right-violent-misogynist（二〇二四年一月七日取得）
Cardiff University Crime and Security Research Institute『How a Kremlin-Linked Influence Operation is Systematically Manipulating Western Media to Construct and Communicate Disinformation』二〇二一年
Reggie Ugwu「オルタナ右翼が愛する電子音楽とは」矢倉美登里訳、『BuzzFeed』https://www.buzzfeed.com/jp/bfjapannews/fashwave-jp（二〇二四年一月七日取得）

V

飯塚恵子『ドキュメント誘導工作——情報操作乃巧妙な罠』二〇一九年、中央公論新社
岸俊光編、志垣民郎『内閣調査室秘録——戦後思想を動かした男』二〇一九年、文藝春秋
ジョゼフ・E・ユージンスキ『陰謀論入門——誰が、なぜ信じるのか』北村京子訳、二〇二二年、作品社
ジョナサン・ゴットシャル『ストーリーが世界を滅ぼす——物語があなたの脳を操作する』月谷真紀訳、二〇二二年、東洋経済新報社
スコット・ジャスパー『ロシアサイバー侵略——その傾向と対策』川村幸城訳、二〇二三年、作品社
高木徹『ドキュメント戦争広告代理店——情報操作とボスニア紛争』二〇〇二年、講談社
デイヴィッド・パトリカラコス『140字の戦争——SNSが戦場を変えた』江口泰子訳、二〇一九年、早川書房
トマス・リッド『アクティブ・メジャーズ——情報戦争の百年秘史』松浦俊輔訳、二〇二一年、作品社
福田直子『デジタル・ポピュリズム——操作される世論と民主主義』二〇一八年、集英社
保坂三四郎『諜報国家ロシア——ソ連KGBからプーチンのFSB体制まで』二〇二三年、中央公論新社
毎日新聞取材班『オシント新時代——ルポ・情報戦争』二〇二二年、毎日新聞出版
渡辺靖『〈文化〉を捉え直す——カルチュラル・セキュリティの発想』二〇一五年、岩波書店
「座談会　戦場はスマホの中に——『ナラティブ』が情報戦の最前線」『外交』第八〇号、二〇二三年、都市出版

補論

アントニオ・グラムシ『新編　現代の君主』上村忠男編訳、二〇〇八年、筑摩書房
一田和樹『フェイクニュース——新しい戦略的戦争兵器』二〇一八年、KADOKAWA

ウィリアム・コノリー『プルーラリズム』杉田敦ほか訳、二〇〇八年、岩波書店
宇野常寛『遅いインターネット』二〇二三年、幻冬舎
江藤淳『閉された言語空間――占領軍の検閲と戦後日本』一九九四年、文藝春秋
エルネスト・ラクラウ＋シャンタル・ムフ『民主主義の革命』二〇一二年、筑摩書房
金森修『新装版　サイエンス・ウォーズ』二〇一四年、東京大学出版会
賀茂道子『ウォー・ギルト・プログラム――GHQ情報教育政策の実像』二〇一八年、法政大学出版会
ギー・ドゥボール『スペクタクルの社会』木下誠訳、二〇〇三年、筑摩書房
木澤佐登志『ニック・ランドと新反動主義――現代世界を覆う〈ダーク〉な思想』二〇一九年、星海社
木澤佐登志『闇の精神史』二〇二三年、早川書房
喬良・王湘穂『超限戦――21世紀の「新しい戦争」』坂井臣之助監修、劉琦訳、二〇二〇年、KADOKAWA
キャス・サンスティーン『インターネットは民主主義の敵か』石川幸憲訳、二〇〇三年、毎日新聞出版
小口日出彦『情報参謀』二〇一六年、講談社
ジグムント・バウマン『退行の時代を生きる――人びとはなぜレトロピアに魅せられるのか』伊藤茂訳、二〇一八年、青土社
ジャック・ランシエール『民主主義への憎悪』松葉祥一郎訳、二〇〇八年、インスクリプト
ジョセフ・ヒース＋アンドルー・ポター『反逆の神話〔新版〕――「反体制」はカネになる』栗原百代訳、二〇二一年、早川書房
ジョナサン・ハイト『社会はなぜ左と右にわかれるのか――対立を超えるための道徳心理学』高橋洋訳、二〇一四年、紀伊國屋書店

ダニエル・カーネマン『ファスト&スロー』上下巻、村井章子訳、二〇一四年、早川書房
田中辰雄・山口真一『ネット炎上の研究――誰があおり、どう対処するのか』二〇一六年、勁草書房
田原牧『ネオコンとは何か――アメリカ新保守主義派の野望』二〇〇三年、明月堂
立木康介『露出せよ、と現代文明は言う――「心の闇」の喪失と精神分析』二〇一三年、河出書房新社
塚越健司『ハクティビズムとは何か――ハッカーと社会運動』二〇一二年、ソフトバンククリエイティブ
藤田直哉『娯楽としての炎上――ポスト・トゥルース時代のミステリ』二〇一八年、南雲堂
藤田直哉『ゲームが教える世界の論点』二〇二三年、集英社
藤田直哉『攻殻機動隊論』二〇二一年、作品社
フレドリック・ジェイムソン『言語の牢獄――構造主義とロシア・フォルマリズム』川口喬一訳、一九八八年、法政大学出版会
西田亮介『メディアと自民党』二〇一五年、KADOKAWA
野間易通『「在日特権」の虚構――ネットが生み出したヘイト・スピーチ』二〇一三年、河出書房新社
マーシャル・マクルーハン『グーテンベルクの銀河系――活字人間の形成』森常治訳、一九八六年、みすず書房
ミチコ・カクタニ『真実の終わり』岡崎玲子訳、二〇一九年、集英社
安田浩一『ネットと愛国――在特会の「闇」を追いかけて』二〇一二年、講談社
山本圭『現代民主主義――指導者論から熟議、ポピュリズムまで』二〇二一年、中央公論新社
ヱクリヲ編集部『ヱクリヲ』第一二号、二〇二〇年、ヱクリヲ編集部
リー・マッキンタイア『ポストトゥルース』大橋完太郎監訳、居村匠・大崎智史・西橋卓也訳、二〇二〇年、人文書院

リチャード・ホフスタッター『アメリカの反知性主義』田村哲夫訳、二〇〇三年、みすず書房
リチャード・ホフスタッター「アメリカ政治におけるパラノイド・スタイル」入江哲朗訳、『表象』第一七号、二〇二三年、表象文化論学会
レフ・マノヴィッチ『ニューメディアの言語——デジタル時代のアート、デザイン、映画』堀潤之訳、二〇一三年、みすず書房

第三部は、時評であり、本文を読んでいればすぐに引用・参照文献は分かるので、省略する。

初出一覧

第一部

Ⅰ「ゼロ年代　未完のプロジェクト」（『現代思想』二〇二二年一二月号「特集＝就職氷河期世代／ロスジェネの現在」、青土社）

Ⅱ「ミソジニーとサブカルチャーのインターネット文化史」（原題「ネットはユートピアか?——ミソジニーとサブカルチャーのインターネット文化史」『世界』二〇二三年六月号、岩波書店）

Ⅲ「オタク文化とナショナル・アイデンティティ」（ソウル大学日本研究所国際学術シンポジウム「2000年代以降日本オタク文化の争点と展望——クール・ジャパン20年を顧みる」『오타쿠 문화와 리얼리티』二〇二三年三月、ソウル大学日本研究所）

第二部

Ⅳ「不幸な未来もゲームは作れるのか?」（原題「不幸な未来も『ゲーム』が作るのか?――『ゲーム』と『政治』に関する批判的ノート」、限界研編、竹本竜都・宮本道人編著『プレイヤーはどこへ行くのか――デジタルゲームへの批評的接近』二〇一八年、南雲堂）

Ⅴ「積極工作と陰謀論政治」（原題「世界の裏で暗躍する『工作活動』の実態――ロシア・アメリカ情報戦争の100年」、『じんぶん堂』二〇二二年）

補論「ポスト・トゥルスと、脱マスメディア時代のポップカルチャー」（脱マスメディア時代のポップカルチャー美学に関する基盤研究、『2021年度オープン研究会　ポスト・コロナのポップカルチャー　最終報告書』二〇二二年、横浜国立大学室井研究室）

第三部

Ⅰ「ネット万華鏡」『共同通信』二〇一四年一月‐二〇一五年二月

Ⅱ「ネット方面見聞録」『朝日新聞』二〇一九年四月‐二〇二三年一二月

あとがき　ダヴィッド・ラプジャード『壊れゆく世界の哲学』書評（『図書新聞』三六一七号、二〇二三年一二月二日、武久出版）

藤田直哉（ふじた・なおや）

批評家、日本映画大学准教授。一九八三年、札幌生まれ。早稲田大学第一文学部卒業。東京工業大学社会理工学研究科価値システム専攻修了。博士（学術）。著書に『虚構内存在』『シン・ゴジラ論』『攻殻機動隊論』『新海誠論』（作品社）、『新世紀ゾンビ論』（筑摩書房）、『娯楽としての炎上』（南雲堂）、『シン・エヴァンゲリオン論』（河出書房新社）、『ゲームが教える世界の論点』（集英社）、共編著に『3・11の未来――日本・SF・創造力』（作品社）、『地域アート――美学／制度／日本』（堀之内出版）、『東日本大震災後文学論』（南雲堂）などがある。朝日新聞にて「ネット方面見聞録」連載中。

現代ネット政治＝文化論
──AI、オルタナ右翼、ミソジニー、ゲーム、陰謀論、アイデンティティ

二〇二四年六月二五日　初版第一刷印刷
二〇二四年六月三〇日　初版第一刷発行

著　者　藤田直哉

発行者　福田隆雄
発行所　株式会社作品社
〒一〇二-〇〇七二　東京都千代田区飯田橋二-七-四
電話　〇三-三二六二-九七五三
ファクス　〇三-三二六二-九七五七
振替口座　〇〇一六〇-三-二七一八三
ウェブサイト　https://www.sakuhinsha.com

装　幀　コバヤシタケシ
装　画　藤嶋咲子
本文組版　大友哲郎
印刷・製本　シナノ印刷株式会社

Printed in Japan
ISBN978-4-86793-037-3　C0030